Hubert Walter:

Sexual- und Entwicklungsbiologie des Menschen

Deutscher
Taschenbuch
Verlag

Georg Thieme
Verlag
Stuttgart

Prof. Dr. rer. nat. Hubert Walter,
Fachbereich Biologie (Fachrichtung Humanbiologie/Anthropologie) der Universität Bremen

CIP-Kurztitelaufnahme der Deutschen Bibliothek

Walter, Hubert
Sexual- und Entwicklungsbiologie des Menschen. –
Stuttgart: Thieme, 1978.
ISBN 3-13-558701-0 (Thieme)

Satz: Mayr, Miesbach, gesetzt auf VIP-S

Druck: Druckhaus Dörr, Inhaber Adam Götz, Ludwigsburg

ISBN: 3 13 558701 0 (Georg Thieme Verlag)

ISBN: 3-423-04314-8 (dtv) 5 4 3 2 1 0

Vorwort

Der Plan zu diesem Buch geht auf Vorlesungen zurück, die ich früher an der Universität Mainz hielt und – in erweiterter Form – jetzt an der Universität Bremen regelmäßig durchführe. Es wendet sich vor allem an Biologielehrer und diejenigen Biologiestudenten, die das Lehramt anstreben. Ihnen will es eine Hilfe bei der fachlichen Einarbeitung in den weiten Bereich der Sexual- und Entwicklungsbiologie des Menschen sein, zumal diese Thematik heute in immer stärkerem Maße in den Biologieunterricht aller Schulstufen einbezogen ist. Da an der Erforschung sexual- und entwicklungsbiologischer Fragestellungen aber zahlreiche verschiedene Disziplinen sowohl der Humanbiologie als auch der Medizin beteiligt sind, ist es für den an diesen Fragen Interessierten nicht einfach, sich einen zusammenhängenden Überblick zu verschaffen. In dem vorliegenden Leitfaden stelle ich mir daher das Ziel, die mannigfachen humanbiologischen und medizinischen Aspekte dieser Fragestellungen miteinander zu verknüpfen und in allgemein verständlicher Weise darzustellen.

Mein Dank gilt allen, die an der Gestaltung dieses Leitfadens mitgewirkt haben, insbesondere dem Georg Thieme Verlag und seinen Mitarbeitern.

Bremen, im Frühjahr 1978 HUBERT WALTER

Inhaltsverzeichnis

1. Einleitung

Das menschliche Leben, das, wie bei allen höheren Organismen, durch die Verschmelzung zweier in bestimmten Organen gebildeter Keimzellen zustande kommt, läßt sich in eine Reihe jeweils aufeinanderfolgender *Entwicklungsabschnitte* gliedern. Diese Abschnitte sind durch das Auftreten bestimmter körperlicher sowie auch geistig-seelischer Veränderungen gekennzeichnet. Das Erreichen dieser Entwicklungsabschnitte setzt voraus, daß keine inneren oder äußeren Störfaktoren vorhanden sind, die einen vorzeitigen Abbruch der Entwicklung eines Individuums und damit seinen Tod zur Folge haben. Allerdings wirken nicht alle Faktoren, die den Ablauf der körperlichen Entwicklung ungünstig beeinflussen können, letal (tödlich), sondern führen vielfach nur zu mehr oder weniger ausgeprägten *Entwicklungsstörungen,* die von äußerlich kaum erkennbaren Fehlbildungen (z.B. leichte Formen der Hasenscharte) bis hin zu schwersten, lebensbeeinträchtigenden Mißbildungen (z.B. Fehlen ganzer Gliedmaßen, völliger oder teilweiser Ausfall von Organfunktionen) reichen können.

Die beiden Hauptabschnitte im Verlauf des menschlichen Lebens sind einmal der *pränatale* (vorgeburtliche) Abschnitt, der von der Befruchtung der Eizelle bis zur Geburt dauert und ca. 280 Tage umfaßt, zum anderen der *postnatale* (nachgeburtliche), der die Zeit von der Geburt bis zum Lebensende umschließt und in der Bundesrepublik Deutschland gegenwärtig bei Frauen im Durchschnitt 73,6 Jahre beträgt, bei Männern dagegen durchschnittlich nur 67,3 Jahre.

Neuerdings wird die Zeit um die Geburt – vom 196. Tage nach der Befruchtung (was dem Ende der 28. Schwangerschaftswoche entspricht) bis zum 7. Tag nach der Geburt – als *perinataler* Entwicklungsabschnitt gesondert ausgewiesen. Ein eigener Zweig der Medizin, die *Perinatalogie,* welche sich aus Teilbereichen der Gynäkologie (Frauenheilkunde) und der Pädiatrie (Kinderheilkunde) sowie der Humangenetik (menschliche Vererbungslehre) zusammensetzt, beschäftigt sich speziell mit der Entwicklung in diesem Zeitabschnitt. Eines ihrer Ziele ist die Herabsetzung der kurz vor und nach der Geburt besonders hohen Kindersterblichkeit (Berg 1976, Friedberg u. Hiersche 1975).

In Anlehnung an Goerttler (1964) und Grimm (1966) lassen sich die beiden Hauptabschnitte der menschlichen Entwicklung wie folgt untergliedern:

1.1. Pränataler Abschnitt

1. Blastogenese: 1.–15. Tag nach der Befruchtung. In dieser Zeit, in der die befruchtete Eizelle sich bereits zu einem Zellverband entwikkelt, findet die *Nidation* (Einnistung) des Keims in die Schleimhaut des *Uterus* (Gebärmutter) statt, und zwar zwischen dem 5. und 6. Tag nach der *Ovulation* (Eisprung).

2. Embryogenese: 16.–75. Tag nach der Befruchtung. In dieser Zeit bilden sich die embryonalen Versorgungs- und Entsorgungsorgane (Nabelblase, Harnsack, Plazenta und Nabelschnur) (s. S. 75). Außerdem setzt die Ausbildung der verschiedenen Organe ein.

3. Fetogenese: 76. – 280. Tag nach der Befruchtung. Weiterentwicklung und Ausreifung der Organe.

1.2. Postnataler Abschnitt

1. Neugeborenenalter: Von der Geburt bis ca. 2 Wochen danach. Endet mit dem Abfall der Nabelschnur und Verheilung der Nabelschnurwunde.

2. Säuglingsalter: ca. 2 Wochen bis ca. 6 Monate nach der Geburt. Endet mit dem Durchbruch des 1. Milchzahns (in der Regel ein mittlerer Schneidezahn des Unterkiefers).

3. Kriechlingsalter: ca. 6 Monate bis ca. 18 Monate nach der Geburt. Endet mit der Fähigkeit, selbständig laufen zu können.

4. Kleinkindalter: ca. 18 Monate bis ca. 6 Jahre. Endet mit dem Auftreten des 1. Dauerzahns (in der Regel der 1. Backenzahn im Unterkiefer).

5. Kindesalter: Bei Knaben ca. vom 6. bis ca. 11. Lebensjahr (Lj.), bei Mädchen vom ca. 6. bis 9. Lj. Endet mit dem Auftreten der ersten körperlichen Reifungszeichen.

6. Reifungsalter: Bei Knaben vom ca. 11. bis ca. 20. Lj., bei Mädchen vom ca. 9. bis ca. 18. Lj. Endet mit dem Abschluß des Wachstums der Körperhöhe. In diesem Zeitraum findet auch die *Pubertät* (Geschlechtsreifung) statt. Man gliedert diesen Entwicklungsabschnitt in drei Teile:

Präpubertät: Bei Knaben vom ca. 11. bis ca. 13. Lj., bei Mädchen vom ca. 9. bis ca. 11. Lj. Zeit vor dem Auftreten der Schambehaarung (Behaarung der äußeren Geschlechtsteile), während der ein verstärktes Wachstum der äußeren Geschlechtsteile bzw. der weiblichen Brustdrüsen beginnt und die puberale Beschleunigung des Längenwachstums einsetzt.

Pubertät: Bei Knaben vom ca. 13. bis ca. 16. Lj., bei Mädchen vom ca. 11. bis ca. 15. Lj. Zeit zwischen dem Auftreten der Schambehaarung und der Bildung der ersten reifen Spermien (Samenzellen) bzw. dem Beginn der Menstruation (Monatsblutung).

Postpubertät (Adoleszenz): Bei Knaben vom ca. 16. bis ca. 20. Lj., bei Mädchen vom ca. 15. bis ca. 18. Lj. Zeit vom Abschluß der Pubertät bis zum Abschluß des Längenwachstums.

7. Leistungsalter: Bei Männern vom ca. 20. bis ca. 65. Lj., bei Frauen vom ca. 18. bis ca. 60. Lj. Zeit der optimalen körperlichen und geistig-seelischen Leistungsfähigkeit. Allerdings setzen in diesem Lebensabschnitt bereits die ersten körperlichen Abbau- und Rückbildungsprozesse ein, so daß das

8. Rückbildungsalter – bei Männern zwischen dem ca. 50. bis ca. 75. Lj., bei Frauen zwischen dem ca. 45. bis ca. 75. Lj. – nicht scharf gegen das Leistungsalter abgegrenzt werden kann. Dieser Lebensabschnitt ist nicht nur durch einen immer deutlicheren Rückgang der körperlichen Fähigkeiten gekennzeichnet, sondern auch durch eine Anzahl von Leistungsminderungen im geistig-seelischen Bereich, wie z. B. die abnehmende Lernfähigkeit und das schwächer werdende Anpassungsvermögen an neue Situationen und Veränderungen der sozialen Umwelt.

9. Greisenalter: Vom ca. 75. Lj. an bis zum Tod. Gekennzeichnet durch erheblichen Rückgang sowohl der körperlichen als auch der geistig-seelischen Fähigkeiten als Folge von verstärkten Veränderungen und Funktionsminderungen vieler Organe.
Der Alterstod ist in der Regel – wie der Tod in früheren Lebensabschnitten – durch krankhafte Prozesse bedingt. Sie können allerdings unerkannt ablaufen, so daß das Leben sehr alter Menschen anscheinend ohne vorherige Krankheit enden kann.

Natürlich kann eine derartige Gliederung des menschlichen Lebensverlaufes nur einen orientierenden Charakter haben, zumal die angegebenen Altersbegrenzungen unter dem Einfluß der verschiedensten biologischen und nichtbiologischen Faktoren individuell stark schwanken können. Immerhin bietet diese Übersicht aber eine Art von Verlaufsplan, in dem sich das menschliche Leben vollzieht, sofern die inneren und äußeren Voraussetzungen hierfür gegeben sind.

2. Entwicklung, Bau und Funktion der menschlichen Sexualorgane

2.1. Die Entwicklung der Sexualorgane

Das Geschlecht eines Menschen wird bereits im Moment der Befruchtung der Eizelle festgelegt, wobei, wie bei allen Säugetieren, auch beim Menschen die Kombination der *Geschlechtschromosomen* X und Y für die Entwicklung des künftigen Geschlechts (XX = weiblich, XY = männlich) entscheidend ist. In bisher noch nicht völlig geklärter Weise induziert das Y-Chromosom die Differenzierung der primär »geschlechtsneutralen« Urgonaden (Keimdrüsen) zu Hodenzellen. Man nimmt an, daß das Y-Chromosom ein Gen trägt, dessen Produkt diese Differenzierung auslöst (Zankl 1977). Die Zahl der X-Chromosomen ist in diesem Zusammenhang unerheblich, da Hodenzellen auch dann ausgebildet werden, wenn neben dem entscheidenden Y-Chromosom zwei, drei oder noch mehr X-Chromosomen vorhanden sind.

Die morphologisch nachweisbare Differenzierung in das männliche oder weibliche Geschlecht setzt bei genetisch männlich geprägten (XY) Keimen in der 6.–7. Woche nach der Befruchtung ein, bei weiblich geprägten (XX) dagegen erst in der 10. Woche. Diese Differenzierungsabläufe sollen im folgenden kurz beschrieben werden. Eine sehr ausführliche Darstellung dieses ebenso komplexen wie komplizierten Entwicklungsprozesses findet sich bei Langman (1976).

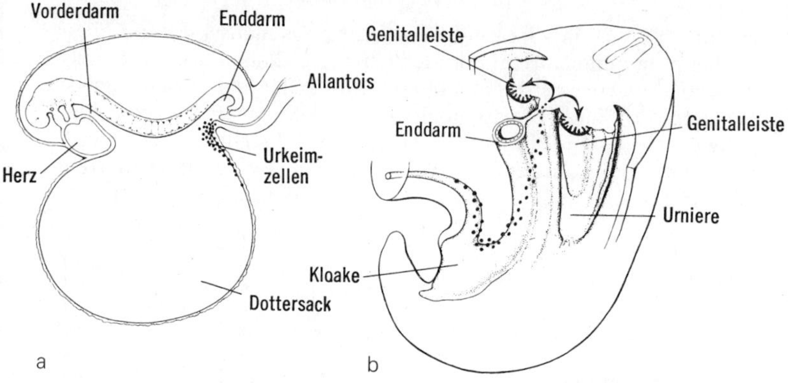

Abb. 1a u. b Schematische Darstellung eines 3 Wochen alten Embryos. a) Lage der Urkeimzellen, b) Weg der Urkeimzellen (punktiert) in die Genitalleisten (aus Langman, J.: Medizinische Embryologie. 5. Aufl., Thieme, Stuttgart 1977)

Zunächst erscheinen beim ca. 4 Wochen alten Embryo die *Urgonaden,* die als paarig angelegte, längliche Leisten *(Genitalleisten)* zwischen dem Aufhängeband des embryonalen Enddarms und den beiden Urnieren ausgeprägt werden und aus dem Zellgewebe der Leibeshöhle hervorgehen (Abb. 1). Diese Genitalleisten sind vorerst noch geschlechtlich undifferenziert. Ihre Differenzierung erfolgt durch das Einwandern der Urkeimzellen, die bereits in der 3. Entwicklungswoche angelegt werden, und zwar in der Wand des Dottersacks nahe der Allantois (Urharnsack, Ausstülpung des embryonalen Enddarms). Von dort wandern die Urkeimzellen über das Aufhängeband des embryonalen Enddarms in die Genitalleisten (Abb. 1), was ca. um die 6. Entwicklungswoche abgeschlossen ist. Dadurch werden diese gewissermaßen »befruchtet« und entwickeln sich weiter zu *Hoden,* wenn die eingewanderten Urkeimzellen ein Y-Chromosom besitzen oder zu *Eierstöcken,* wenn ein solches Chromosom fehlt. Kurz vor und während der Einwanderung der Urkeimzellen in die Genitalleisten vermehrt sich deren Epithel (Zellverband, der innere und äußere Oberflächen bedeckt), und Epithelzellen dringen in das tiefergelegene Bindegewebe ein. Dort bildet sich eine Anzahl von ungleichmäßig geformten Zellsträngen *(primitive Keimstränge),* die nach und nach die eingewanderten Urkeimzellen umschließen.

Bei genetisch männlich geprägten Embryonen dringen die primitiven Keimstränge unter fortgesetzter Zellvermehrung immer weiter in das Innere der Keimdrüsenanlage ein, wobei sich eine Reihe von besonde-

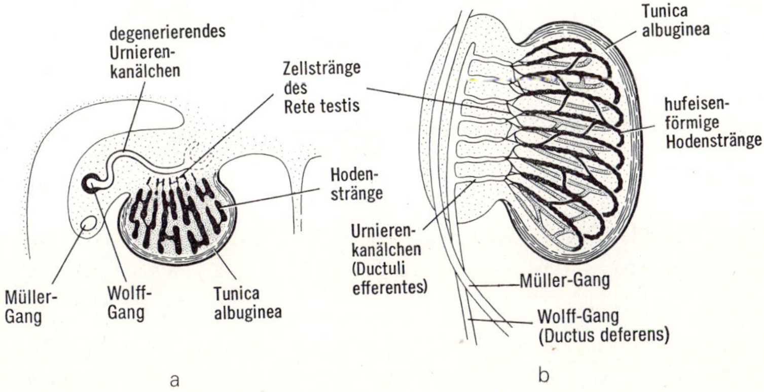

Abb. 2a u. b a) Querschnitt durch den Hoden in der 8. Entwicklungswoche, b) schematische Darstellung der Hoden und Geschlechtswege im 4. Entwicklungsmonat (aus LANGMAN, J.: Medizinische Embryologie. 5. Aufl., Thieme, Stuttgart 1977)

ren Zellsträngen bilden, die *Hodenstränge* (Abb. 2a). Aus ihren zum Stiel des Hodens hin liegenden Enden entwickeln sich später die Samenkanälchen des *Rete testis* (Netz verzweigter, in den Samenleiter führender Samenkanälchen des Hodens). Etwa von der 7. Entwicklungswoche an verlieren die Hodenstränge die bis dahin noch vorhandene Verbindung mit dem Oberflächenepithel und werden von diesem durch eine dichte Bindegewebeschicht getrennt, die *Tunica albuginea,* welche im weiteren Entwicklungsverlauf zur *Hodenkapsel* wird. In der 16. Entwicklungswoche nehmen die Hodenstränge eine annähernd hufeisenförmige Gestalt an und treten mit den Zellsträngen des Rete testis in Verbindung (Abb. 2b). Während der gesamten weiteren Entwicklung bis zur Pubertät (Geschlechtsreife) bleiben die Hodenstränge kompakt. Erst dann erfolgt ihre Umwandlung zu den *Samenkanälchen* (Tubuli seminiferi), die über die Kanälchen des Rete testis in die *Samenleiter* (Ductus deferens) münden.

Neben den Urkeimzellen enthalten die Hodenstränge Zellen, die aus dem Oberflächenepithel des Hodens stammen. Diese Zellen entwikkeln sich zu den sog. Sertolischen Stützzellen, deren Aufgabe in der Bildung eines für die Spermiogenese (Samenreifung) wichtigen Hormons zu liegen scheint. Im Gewebe zwischen den Hodensträngen bzw. den späteren Samenkanälchen befinden sich die Leydigschen Zwischenzellen, die vom 4. bis zum 6. Entwicklungsmonat besonders zahlreich sind und deren Aufgabe in der Bildung von *Testosteron* (männliches Geschlechtshormon) liegt, das für Wachstum und spätere Funktion der männlichen Sexualorgane verantwortlich ist. Eine geringe Menge dieses Testosterons wird an bisher noch unbekannter Stelle im männlichen Organismus zu Östrogen (Weiblichkeitshormon) umgewandelt. Der größte Teil dieses Hormons wird in der Regel allerdings in der Leber abgebaut und über die Nieren im Harn ausgeschieden.

Bei genetisch weiblich geprägten Embryonen werden die primären Keimstränge durch eindringendes Bindegewebe in unregelmäßige Zellhaufen getrennt, welche Urkeimzellen enthalten und vorwiegend im Mark des frühen Ovars (Eierstock) liegen (Abb. 3a). Das Epithel der Oberfläche des Ovars vermehrt und verdichtet sich, wobei die *Rindenstränge* entstehen, die überwiegend in der Oberflächennähe verbleiben. Im Verlauf der weiteren Entwicklung gliedern sich diese Stränge ebenfalls in Zellhaufen, die jeweils eine oder mehrere der eingewanderten Urkeimzellen umgeben. Diese entwickeln sich zu den *Oogonien* (Ureier, unreife Eizellen), während die sie umschließenden Zellen zu den *Follikelzellen* (Eibläschen) werden (Abb. 3b). Die im Mark liegenden primären Keimstränge (Markstränge) zerfallen und werden durch ein gefäßreiches Bindegewebe ersetzt. Da im Gegensatz zum männlichen Geschlecht im weiblichen keine Kanäle innerhalb der

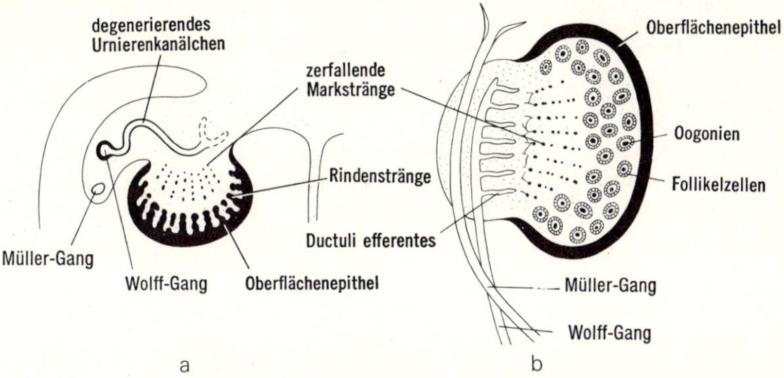

Abb. 3a u. b a) Querschnitt durch den Eierstock in der 7. Entwicklungswoche, b) schematische Darstellung des Eierstocks und der Geschlechtswege im 5. Entwicklungsmonat (aus LANGMAN, J.: Medizinische Embryologie. 5. Aufl., Thieme, Stuttgart 1977)

Keimdrüsen vorhanden sind, werden die späteren reifen Eizellen nicht über die Genitalwege abgeleitet, sondern über die Oberfläche des Ovars (s. S. 33).

Auch im Ovar werden nicht nur Keimzellen gebildet, sondern auch Hormone (*Östrogen, Gestagen* = Schwangerschaftshormon), die Wachstum und Funktion der weiblichen Sexualorgane steuern bzw. für Eireifung und Schwangerschaft von Bedeutung sind (s. S. 21). Sowohl die Bildung der Weiblichkeitshormone (Östrogene) als auch die der Männlichkeitshormone (Androgene) wird von übergeordneten Gonadotropinen gesteuert, bei denen es sich um Hormone handelt, die im *Hypophysenvorderlappen* gebildet werden, welcher im Hirnanhang liegt.

Ebenso wie die Keimdrüsen sind bei beiden Geschlechtern auch die *Genitalwege* und die *äußeren Genitalien* zunächst noch undifferenziert. In der 6. Entwicklungswoche sind sowohl beim männlichen als auch beim weiblichen Geschlecht auf jeder Körperseite zwei Genitalwege vorhanden, und zwar der Wolffsche Gang, der von der Urniere kommt und in die Kloake (Ausscheidungsausgang) mündet, sowie der Müllersche Gang, der parallel dazu verläuft und ebenfalls in die Kloaken führt (Abb. 4). Abhängig vom genetisch fixierten Geschlecht entwickelt sich einer dieser beiden Gänge weiter. Im männlichen Geschlecht wird der Wolffsche Gang zum Hauptausführungsgang für die Keimdrüsenkanäle, während sich der Müllersche Gang völlig zurückbildet.

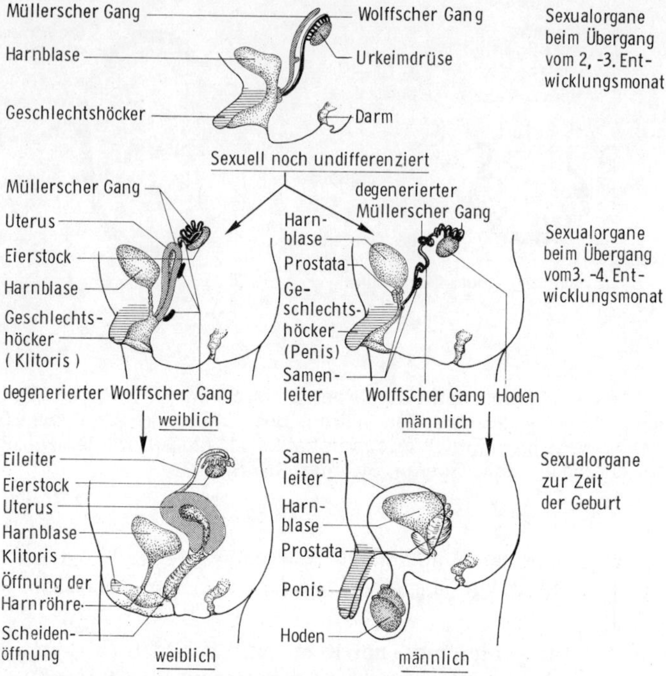

Abb. 4 Die pränatale Differenzierung der männlichen und weiblichen Geschlechtswege und inneren Geschlechtsorgane (nach Money)

Im weiblichen Geschlecht hingegen wird der Wolffsche Gang fast völlig reduziert, während der Müllersche Gang sich weiter entwickelt und Eileiter, Uterus (Gebärmutter) sowie den größten Teil der Vagina (Scheide) bildet (Abb. 4).

Während der pränatalen Entwicklungszeit findet in beiden Geschlechtern, vor allem jedoch im männlichen, eine Lageveränderung der Keimdrüsen statt. Das Ovar liegt bei der Geburt knapp unterhalb des Oberrandes des kleinen Beckens und verändert damit seine Lage nicht wesentlich. Ausgeprägter ist dagegen die Lageveränderung der Hoden, der *Descensus testiculorum* (Herabsteigen der Hoden aus der Bauchhöhle in den Hodensack). Nach LUDVIK (1976) wandern die ursprünglich in der Höhe der Nieren angelegten Hoden in der zweiten Hälfte des 3. Entwicklungsmonats bis in die Nähe des inneren Leistenringes, wo sie bis zum Ende des 6. Monats verharren. Ebenfalls im

3. Monat stülpt sich das seitliche Bauchfell sackartig in den Leistenkanal aus und schiebt sich unter Mitnahme von Bauchwandschichten in den Geschlechtswulst vor, aus dem später das *Skrotum* (Hodensack) wird. Im 7. Entwicklungsmonat setzen die Hoden ihren Deszensus fort und gelangen in der Regel bis zur Geburt in dieses Skrotum. Es wird als sicher angenommen, daß dieser Prozeß hormonell gesteuert wird, z.B. durch Gonadotropine und Androgene. Der biologische Sinn dieser Lageveränderung der Hoden scheint darin zu liegen, daß die Temperatur im Skrotum ca. 2–4°C geringer ist als in der Bauchhöhle und eine geringere Temperatur für die Reifung der Spermien (Samenzellen) notwendig ist. Bei anatomischen Mißbildungen oder hormonellen Störungen kann ein Herabsteigen der Hoden unterbleiben. Einer oder auch beide Hoden bleiben dann in der Bauchhöhle liegen *(Kryptorchismus)*. Hält dieser Zustand auch nach der Pubertät an, können sich infolge fehlender Temperaturregulation durch das Skrotum Störungen in der Spermienreifung ergeben, die zu einer Herabsetzung der Fertilität (Fruchtbarkeit) führen. Hormonbehandlungen oder operative Eingriffe können in vielen Fällen diese Entwicklungsstörungen sowie ihre ungünstigen Folgen für die Fertilität beseitigen (LUDVIK 1976).

Die *äußeren Genitalien* sind in beiden Geschlechtern bis zum Ende der 6. Entwicklungswoche ebenfalls noch undifferenziert, so daß eine äußerliche Unterscheidung zwischen männlichen und weiblichen Früchten noch nicht möglich ist (Abb. 5). In der 3. Entwicklungswoche haben sich neben der Kloakenmembran, welche den embryonalen Enddarm abschließt, die Kloakenfalten gebildet. Diese vereinigen sich vor dieser Membran zum *Geschlechtshöcker.* Beiderseits der Kloakenfalten treten von der 4. Entwicklungswoche an die *Genitalwülste* in Erscheinung. Aus ihnen wird im männlichen Geschlecht das Skrotum, indem die beiden Wülste je eine Skrotumhälfte ausbilden, die durch ein Septum (Scheidenwand) später miteinander verbunden sind. Im weiblichen Geschlecht gehen aus diesen Genitalwülsten die *Labia majora* (große Schamlippen) hervor. Der Genitalhöcker wächst von der 6. Entwicklungswoche an im männlichen Geschlecht rasch und wird zum *Penis* (männliches Glied). Dagegen verändert sich im weiblichen Geschlecht der Genitalhöcker nur wenig; er wird hier zur *Klitoris* (Kitzler).

Die Kloakenfalten unterteilen sich in der 6. Entwicklungswoche in einen vorderen Teil, die *Urethralfalten, woraus sich die Urethra* (Harnröhre) entwickelt, und in einen hinteren Teil, die *Analfalten,* welche den späteren Darmausgang ergeben. Durch das starke Längenwachstum des Geschlechtshöckers im männlichen Geschlecht werden in diesem die Urethralfalten ganz nach vorn gezogen, so daß sie zu den Sei-

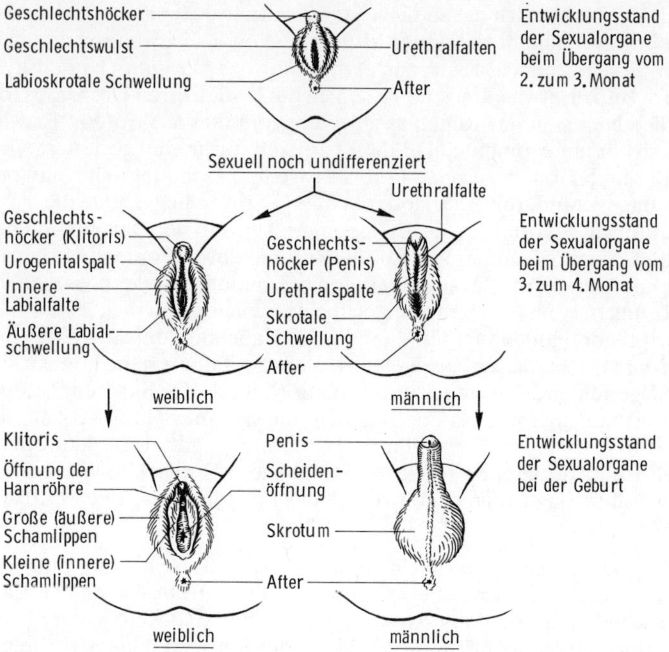

Abb. 5 Die pränatale Entwicklung der äußeren männlichen und weiblichen Geschlechtsorgane (nach Money)

tenwänden einer *Urogenitalspalte* werden. Gegen Ende des 3. Entwicklungsmonats vereinigen sich die beiden Urethralfalten und bilden die Urethrea des Penis, somit also die spätere Ausgangsröhre für Harn *und* Samen; man spricht daher besser von der *Harn-Samen-Röhre.* Im weiblichen Geschlecht verschmelzen diese Urethralfalten nicht, sondern entwickeln sich zu den *Labia minora* (kleine Schamlippen). Die Urogenitalfalte bleibt offen und wird zum *Vestibulum vaginae* (Scheidenvorhof). Abb. 5 veranschaulicht diese Entwicklungsabläufe bei beiden Geschlechtern.

Durch genetische oder hormonelle Faktoren kann es zu mehr oder weniger ausgeprägten Störungen in der Entwicklung des körperlichen Geschlechts kommen, zur *Intersexualität.* Die Gesamthäufigkeit aller Intersexformen innerhalb der weißen Bevölkerung wird auf 3% geschätzt (Ludvik 1976). Nur ein sehr kleiner Teil dieser Intersexe (Zwitter) sind durch das gleichzeitige Vorhandensein von männlichen *und* weiblichen Keimdrüsen gekennzeichnet *(echter Hermaphroditismus)*. Bei diesen echten Zwittern zeigen die äußeren Genitalien alle Übergänge zwischen rein männlichen und rein weiblichen Formen. Ein Uterus ist bei ihnen fast immer vorhanden; Eileiter und Samenleiter entwickeln sich abhängig von der Art des Gonadengewebes. Zwei Drittel dieser Zwitter menstruieren. Der Körperbau kann überwiegend männlich oder überwiegend weiblich geprägt sein; auch bei männlichem Körperbau ist die Ausbildung weiblicher Brüste möglich. Das psychische Verhalten solcher Zwitter scheint nicht direkt durch die Störung in der körperlichen Geschlechtsentwicklung beeinflußt zu sein, sondern ist eher durch die erziehungsabhängige Geschlechtsrollenzuweisung bedingt.

Häufiger als dieser echte Hermaphroditismus ist der *Pseudohermaphroditismus,* der dann vorliegt, wenn zwar die Keimdrüsen nur des einen Geschlechts vorhanden sind, aber auch körperliche Merkmale des jeweils anderen Geschlechts ausgebildet werden, dieses gewissermaßen vorgetäuscht wird. Bei der *maskulinen* (männlichen) Form des Pseudohermaphroditismus ist weibliche oder intersexuelle Entwicklung der Genitalien bei chromosomaler und gonadaler »Männlichkeit« vorhanden, bei der selteneren *femininen* (weiblichen) Form wird intersexuelle Ausbildung der Genitalien bei chromosomaler und gonadaler »Weiblichkeit« beobachtet. Bezüglich weiterer Einzelheiten über die Ursachen der Intersexualität beim Menschen sowie über Anatomie, Physiologie und Psychologie der Intersexe und die Möglichkeiten ärztlicher Hilfe sei auf LENZ (1964, 1976), LUDVIK (1976), OVERZIER (1961) und REINBOTH (1975) verwiesen.

An dieser Stelle sollen kurz noch zwei Begriffe geklärt werden, die nicht selten miteinander verwechselt werden: Kastration und Sterilisation.

Unter *Kastration* versteht man die Entfernung oder Zerstörung der männlichen bzw. weiblichen Keimdrüsen, was nicht allein Unfruchtbarkeit bewirkt, sondern auch schwerwiegende Störungen im Hormonhaushalt des Organismus zur Folge hat, die sich sowohl im körperlichen als auch im geistig-seelischen Bereich auswirken.

Sterilisation bedeutet die in der Regel dauerhafte Unfruchtbarmachung eines Mannes oder einer Frau durch operative Durchtrennung der Samenleiter bzw. der Eileiter. Da hiermit keine Eingriffe in das hormonelle System verbunden sind, ergeben sich bei einer Sterilisation keine körperlichen oder geistig-seelischen Veränderungen eines Menschen.

2.2. Die männlichen Sexualorgane

Zu den männlichen Sexualorganen gehören:

a) die beiden Keimdrüsen (Hoden),

b) die ableitenden Geschlechtswege, davon paarig angelegt die Nebenhoden, die Samenleiter und die Spritzgänge, unpaarig angelegt die Harn-Samen-Röhre,

c) die akzessorischen Geschlechtsdrüsen, davon paarig angelegt die Nebenhoden, die Bläschendrüsen, die Cowperschen Drüsen, unpaarig angelegt die Prostata (Vorsteherdrüse),

d) die äußeren Geschlechtsteile Penis (Glied) und Skrotum (Hodensack).

Abb. 6 veranschaulicht die Lage dieser Organe.

Bei den *Hoden* (Testes) handelt es sich um Drüsen, die sowohl endokriner als auch exokriner Art sind, endokrin infolge ihrer Ausscheidung von Hormonen (Testosteron), welche direkt in die Blutbahn abgegeben werden, exokrin wegen der Abgabe der in den Hoden gebil-

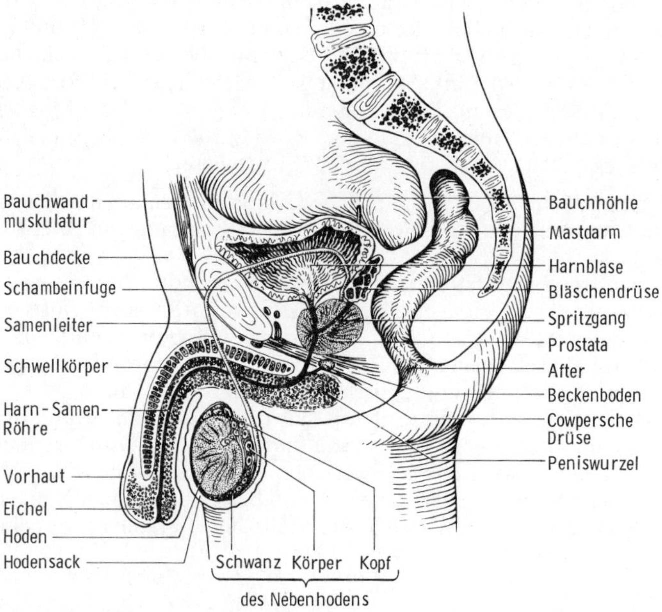

Abb. 6 Die männlichen Geschlechtsorgane

deten Spermien über die Harn-Samen-Röhre nach außen. Die Hoden sind etwa pflaumengroß und liegen normalerweise außerhalb der Bauchhöhle im *Hodensack*, dem Skrotum. In jedem der beiden Hoden finden sich 200–250 *Läppchen* (Lobuli testis), die durch *Scheidewände* (Septula testis) voneinander getrennt sind. Diese Läppchen enthalten jeweils 2–3 gewundene *Hodenkanälchen*, in denen von der Pubertät an aus den Urkeimzellen reife Samenzellen entstehen.

Die *Nebenhoden* (Epididymis) liegen über und hinter den Hoden und gliedern sich in Kopf, Körper und Schwanz. Der Nebenhodenkopf nimmt die noch unreifen Spermien aus den Hoden auf. Von dort werden sie durch ein Netz feiner Kanäle bis in den Nebenhodenschwanz transportiert, wo sie gespeichert werden. Auf diesem Weg erreichen die Spermien ihre volle Reife (s. S. 31). Das im Nebenhodenschwanz herrschende saure Milieu, also eine hohe Konzentration von Wasserstoffionen, sowie ein Sauerstoffmangel legen die Spermien still. Bei einem *Samenerguß* (Ejakulation) zieht sich die glatte Muskulatur des Nebenhodens zusammen, wodurch sie aus dem Schwanz in die Samenleiter getrieben werden.

Die *Samenleiter* (Ductus deferens) steigen vom Nebenhodenschwanz zum Leistenkanal hin auf und erweitern sich auf der Rückseite der Harnblase zur *Ampulle* (Kolben). Bevor die Samenleiter in die Prostata eindringen, nehmen sie die Ausführungsgänge der *Bläschendrüsen* (Vesicula seminalis) auf, in denen ein alkalisches Sekret gebildet wird, welches die Beweglichkeit der bis dahin ruhiggestellten Spermien bewirkt. Die *Spritzgänge* (Ductus ejaculatorii) bilden die Fortsetzung der Samenleiter in der Prostata. Diese sondert ein milchiges Sekret ab, welches das Spermakonzentrat aus dem Samenleiter verdünnt. Sekret und Sperma werden bei der Ejakulation gleichzeitig in die Harn-Samen-Röhre abgegeben, die am Hals der Harnblase beginnt und durch die Prostata, den bindegewebigen Beckenboden und den Penis bis zur *Eichel* (Glans penis) verläuft. Vor dem Eindringen der Harn-Samen-Röhre in den Penis liegen noch die Cowperschen Drüsen, die ein Sekret bilden, welches Urinreste in dieser Röhre unwirksam macht.

Der Hodensack (Skrotum) besteht aus einer gerunzelten Haut ohne Fettgewebe. Er besitzt glatte Muskulatur, die bei kühler Außentemperatur die Hoden näher an den Körper heranziehen kann; bei steigender Temperatur findet eine Erschlaffung dieser Muskulatur statt und die Hoden sinken herab. Auch die im Hodensack vorhandene quergestreifte Muskulatur, welche Schlingen um Hoden und Nebenhoden bildet, spielt bei der Wärmeregulation eine Rolle, indem sie die Hodensacklage verändern kann. Sie reagiert außerdem auf Berührungen der inneren Oberschenkelhaut.

Der *Penis* ist das eigentliche Begattungsorgan. Er setzt sich aus drei *Schwellkörpern* zusammen, von denen der Harnröhrenschwellkörper die Harn-Samen-Röhre umschließt. Nach hinten verbreitert er sich zur *Zwiebel* (Bulbus), vorn bildet er die *Eichel* (Glans penis). Diese ist von einer beweglichen *Vorhaut* (Präputium) umgeben. Sowohl die Eichel als auch die Vorhaut besitzen stark fettende Talgdrüsen. Ihr Sekret lagert sich zusammen mit abgeschilferten Epithelzellen im Spaltraum der Eichel ab. Unsauberkeit kann zu unangenehmen Entzündungen führen, da diese Ablagerungen ein guter Nährboden für Bakterien sind. Ist die Vorhaut nicht beweglich, liegt eine sog. Phimose vor. Sie kann durch einen geringfügigen chirurgischen Eingriff beseitigt werden.

Die *Erektion* (Aufrichtung) des Penis ist eine notwendige Voraussetzung für seine Einführung in die Scheide und damit für den Geschlechtsverkehr. Das wird durch Reizung der sensiblen Endkörperchen an der Eichel bzw. durch psychische Stimulation eingeleitet. Dadurch wird ein Reflex der arteriellen Blutgefäße im Penis ausgelöst, was zur Folge hat, daß Blut in die Hohlräume der Schwellkörper einfließt. Außerdem erschlafft die glatte Muskulatur dieser Hohlräume, und der venöse Blutrückfluß wird gestaut. Somit kommt es zur Vergrößerung der Schwellkörper und zur Straffung der Bindegewebshüllen, schließlich zur Versteifung und Aufrichtung des Penis. Gesteuert wird dieser Vorgang durch den zum vegetativen Nervensystem gehörenden Parasympathikus.

Die Fähigkeit zur Erektion des Penis ist für die *Ejakulation* (Samenerguß) notwendig. Der Umfang eines Ejakulats beträgt 2–6 cm^3, wobei in 1 cm^3 normalerweise 60–120 Millionen Spermien enthalten sind (LUDVIK 1976). Bei möglicherweise unmittelbar folgenden Ejakulationen nimmt die Spermienmenge deutlich ab. Ausgelöst wird eine Ejakulation durch einen Reflex des ebenfalls zum vegetativen Nervensystem gehörenden Sympathikus. Dieser Reflex bewirkt eine ruckartige Zusammenziehung der glatten Muskulatur von Nebenhoden, Samenleitern, Bläschendrüsen und Prostata, wodurch die Samenflüssigkeit (Sperma), also die Spermien und die Sekrete der verschiedenen akzessorischen Geschlechtsdrüsen, in die Harn-Samen-Röhre gepreßt wird. Eine sehr schnelle Zusammenziehung der Muskulatur des Beckenbodens führt schließlich zur Ausstoßung des Ejakulats durch die Öffnung der Harn-Samen-Röhre in der Eichel.

Sofern eine Ejakulation durch *Selbstbefriedigung* herbeigeführt wird, spricht man von Onanie oder Masturbation.

Bezüglich weiterer Einzelheiten über Bau und Funktion der männlichen Sexualorgane sei auf FALLER (1976) verwiesen. Angaben über krankhafte Störungen dieser Organe finden sich bei Ludvik (1976), während Lenz (1964) eine umfassende Darstellung ihrer erblich bedingten Mißbildungen anatomischer und funktioneller Art gibt.

2.3. Die weiblichen Sexualorgane

Zu den weiblichen Sexualorganen gehören:

a) die beiden Keimdrüsen (Eierstöcke, Ovarien),

b) die ableitenden Geschlechtswege, davon paarig angelegt die Eileiter, unpaarig sind Uterus (Gebärmutter) und Vagina (Scheide),

c) die akzessorischen Geschlechtsdrüsen, in der Gebärmutter und im Scheidenvorhof gelegen,

d) die äußeren Geschlechtsteile, davon paarig angelegt die Labia majora und minora (große und kleine Schamlippen), unpaarig angelegt die Klitoris (Kitzler),

e) die weibliche Brust.

Abb. 7 veranschaulicht die Lage der unter a)–d) aufgeführten Organe.

Wie die Hoden sind auch die *Ovarien* sowohl endokrine als auch exokrine Drüsen. Sie bilden in den *Eibläschen* (Follikeln) die *Eizellen* (exokrine Funktion) und die *Follikelhormone,* im *Gelbkörper* das *Gelbkörperhormon* (endokrine Funktion). Hierauf wird im einzelnen noch zurückzukommen sein (s. S. 21). Es sei an dieser Stelle bereits

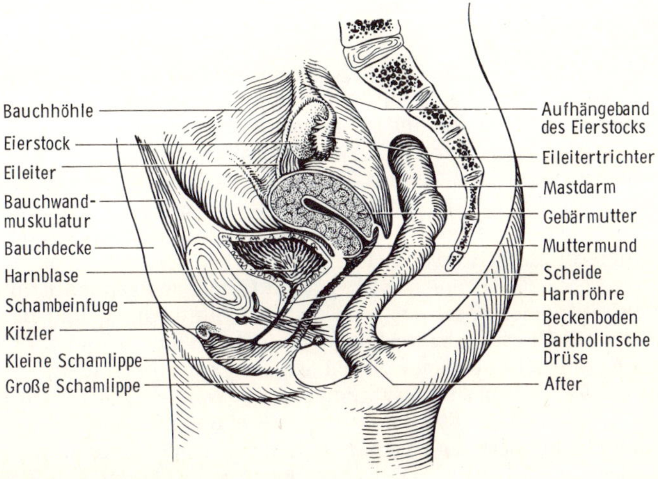

Abb. 7 Die weiblichen Geschlechtsorgane

erwähnt, daß in den Ovarien neben diesen *Östrogenen* (weiblichkeitsspezifischen) Hormonen in geringen Mengen auch *Androgene* (männlichkeitsspezifische Hormone) gebildet werden. Die Ovarien haben die Größe einer Walnuß und sind mit Bändern zwischen Uterus und Beckenwand aufgehängt. Durch eine besondere Bauchfellfalte sind sie an der Rückseite des sog. Mutterbandes befestigt.

Bei den *Eileitern* (Tubae) handelt es sich um zwei bleistiftdicke Kanäle, die von den Ovarien zu den sog. Tubenwinkeln des oberen Uterus reichen. Ihre Schleimhaut besitzt Flimmerzellen; die Eileiterwand enthält glatte Muskulatur. Der gegen die Uterushöhle hin gerichtete Flimmerstrom sowie die peristaltischen (wurmförmigen) Bewegungen der Eileitermuskulatur transportieren eine von den Ovarien abgestoßene Eizelle (s. S. 35) innerhalb von 3–4 Tagen in den Uterus. Die zu den Ovarien hin gelegenen Eileiterenden bilden einen *Wimperntrichter,* der sich an die Stelle des Ovars anlegt, an dem der reife Follikel springen wird (s. S. 19) und der die ausgestoßene Eizelle aufnimmt. Die Eileitererweiterung im oberen Drittel der Eileiter ist in der Regel der Ort, wo die Befruchtung einer Eizelle durch ein Spermium stattfindet. Wird ein befruchtetes Ei nicht vom Eileiter in den Uterus transportiert, sondern gelangt in die Bauchhöhle und setzt sich dort fest, kann sich eine *Bauchhöhlenschwangerschaft* entwickeln. Von einer *Eileiterschwangerschaft* spricht man dann, wenn ein befruchtetes Ei im Eileiter festgehalten wird und sich hier einnistet. Beide Formen von Fehleinnistungen einer befruchteten Eizelle können das Leben der betroffenen Frauen gefährden. Diese bedürfen daher unbedingt ärztlicher Behandlung.

Die *Gebärmutter* (Uterus) ist ein sehr muskulöses Organ. In ihr findet die pränatale Entwicklung statt. Der Uterus liegt zwischen der Harnblase und dem Mastdarm und ist nach vorn abgeknickt, so daß ihr vorderer Teil auf der Harnblase liegt. Die Größe der im ganzen birnenförmigen Gebärmutter beträgt 7–8 cm in der Länge, 4–5 cm in der Breite und etwa 3 cm in der Tiefe. Während einer Schwangerschaft dehnt sich die Gebärmutter enorm aus. Ihre Gewebe müssen daher eine außerordentlich hohe Elastizität besitzen. Das Innere der Gebärmutter, die *Gebärmutterhöhle,* ist spaltförmig und geht nach unten in den Halskanal über, der vom äußeren Muttermund und deren Scheidenteil (Portio) abgeschlossen wird. Die äußere Wand der Gebärmutter besteht aus einer dicken Schicht glatter Muskulatur, dem *Myometrium,* welches sich während einer Schwangerschaft beträchtlich vermehrt. Die Kontraktionen (Zusammenziehungen) dieser Muskelschicht, welche als Geburtswehen bezeichnet werden, spielen eine wichtige Rolle beim Geburtsvorgang (s. S. 92). In der zur Gebärmutterhöhle gelegenen inneren Wand, dem *Endometrium,* können zwei Schichten unterschieden werden, die *Basalschicht* (Zona basalis) und die *Funktionsschicht* (Zona functionalis). Die *Basalschicht* löst sich nicht von der Muskelschicht (Myometrium) und enthält nur verhältnismäßig wenig Drüsen. Die Funktionsschicht hingegen ist sehr drüsenreich. Sie wird, sofern keine Schwangerschaft eintritt, monatlich erneuert, wobei die jeweils ältere unter Blutungen (Menstruation) abgeht (s.S. 23). Kommt es zu einer Schwangerschaft, nistet sich die befruchtete Eizelle in die Funktionsschicht ein und wird von deren *Uterindrüsen* ernährt, bis der Anschluß an das mütterliche Blutgefäßsystem hergestellt ist.

Die *Scheide* (Vagina) ist das eigentliche weibliche Begattungsorgan, in das beim Geschlechtsverkehr der erigierte Penis eingeführt wird. Sie besteht aus einem 7–10 cm langen muskulösen Schlauch, der an seinem untersten Ende durch das *Jungfernhäutchen* (Hymen) verschlossen ist, welches beim ersten Geschlechtsverkehr einreißt *(Defloration)*. Das beim Geschlechtsverkehr in den weiblichen Organismus eingedrungene Sperma wird im Bereich des äußeren Muttermundes abgelagert. Von hier gelangen die Spermien mit eigener Kraft durch den alkalischen Schleimpfropf des Halskanals in das Innere der Gebärmutter und weiter in die Eileiter, wo die Befruchtung der Eizellen – falls vorhanden – stattfindet.

Die in der Gebärmutter vorhandenen Drüsen sondern ein alkalisches Sekret ab, welches die Beweglichkeit der Spermien fördert und auch in Verbindung mit dem sauren Scheidenschleim einen wirksamen Schutz gegen bakterielle Infektionen darstellt. Die im Scheidenvorhof gelegenen Bartholinschen Drüsen feuchten den Scheideneingang an und erleichtern so die Einführung des Penis. Außerdem entsprechen sie der Funktion der Cowperschen Drüsen im männlichen Geschlecht.

Die *äußeren weiblichen Sexualorgane* bestehen aus den beiden *großen Schamlippen* (Labia majora), zwei von Fettgewebe unterpolsterten Hautfalten, und den beiden *kleinen Schamlippen* (Labia minora), welche zahlreiche Nerven und auch Schwellgewebe enthalten. Beide Schamlippenpaare umschließen den *Scheidenvorhof* (Vestibulum vaginae), in welchem vorn die Harnröhre mündet, hinten die Scheide. Die kleinen Schamlippen bergen in ihrem vorderen Teil schließlich noch den *Kitzler* (Klitoris), der außerordentlich viele Nervenendigungen enthält und daher sehr sensibel ist. In der Regel liegen die Schamlippen einander so dicht an, daß vom Scheidenvorhof nur ein schmaler Spalt zu sehen ist.

Abschließend sei noch kurz auf die weiblichen *Brustdrüsen* (Mammae) eingegangen, welche ebenfalls zu den weiblichen Sexualorganen gerechnet werden, obwohl sie nicht genitaler Herkunft sind, also sich nicht aus dem gleichen Gewebe entwickeln wie die Sexualorgane im engeren Sinn. Die Brustdrüsen bilden sich in der Pubertät zu funktionsfähigen Organen aus und bestehen aus dem eigentlichen Drüsengewebe, Bindegewebe und Fett. In ihnen wird vor und nach der Geburt, stimuliert durch die Hormone Follikulin und Lutein (s. S. 94), Milch gebildet, welche Fette, Eiweiß und Zucker enthält. Diese Muttermilch kann als die optimale Ernährung für den Säugling angesehen werden, da sie allen seinen ernährungsphysiologischen Bedürfnissen entspricht. Allerdings gilt das nur noch bedingt, da zumindest in den Industrieländern als Folge der immer stärker um sich greifenden Umweltverschmutzung in der Muttermilch z. B. Insektizide (chemische Mittel zur Bekämpfung von Schadinsekten) und Pestizide (chemische Mittel zur Bekämpfung von Pflanzenschädlingen) in Konzentrationen gefunden werden, die *über* den Toleranzgrenzen liegen und daher zu ernsthafter Besorgnis Anlaß geben (CURLEY u. KIMBROUGH 1973, EHRLICH u. EHRLICH 1972). Von großer Bedeutung ist schließlich, daß mit der Muttermilch auch Antikörper in den Säugling gelangen, die ihm während der Stillzeit bzw. bis zum Einsetzen der eigenen Antikörperproduktion – etwa 6 Monate nach der Geburt – einen Schutz gegen zahlreiche Infektionskrankheiten verleihen.

Weitere Einzelheiten über die Anatomie und Physiologie der weiblichen Sexualorgane finden sich bei FALLER (1976). Ihre krankhaften Störungen sind bei KERN (1973) dargestellt, ihre erblich bedingten Mißbildungen bei LENZ (1964).

2.3.1. Der weibliche Monatszyklus

Wie auf S. 5 beschrieben, wandern vor der 6. Entwicklungswoche in die noch undifferenzierten Genitalleisten die Urkeimzellen ein, die bei genetisch weiblich geprägten Embryonen als *Oogonien* oder *Ovogonien* (Ureier) bezeichnet werden, welche von Epithelzellen umschlossen sind. Die Gesamtzahl dieser sich schnell vermehrenden, noch unreifen Eizellen erreicht mit ca. 6 Millionen im 5. Entwicklungsmonat ihr Maximum. Zu diesem Zeitpunkt setzt eine Degeneration (Abbau) dieser Zellen ein, so daß bei der Geburt nur noch etwa 700000 bis 2 Millionen vorhanden sind. Diese haben sich bis dahin zu den *primären Oozyten* weiterentwickelt, in denen die erste Reifungsteilung eingesetzt hat (s. S. 33). Zusammen mit den sie umschließenden Epithelzellen bilden sie die *Primärfollikel* (noch unreife Eibläschen). Man nimmt an, daß bis zur Pubertät noch ein sehr großer Teil von ihnen zugrunde geht und nur noch etwa 40000 übrig bleiben. Davon entwickeln sich in der geschlechtsreifen Zeit einer Frau normalerweise 300–400 über *Sekundärfollikel* (bei denen die sie umgebenden Zellen mehrschichtig geworden sind) zu den *Tertiärfollikeln,* welche die reifen, befruchtungsfähigen Eizellen enthalten (s. S. 33). Die Eireifungen erfolgen zyklisch, wobei ein Zyklus in der Regel 28 Tage dauert, individuell jedoch innerhalb einer Zeit von 24–32 Tage variieren kann. Gesteuert wird dieser Vorgang hormonell. Starke körperliche und seelische Belastungen einer Frau können zu erheblichen und teilweise langfristigen Störungen des Zyklus wie auch zu seinem völligen Aussetzen führen, was durch zahlreiche Beobachtungen an Frauen in Arbeits- und Konzentrationslagern, auf kriegs- und nachkriegsbedingter Flucht oder in schwierigen sozialen Situationen belegt ist.

Man gliedert den weiblichen Monatszyklus in zwei Abläufe, die organisch zusammenhängen und welche synchron (gleichzeitig) stattfinden, und zwar in den im Eierstock ablaufenden *ovariellen Zyklus* und in den sich in der Gebärmutter abspielenden *uteriellen Zyklus.*

Kennzeichnend für den *ovariellen Zyklus* ist die monatliche Heranreifung *einer* Eizelle in einem der beiden Ovarien. Reifen mehr als eine Eizelle heran und werden mehrfach befruchtet, kommt es zur Bildung von zweieiigen Zwillingen bzw. mehreiigen Mehrlingen (s. S. 37).
Im einzelnen spielen sich bei der Eireifung die folgenden Vorgänge ab: Unter dem Einfluß des in der *Hypophyse* (im Hirnanhang am Boden des Zwischenhirns gelegene Hormondrüse) gebildeten *follikelstimulierenden Hormons* (FSH) werden die in der Rinde des Ovars liegenden *Primärfollikel* zum Wachstum angeregt. Aus ihnen bildet sich der *Sekundärfollikel,* dessen Umgebungszellen mehrschichtig werden. Diese Zellen produzieren eine Flüssigkeit, welche in die Zellzwischenräume abgegeben wird und sich an einer beliebigen Stelle innerhalb des Follikels ansammelt. Die Zellzwischenräume fließen im Verlauf der weiteren Entwicklung des Follikels schließlich zusammen und bilden die *Follikelhöhle,* die sich immer stärker ausweitet. Die die Eizelle direkt umschließenden Zellen bleiben erhalten und werden zum *Eihügel.* Der reife Follikel – *Tertiärfollikel* oder Graafscher Follikel – endlich besteht aus der Eizelle, einer großen, mit Flüssigkeit gefüllten Höhle, worin u. a. die in den Thekazellen gebildeten und auf die Uterusschleimhaut einwirkenden Östrogene Östradiol und Östron enthalten sind sowie den diese Höhle einschließenden Bindegewebeschichten, die Theka externa und die Theka interna, in welcher der Eihügel liegt. Der Durchmesser reifer Follikel beträgt zwischen 6 und 12 mm. In ihnen gelangt die Eizelle an die Oberfläche des Ovars. Abb. 8 läßt die verschiedenen Stadien des Reifungsprozesses eines Follikels erkennen. Etwa am 14. Tag eines 28tägigen Zyklus kommt es unter dem Druck der innerfollikulären Flüssigkeit sowie durch die Wirksamkeit proteolytischer Enzyme (eiweißzersetzende Wirkstoffe) zum Platzen des Follikels, was als *Follikelsprung* oder *Ovulation* bekannt ist. Mit der ausströmenden Follikelflüssigkeit wird die Eizelle einschließlich

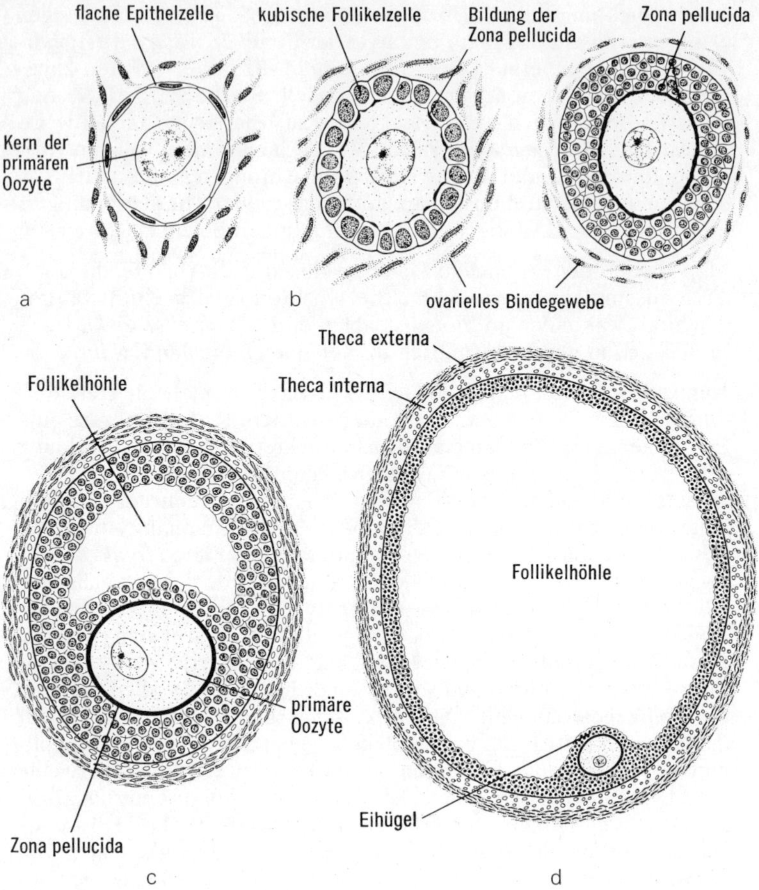

Abb. 8 a–d Schematische Darstellung der Follikelreifung. a) Primärfollikel, b) Sekundärfollikel, c) Tertiärfollikel, d) Reifer Follikel (Graafscher Follikel) (aus LANGMAN, J.: Medizinische Embryologie. 5. Aufl., Thieme, Stuttgart 1977)

der an ihr haftenden Hilfszellen ausgestoßen und vom Eileitertrichter aufgefangen.

Sobald ein Follikel geplatzt ist, falten sich die im Ovar verbliebenen Epithelzellen auf und bilden den *Gelbkörper* (Corpus luteum). Dieser hat seinen Namen durch einen eingelagerten, leuchtend gelben Farbstoff. Er ist die Bildungsstätte des *Gelbkörperhormons* (Lutein), welches unter dem Einfluß des in der Hypophyse produzierten *Luteinisierungshormons* (LH) in den Zellen des Gelbkörpers aufgebaut wird. Das Lutein baut in Zusammenwirken mit den Follikelhormonen die Uterusschleimhaut so um, daß eine erfolgreiche Einnistung und Weiterentwicklung einer befruchteten Eizelle möglich ist. Wegen ihrer schwangerschaftsvorbereitenden Wirksamkeit werden diese Hormone auch *Gestagene* genannt. Ihre Ausschüttung ist in der Regel mit einem zwar geringen, aber doch meßbaren Anstieg der Körpertemperatur verbunden, der somit als Indikator für eine stattgefundene Ovulation angesehen werden kann. In begrenztem Ausmaß ist dieser Temperaturanstieg somit als Methode im Rahmen der Empfängnisverhütung zu verwenden (s. S. 64).

Stimuliert durch die schwangerschaftsvorbereitenden Follikel- und Gelbkörperhormone wachsen die Drüsen in der Funktionsschicht der Gebärmutter und sondern ein Sekret ab, das zusammen mit Glykogen (Stärke) und Lipoiden (fettartige Stoffe) die Ernährung der eingenisteten befruchteten Eizelle sicherstellt. Bei einer eingetretenen Schwangerschaft bleibt der Gelbkörper etwa 4 Monate lang hormonell aktiv; er kann dabei die Größe eines Taubeneis erreichen. Er gewährleistet in dieser Zeit als *Schwangerschaftsgelbkörper* die weitere hormonelle Versorgung der Uterusschleimhaut, bis er in seiner Wirksamkeit dann von der *Plazenta* (Mutterkuchen) abgelöst wird. Eine wichtige Funktion des Schwangerschaftsgelbkörpers ist auch darin zu sehen, daß das in ihm gebildete Hormon die Reifung weiterer Follikel verhindert.

Findet keine Einnistung einer befruchteten Eizelle statt, ist also keine Schwangerschaft eingetreten, bricht der Gelbkörper nach zwei Wochen seine Hormonproduktion ab. Er zerfällt und vernarbt. Die Narben solcher nicht für eine Schwangerschaft benötigten Gelbkörper bleiben auf den Ovarien sichtbar.

Der *uterielle Zyklus* steht in engem Zusammenhang mit dem ovariellen. Bleibt eine Befruchtung und damit die Einnistung einer befruchteten Eizelle aus, wird als Folge der eingestellten Hormonproduktion des Gelbkörpers die Funktionsschicht der Gebärmutterschleimhaut aufgelöst und mit Blut aus den dabei beschädigten Gefäßen durch die Scheide nach außen abgestoßen. Man bezeichnet diesen Vorgang auch als *Desquamationsphase.* Sie umfaßt bei einem 28tägigen Zyklus den 1.–4. Tag. Hierauf folgt die *Proliferationsphase* (5.–13. Tag), in der unter Einfluß der Follikelhormone die Funktionsschicht wieder aufgebaut wird. In der *Sekretionsphase* (14.–28. Tag) endlich erfolgt die

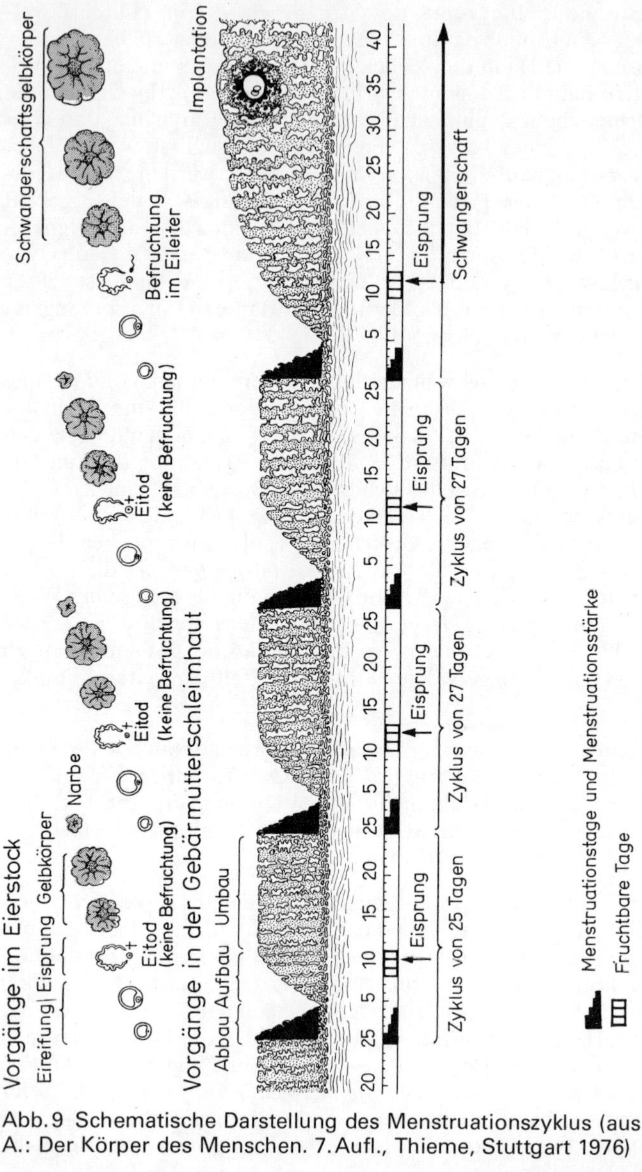

Abb. 9 Schematische Darstellung des Menstruationszyklus (aus FALLER, A.: Der Körper des Menschen. 7. Aufl., Thieme, Stuttgart 1976)

Vorbereitung dieser Schicht auf eine mögliche Einnistung, wobei das Gelbkörperhormon die entscheidende Rolle spielt. Abb. 9 gibt diesen Zyklus schematisch wieder.

Die in der Desquamationsphase stattfindende Abstoßung der mit Blut vermischten Funktionsschicht nennt man *Menstruation,* auch Monatsblutung, Regel, Periode oder Menses. Sie dauert im allgemeinen 4–6 Tage und kann mit Übelkeit, Kopfschmerzen oder krampfartigen Schmerzen verbunden sein und indirekt auch zu einer gewissen Beeinträchtigung der körperlichen und geistigen Leistungsfähigkeit führen. Die Menge des ausgeschiedenen Blutes schwankt individuell beträchtlich; sie liegt nach Parkes (1976) im Durchschnitt zwischen 25 und 30 ml. Größere Blutabgänge können zu starken Eisenverlusten führen, die man durch entsprechende Präparate jedoch ausgleichen kann.

Das erste Auftreten einer Menstruation – Menarche – ist das Hauptmerkmal für die Feststellung des Eintritts der geschlechtlichen Reife im weiblichen Geschlecht (s. S. 178). Wie das Einsetzen der ersten Menstruation, so ist auch ihr endgültiges Ausbleiben im fortgeschrittenen Lebensalter – Menopause – ein wichtiges Ereignis im Leben einer Frau, bedeutet dieses doch das Ende der geschlechtsreifen oder fortpflanzungsfähigen Zeit. Bedingt wird die Menopause durch hormonelle Umstellung im weiblichen Organismus, die auch mit einer Reihe von körperlichen und seelischen Beschwerden verbunden sein kann – Klimakterium (s. S. 226). Innerhalb der weißen Rasse beträgt die geschlechtsreife Zeit einer Frau gegenwärtig etwa 37 Jahre, da man für die Menarche ein Durchschnittsalter von 13 Jahren und für die Menopause ein solches von 50 Jahren annehmen kann. Allerdings liegen in bezug auf Beginn und Ende der geschlechtsreifen Zeit erhebliche individuelle wie auch gruppentypische (Land – Stadt, Sozialschichten) Unterschiede vor, die noch zu erörtern sein werden. Erwähnt sei bereits an dieser Stelle das Phänomen, daß in den letzten Jahrzehnten die Menarche immer früher eingesetzt hat und die Menopause hinausgeschoben wurde.

2.4. Geschlechtskrankheiten

Zu den Geschlechtskrankheiten (venerische Krankheiten) im eigentlichen Sinn rechnet man den Tripper (Gonorrhö), die Syphilis (Lues), den weichen Schanker (Ulcus molle) und das Lymphogranuloma inguinale (Nicolas-Favre-Krankheit).

Nach Brehm (1976) werden sie meistens durch den Geschlechtsverkehr erworben, jedoch sind auch andere Übertragungsmöglichkeiten bekannt. Alle Geschlechtskrankheiten gehören zu den meldepflichtigen Krankheiten, deren Behandlung von den staatlichen Gesundheitsämtern überwacht wird. In der Bundesrepublik Deutschland wird dies durch das Gesetz zur Bekämpfung der Geschlechtskrankheiten vom 23.7.1953 (ergänzt am 25.8.1969) geregelt. In vielen Ländern der Erde gibt es ähnliche Gesetze.

Unter den Geschlechtskrankheiten spielen zahlenmäßig der Tripper und die Syphilis die größte Rolle. Ihre Häufigkeit hat in den letzten Jahren nicht nur in der Bundesrepublik Deutschland zugenommen, was im Zusammenhang mit der rückläufigen Verwendung von ansteckungsverhindernden Kondomen bei gleichzeitiger Zunahme des Einsatzes von chemisch wirksamen Ovulationshemmern (Anti-Baby-Pillen) gebracht wird. Tab. 1 gibt – nach Alter und Geschlecht gegliedert – für die beiden häufigsten Geschlechtskrankheiten die 1971 und 1972 in der Bundesrepublik Deutschland amtlich gemeldeten Erkrankungsfälle wieder.

2.4.1. Der Tripper (Gonorrhö)

Die Übertragung des Trippers, der durch den zu den Bakterien gehörenden Gonokokkus *Neisseria gonorrhoeae* erfolgt, geschieht in der Regel durch Geschlechtsverkehr, ist aber auch durch Schmierinfektion (mit Scheiden- bzw. Harn-Samen-Röhren-Sekreten, verunreinigte Finger oder Wäsche) möglich. Die Inkubationszeit (Zeit von der Infektion bis zum Ausbruch einer Krankheit) beträgt durchschnittlich 2–3 Tage. Das Überstehen eines Trippers hinterläßt keine Immunität (Ausbildung körpereigener Abwehrstoffe gegen Krankheitserreger bzw. deren Produkte), so daß im Verlauf des Lebens wiederholte Ansteckungen möglich sind.

Beim Mann äußert sich eine Tripperinfektion durch eitrigen Ausfluß aus der Harn-Samen-Röhre, entzündliche Schwellung der Vorhaut, Entzündung der Eichel und schmerzendes Brennen des gesamten Penis. Bleibt der Tripper in diesem Anfangsstadium unbehandelt, steigt die Infektion nach 2–3 Wochen in den Bereich der oberen Harn-Samen-Röhre auf, wo es unter Blutungen aus dieser zu Entzündungen von Prostata, Samenleitern und Nebenhoden kommen kann, die unter Umständen zu Zeugungsunfähigkeit führen.

Bei der Frau finden sich die ersten Trippersymptome in der Regel an der Harnröhre sowie am Muttermund des Uterus, welche sich entzünden. Die Scheidenschleimhaut wird meistens nur bei jungen, noch nicht geschlechtsreifen Mädchen wegen der bei ihnen noch dünnen Schleimhäute befallen.

In beiden Geschlechtern können bei nicht rechtzeitiger Erkennung und Behandlung des Trippers auch die Augen betroffen werden, was u. U. Erblindung zur Folge hat. In Deutschland ist es seit 1884 Vor-

Tabelle 1 Im Jahre 1972 in der Bundesrepublik Deutschland gemeldete Fälle von Geschlechtskrankheiten; gegliedert nach Alter und Geschlecht, bezogen auf jeweils 100000 Einwohner (nach Angaben vom Statistischen Bundesamt Wiesbaden)

Alter	alle Geschlechtskrankheiten			nur Syphilis			nur Gonorrhö		
in Jahren	insges.	männl.	weibl.	zus.	männl.	weibl.	zus.	männl.	weibl.
0–10	1,2	1,3	1,1	0,2	0,2	0,2	1,0	1,1	0,9
10–15	3,9	1,9	6,0	0,3	0,3	0,3	3,6	1,6	5,7
15–20	241,4	204,9	279,6	9,2	7,8	10,7	230,9	196,1	267,3
20–25	760,3	1019,9	488,5	31,9	39,2	24,3	725,6	976,9	462,6
25–30	477,7	719,9	216,7	27,2	40,6	12,8	448,5	676,2	203,2
30–40	248,9	388,5	96,6	21,1	32,3	8,9	226,5	354,4	87,1
40–60	42,0	71,9	18,2	7,3	11,3	4,0	34,5	60,3	14,1
über 60	4,1	7,1	2,1	1,4	2,0	1,1	2,6	5,0	1,1
zusammen	142,6	214,2	77,2	9,5	14,1	5,3	132,5	199,1	71,5
dagegen 1971	133,6	200,9	72,2	9,2	13,5	5,3	123,8	186,5	66,5

schrift, bei Neugeborenen eine Augenspülung mit einer 1%-Höllensteinlösung vorzunehmen, um der Gefahr einer Infektion durch eine möglicherweise tripperkranke Mutter während der Geburt vorzubeugen. Infiziert werden können auch Mund- und Rachenraum (Risiko für Frauen durch Mundverkehr) bzw. der Enddarm. Bei Frauen ist eine Infektion des Enddarms durch seine relativ große Nähe zur Scheide möglich, bei Männern durch Analverkehr (Einführung des Penis in den Darmausgang) mit einer tripperkranken Frau. Nach Brehm (1976) können schließlich auch die Gelenke befallen werden, was bei mangelhafter oder falscher Behandlung zu deren dauerhaften Versteifung führen kann. Lebensgefahr besteht dann, wenn bei unzureichender oder gar fehlender Behandlung ein tripperbedingter Abszeß (geschwürige Eiteransammlung) in die Bauchhöhle durchbricht, beim Mann z.B. bei infizierter Prostata, bei der Frau, wenn Uterusschleimhaut oder Eileiter von aufgestiegenen Gonokokken befallen sind.

Bei rechtzeitiger Erkennung und Behandlung mit Penizillin ist heute in beiden Geschlechtern eine völlige Ausheilung des Trippers möglich.

2.4.2. Die Syphilis (Lues)

Die Übertragung der Syphilis erfolgt in der Regel durch Geschlechtsverkehr, ist aber auch durch Küsse von Erkrankten, infizierte Wäsche oder Eßgeräte, Transfusion von Blut, welches Syphiliserreger enthält (Vermeidung durch sorgfältige Untersuchung von Spenderbluten in den Bluttransfusionszentralen) (Spielmann 1972) oder während der pränatalen Entwicklung durch eine syphilitische Mutter möglich. Die Inkubationszeit beträgt durchschnittlich 3 Wochen. Als Erreger der Syphilis konnte das *Treponema pallidum* nachgewiesen werden, welches zu den Spirochäten (spiralförmige, aktiv bewegliche Mikroorganismen) gehört. Es kann durch kleinste Verletzungen der Haut oder Schleimhäute in den menschlichen Körper eindringen. Wahrscheinlich ist die Syphilis nach der Entdeckung Mittel- und Südamerikas durch die spanischen Eroberer nach Europa gelangt, wo sie nach Howe (1972) im Herbst 1494 zum erstenmal massiv auftrat, und zwar in Südfrankreich. Mit dem Heer Karls VIII. kam sie dann nach Italien und später schließlich auch in alle anderen Teile Europas, wo sie unter vielen Namen bekannt wurde, z.B. Lustseuche, Franzosenkrankheit oder galante Krankheit. Sie forderte zahlreiche Opfer. Prähistorische Knochenfunde lassen den Schluß zu, daß die Syphilis im vorkolumbianischen Mittel- und Südamerika weit verbreitet war (Brothwell 1963).

Von beachtlichem Interesse ist die Beobachtung, wonach zwischen dem Krankheitsverlauf der Syphilis und den ABO-Blutgruppen ein

Zusammenhang besteht (VOGEL u. HELMBOLD 1972). Danach haben zwar die Angehörigen aller Blutgruppenphänotypen die gleiche Wahrscheinlichkeit, an der Syphilis zu erkranken, Angehörige der Blutgruppe 0 jedoch eine ungleich höhere Chance, daß nach entsprechender Behandlung die Krankheit bei ihnen in ein inaktives Stadium übergeht. Da unter den mittel- und südamerikanischen Indianerpopulationen die Häufigkeit der Blutgruppe 0 bis zu 100% beträgt (gegenüber ca. 43% in Europa), wird vermutet, daß bei der Herausbildung dieser auf der ganzen Erde einzigartigen 0-Häufigkeit Selektionsprozesse (Auslesevorgänge) mitgewirkt haben, die im Verlauf von Jahrtausenden zu einer genetischen Adaptation (erbliche Anpassung) dieser Populationen an die Belastung ihrer natürlichen Umwelt mit dem hier weit verbreiteten Syphiliserreger geführt haben. Infolge des unter diesen Bedingungen gegebenen Vorteils des 0-Gens soll es zu dem beträchtlichen Anstieg seiner Häufigkeit in diesen Biotopen gekommen sein, während die A- und B-Gene infolge der vermuteten größeren Sterblichkeit ihrer Träger an der Syphilis in ihrer Häufigkeit reduziert wurden bzw. völlig aus diesen Populationen verschwanden. Ein exakter Beweis für die Richtigkeit dieser Hypothese steht allerdings noch aus.

Die klinische Verlaufsform der Syphilis wird in drei Stadien unterteilt, die jedoch nicht immer eintreten müssen. Das *erste Stadium (Lues I)* ist dadurch gekennzeichnet, daß etwa 3 Wochen nach der Infektion an der Eintrittsstelle des Erregers ein Primäreffekt oder harter Schanker (Ulcus durum) erscheint, eine Verhärtung des betroffenen Gewebes, die sich in ein Geschwür umwandelt. Über die Blutbahn kann es zu einer Ausschwemmung des Erregers in alle Organe und Hautbezirke kommen. Etwa 7–8 Wochen nach der Infektion treten Allgemeinerscheinungen wie Kopfschmerzen, Fieber, entzündliche Schwellungen der Knochenhaut und Hautausschläge auf.

Das *zweite Stadium* der Syphilis *(Lues II)* dauert 2–5 Jahre und ist durch Hautausschläge mit hohem Ansteckungsgrad und Erkrankungen der Schleimhäute sowie der inneren Organe wie z.B. Leber und Gehirn zu charakterisieren. Auch die Augen können in diesem Stadium betroffen werden.

Im *dritten Stadium (Lues III)*, das 5 Jahre nach der Infektion beginnt, sind die syphilitischen Krankheitssymptome auf der Haut vielfach nur schwach ausgeprägt und auf einzelne Stellen beschränkt. Man unterscheidet in diesem Stadium der Syphilis nach BREHM (1976) zwei Hauptformen: 1. die *Syphilis tuberosa* und 2. die *Syphilis gummosa.* Bei der Syphilis tuberosa kommt es zur Ausbildung geschwürig zerfallender, höckerartiger Gewebeknoten, welche örtlich begrenzt sind und unter Narbenbildung ausheilen können. Die Syphilis gummosa ist durch das Aufsteigen von gummiartigen Gewebeverdichtungen aus der Tiefe von Haut, Muskeln oder Knochen gekennzeichnet, die unter Einschmelzung abgestorbener Gewebeteile zu Geschwüren werden. Dabei können schwere Zerstörungen von Haut, Schleimhäuten, Knochen, Lippen, Wangen, des Zahnfleisches sowie der inneren Organe eintreten. Bei mangelnder oder fehlender Behandlung der Syphilis kann es weiterhin 10–20 Jahre nach der Infektion zu Zerstörungen des Zentralnervensystems *(Tabes)* und bzw. oder des Hirngewebes *(progressive Paralyse)* kommen, was schwere bis schwerste, sogar völlige Ausfälle der motorischen Fähigkeiten, also der aktiven körperlichen Bewegungsvorgänge, Abbau der Persönlichkeitsstruktur und Verblödung zur Folge haben kann.

Erfolgt eine Syphilisinfektion durch die Mutter während der pränatalen Entwicklungszeit, was vom 5. Monat an über die Plazenta möglich ist, entsteht das Krankheitsbild einer *Lues congenita* (angeborene Syphilis), die beide Geschlechter gleichermaßen betreffen kann. Nicht selten sterben die infizierten Kinder in der Gebärmutter ab und werden als Totgeburt ausgestoßen. Kinder, die eine Infektion überleben, zeigen in der Regel kaum krankhafte Veränderungen der Haut, dagegen solche der inneren Organe sowie des Knorpel- und Knochengewebes. Außerdem kann sich schon im Alter von 8–15 Jahren eine progressive Paralyse entwickeln. Infolge wirksamer Behandlungsmöglichkeiten der Syphilis und Verbesserungen der allgemeinen hygienischen Verhältnisse kommt die Lues congenita heute kaum noch vor.

Die mit Penizillin durchgeführte Behandlung einer Syphilis muß sofort nach ihrer Erkennung einsetzen. Je früher diese erfolgt, um so günstiger sind die Aussichten für eine völlige Heilung. Wenn ein rechtzeitiges Einsetzen von therapeutischen Maßnahmen nicht möglich war, müssen die Erkrankten sowohl allein schlafen als auch eigene Toiletten benutzen, um eine Ansteckung anderer Menschen auszuschließen. Geschlechtsverkehr darf erst nach erfolgreicher Behandlung wieder ausgeübt werden. Jeder, der an einer Syphilis (oder einer anderen Geschlechtskrankheit) erkrankt ist oder war, bedarf vor einer Eheschließung eines gesetzlich vorgeschriebenen Eheunbedenklichkeitszeugnisses.

2.4.3. Der weiche Schanker (Ulcus molle)

Der weiche Schanker wird fast ausschließlich durch Geschlechtsverkehr übertragen, allerdings sind auch Fälle von Kontaktinfektionen bekannt geworden. Verursacht wird diese Krankheit durch einen dem Keuchhustenerreger verwandten Bazillus, nämlich *Hämophilus Ducreyi*. Die Inkubationszeit beträgt nach Brehm (1976) 24–36 Stunden.

Betroffen werden in beiden Geschlechtern nur die Geschlechtsorgane und die Lymphknoten (Organe, welche in das Lymphgefäßsystem eingeschaltet sind und deren Aufgabe in der Bildung von Schutzstoffen gegen bakterielle Giftstoffe sowie in der Abfilterung in den Körper eingedrungener Bakterien usw. liegt). An diesen Organen bilden sich kleine Gewebeknoten, die aufbrechen und Geschwüre bilden können. Die Behandlung dieser Geschlechtskrankheit erfolgt mit Antibiotika wie Tetrazyklin, Chloromyzetin oder Streptomyzin, da Penizillin wirkungslos ist. Die Häufigkeit des weichen Schankers in der Bundesrepublik Deutschland ist außerordentlich gering. Männer sind nach vorliegenden Beobachtungen gegenüber den Erregern des weichen Schankers anfälliger als Frauen, die hingegen oft Bazillenträger sind, ohne selbst zu erkranken.

2.4.4. Das Lymphogranuloma inguinale

Das Lymphogranuloma inguinale, nach seinen Erstbeschreibern auch Nicolas-Favre-Krankheit benannt, wird ausschließlich durch Geschlechtsverkehr übertragen. Die Inkubationszeit liegt zwischen 3 Tagen und 3 Wochen, kann aber auch einige Monate betragen. Als Erreger konnte ein großes Virus, *Miyagawanella lymphogranulomatosis* nachgewiesen werden, das mit dem Erreger der ägyptischen Augenkrankheit (Trachom) verwandt ist. Charakteristisch für diese Geschlechtskrankheit, welche Männer und Frauen in gleicher Häufigkeit befällt, sind zunächst schmerzlose Schwellungen der Lymphknoten, meistens in der Leistengegend. Diese können unter Bildung von Fisteln (röhrenförmige Gänge zwischen Körperhöhlen oder zwischen inneren und äußeren Körperoberflächen) und Geschwüren nach außen durchbrechen. Als Spätfolgen sind Wucherungen, Verdichtungen und Schrumpfungen der befallenen Körpergewebe möglich, desgleichen Narbenbildungen im Bereich von After (Darmausgang) und Enddarm. Nach Brehm (1976) ist im Frühstadium dieser Krankheit mit Antibiotika wie Tetramyzin oder Chloromyzetin eine gute Ausheilung zu erreichen. Bei Spätformen mit fortgeschrittenen Gewebeverdichtungen und Narbenbildungen ist eine kombinierte chirurgisch-antibiotische Behandlung erforderlich. Die Häufigkeit dieser Geschlechtskrankheit in der Bundesrepublik Deutschland ist außerordentlich gering; sie wird zumeist aus dem nichteuropäischen Ausland eingeschleppt.

3. Biologie der Befruchtung

3.1. Die Keimzellen und ihre Bildung

Die menschlichen Keimzellen sind erst verhältnismäßig spät entdeckt worden: 1677 die *Spermien* (Samenzellen) durch LUDWIG HAMM, 1827 die *Oozyten* (Eizellen) durch KARL ERNST V. BAER. Sie enthalten die in den Chromosomen auf den Genen lokalisierten genetischen Informationen. Diese werden bei der Verschmelzung von Ei- und Samenzellen (Befruchtung) kombiniert und steuern von diesem Moment an die bei jedem Menschen – abgesehen von den eineiigen Zwillingen – verschiedene Ausprägung der körperlichen Merkmale und zumindest teilweise auch der geistig-seelischen Eigenschaften und Fähigkeiten.

3.1.1. Spermien

Das reife Spermium (Abb. 10) besteht aus verschiedenen Teilen, dem *Kopf*, welcher in der Regel einen haploiden (halbierten) Chromosomensatz enthält (s. S. 32), dem *Hals*, dem *Mittelstück* und dem *Schwanz*. Die Gesamtlänge eines Spermiums beträgt etwa 60 μm. Im Gegensatz zu den Eizellen besitzen die Spermien im Mittelstück und

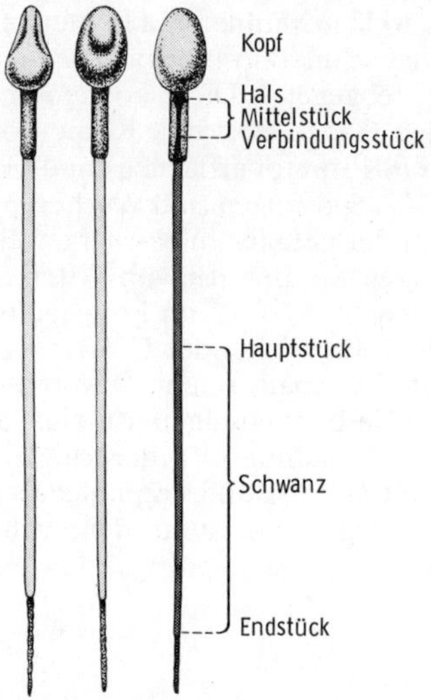

Abb. 10 Menschliche Samenzellen (aus LUDVIK, W.: Andrologie. Thieme, Stuttgart 1976)

Schwanz einen eigenen Bewegungsapparat. Normalerweise befinden sich in 1 cm^3 Sperma 60–120 Millionen Spermien. Bei einer Zahl von 20–40 Millionen pro cm^3 liegt *Hypospermie* vor, bei 1–20 Millionen pro cm^3 *Oligospermie*, das völlige Fehlen von Spermien im Sperma wird als *Aspermie* bezeichnet. Je geringer die Spermiendichte ist, um so geringer ist – neben anderen Faktoren – die Befruchtungswahrscheinlichkeit. Die Feststellung von Zahl und Beschaffenheit der Spermien, mithin die Beurteilung der Zeugungsfähigkeit eines Mannes, kann in Vaterschaftsprozessen eine wichtige Rolle spielen. Näheres hierzu findet sich bei LUDVIK (1976).

Hingewiesen sei in diesem Zusammenhang noch darauf, daß nicht nur verschiedene Krankheiten, wie Entzündungen von Hoden (Orchitis) oder Nebenhoden (Epididymitis) die Bildung funktionsfähiger Spermien beeinträchtigen können, sondern auch eine Reihe von Medikamenten deren Ausreifung im Nebenhoden verzögern oder sogar völlig unterbinden kann (MILBRADT 1973). Arzneimittelprüfungen sollten daher auch unter diesem Aspekt vorgenommen werden.

Wie auf S. 5 ausgeführt, wandern etwa von der 3. Entwicklungswoche an die Urkeimzellen in die Gonadenanlage ein. Während ein Teil von ihnen zugrundegeht, entwickeln sich die verbleibenden zu *Spermatogonien*, aus denen später die Spermien hervorgehen. Der Entwicklungsprozeß der Spermien, die *Spermiogenese*, kann in drei Phasen unterteilt werden: 1. Vermehrungsphase, 2. die Wachstumsphase und 3. die eigentliche Reifungsphase.

In der *Vermehrungsphase*, die nach GROSSER u. ORTMANN (1966) von der Pubertät bis ins hohe Alter reichen kann, vermehren sich die Spermatogonien nach dem Prinzip der *mitotischen Teilung*. Dabei entstehen aus einer Stammzelle jeweils zwei Tochterzellen, die wie erstere den gleichen Chromosomensatz besitzen, und zwar einen diploiden (doppelten) Satz von $2\,n = 46$, davon ein Paar Geschlechtschromosomen X und Y. Diese Vermehrung findet in den Hoden statt. Anschließend werden diese noch unreifen, diploiden Spermatogonien in die Nebenhoden transportiert, wo ihre Speicherung und Weiterentwicklung erfolgt.

In der hier ablaufenden *Wachstumsphase* verändern sich die Spermatogonien zu den *Spermatozyten*. Die mitotischen Teilungen haben aufgehört, dafür nimmt die Größe der in diesem Entwicklungsstadium noch unreifen Spermien zu und der Zellkern durchläuft charakteristische Umstrukturierungen. Das Chromatin (anfärbbarer Teil des Zellkerns, welcher die Desoxyribonukleinsäure enthält, in der die genetischen Informationen gespeichert sind) verdichtet sich zu den Chromosomen, wobei sich die jeweils homologen (gleichen) – von der Mutter

bzw. vom Vater stammenden – Chromosomen aneinanderlegen (Konjugation). Dabei kann es durch Crossing-over (Überkreuzen) zum Austausch von Teilen dieser homologen Chromosomen kommen, wodurch genetische Informationen vom väterlichen auf das entsprechende (homologe) von der Mutter übergehen können und umgekehrt; s. hierzu LENZ (1976).
Nach dieser Konjugation (mit möglichem Crossing-over) findet eine völlige Längsspaltung der gepaarten Chromosomen statt, deren Hälfte jedoch noch vom Zentromer (Ansatzstelle der Spindelfasern, welche die Chromosomenhälften zu den Zellpolen ziehen) zusammengehalten werden. Da beide Chromosomen eines jeden Paares längsgeteilt sind, liegen also vier Chromosomenstränge (Tetraden) nebeneinander.

Aus diesen Tetradenbildungen geht in der eigentlichen *Reifungsphase* der Spermien der haploide (halbe) Chromosomensatz hervor, indem durch zwei rasch aufeinanderfolgende Reduktions- oder Reifungsteilungen (Meiose) Zellen entstehen, in denen jedes Chromosom nur noch einmal vorhanden ist. Die jetzt reifen Spermien haben also nur noch 23 Chromosomen, wovon 22 Autosome sind, das restliche entweder ein X-Chromosom oder ein Y-Chromosom. Allerdings kann es durch Verteilungsstörungen (Non-disjunctions) während der Meiose zu anomalen Chromosomenzahlen in den Spermien kommen, die in der Regel mehr oder weniger ausgeprägte Störungen in der körperlichen und geistig-seelischen Entwicklung bewirken (s. S. 98). Mit der Reduktion des diploiden Chromosomensatzes auf die Hälfte ist die Entwicklung der Spermien abgeschlossen. Diese erhalten nun auch ihre charakteristische Form (Abb. 10). Die morphologische Umwandlung geht dabei nach GROSSER u. ORTMANN (1966) so vor sich, daß die ursprünglich rundliche Samenzelle eine starke Streckung erfährt, bei der der Zellkern an das eine Ende der Zelle gelangt. Das Zellplasma wird mengenmäßig stark vermindert, der verbleibende Teil ergibt Hals, Mittelstück und Schwanz.

3.1.2. Oozyten

Einen ganz anderen Entwicklungsprozeß als die Spermien zeigen die weiblichen Keimzellen, die Oozyten. Auch bei ihnen ist eine Dreigliederung des Reifungsprozesses zu erkennen: 1. die Vermehrungsphase, 2. die Wachstumsphase und 3. die eigentliche Reifungsphase.

Anders als im männlichen Geschlecht liegt im weiblichen die *Vermehrungsphase* der Eizellen im wesentlichen in der vorgeburtlichen Fetalzeit. Nach FREYE (1975) ist sie spätestens im 3. Lebensjahr abgeschlossen, so daß sie als sog. Oozyten I. Ordnung z. T. jahrzehntelang (bis zum Klimakterium) in Ruhe liegen. In dieser Phase erfolgen die Zellteilungen mitotisch.

Die *Wachstumsphase* setzt immer nur für einzelne Zellen unter Ausbildung von Follikeln (Eibläschen) ein (s. S. 18).

Die *Reifungsphase* betrifft in der Regel immer nur die Eizelle des zwischen zwei Menstruationen platzenden Follikels. Auch die Eizelle durchläuft zwei Reduktionsteilungen, wovon die erste kurz nach dem Follikelsprung stattfindet. Dabei wird das Plasma auf eine der beiden entstehenden Tochterzellen verteilt; die andere wird zum sog. Polkörperchen, welches abgestoßen wird. Die zweite Reduktionsteilung erfolgt unmittelbar auf die erste, allerdings nach Ausstoßen der Eizelle in den Eileiter. Es wird angenommen, daß sie unter dem Reiz eines eindringenden Spermiums zu Ende geführt wird; sie ist mit der Abstoßung des zweiten Polkörperchens abgeschlossen. Findet keine Befruchtung der Eizelle statt, geht sie innerhalb weniger Stunden nach dem Follikelsprung zugrunde, und zwar ohne daß die zweite Reduktionsteilung zu Ende geführt würde. Sie ist damit nur kurze Zeit nach ihrer Abwanderung in den Eileiter befruchtungsfähig. Für die Empfängnisverhütung ist das von erheblicher Bedeutung (s. S. 64). Durch die Reduktionsteilungen, die im Prinzip so verlaufen wie im männlichen Geschlecht, wird aus dem diploiden Chromosomensatz der unreifen Eizellen der haploide der reifen, die jeweils 22 Autosome und

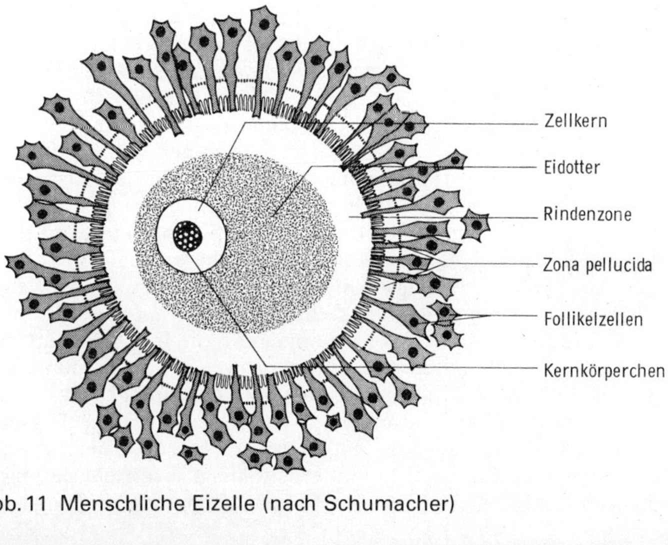

Abb. 11 Menschliche Eizelle (nach Schumacher)

ein X-Chromosom besitzen, insgesamt also auch 23. Bezüglich weiterer Einzelheiten des Eireifungsprozesses sei auf GROSSER u. ORTMANN (1966), LANGMAN (1976) und LENZ (1976) verwiesen. Erwähnt sei jedoch noch, daß selbstverständlich auch bei der Heranreifung der Eizellen Crossing-over sowie Non-disjunctions auftreten können, wobei letztere mit zunehmendem Alter einer Frau häufiger werden (s. S. 99).

Das Aussehen einer reifen Eizelle veranschaulicht Abb. 11. Sie ist kugelförmig und hat einen Durchmesser von 120–150 μm. Der von einer deutlichen Membran umgebene Zellkern liegt exzentrisch. Zwischen der Oberflächenmembran der Eizelle und der Follikelzellschicht ist eine strukturlose Hülle vorhanden, die *Zona pellucida*. Nach FREYE (1975) hat sie für den Stoffwechsel der Eizelle eine große Bedeutung und spielt auch nach erfolgter Befruchtung als Schutzhülle für die ersten Entwicklungsphasen der Zygote (befruchtete Eizelle) eine wichtige Rolle.

3.2. Der Vorgang der Befruchtung

Bei der Befruchtung vereinigen sich die väterlichen Samenzelle und die mütterliche Eizelle zur *Zygote*. Damit wird gewissermaßen der Grundstein für die Entwicklung zu einem männlichen oder weiblichen Menschen gelegt, sofern dieser Prozeß nicht durch innere oder äußere Faktoren verhindert bzw. beeinträchtigt wird.

Genetisch gesehen kommt es bei dieser Vereinigung der Keimzellen zu einer Kombination der auf den Chromosomen liegenden väterlichen und mütterlichen genetischen Informationen zu einem bei jedem Menschen verschiedenen *genetischen Informationsprogramm* (Ausnahme: eineiige Zwillinge, s. S. 38), das die künftige Entwicklung weitgehend kontrolliert. Dieses Programm liegt für eine Reihe von körperlichen Merkmalen wie z. B. die Blutgruppen, die Hautleistenmuster oder die Augenfarbe völlig fest, d. h. die für die Ausprägung dieser Merkmale verantwortlichen genetischen Informationen können in ihrer Realisierung *nicht* durch Umweltfaktoren irgendwelcher Art beeinflußt werden. Man bezeichnet solche ausschließlich durch Erbfaktoren (Gene) bedingten Merkmale daher auch als *umweltstabile* Merkmale. Dem gegenüber stehen die *umweltlabilen* Merkmale wie z. B. die Körperhöhe, das Körpergewicht, die Intelligenz und alle psychischen Eigenschaften und Verhaltensweisen, für die man nach den vorliegenden Zwillings- und Familienuntersuchungen zwar ebenfalls entwicklungs- und ausprägungssteuernde genetische Faktoren annehmen muß. Ihre genaue Analyse war jedoch noch nicht in wünschenswertem Maße möglich. Außerdem hängt ihre Realisierung in mehr oder weniger starkem Ausmaß von den Umweltbedingungen ab, unter denen ein Mensch heranwächst. Derartige *genetische Dispositionen*, also die primär im Erbgut verankerten Möglichkeiten, bestimmte Merkmalsausprägungen bei entsprechenden Umweltgegebenheiten zu verwirklichen, werden auch für zahlreiche Krankheiten angenommen, z.B. für die Tuberkulose oder die Zuckerkrankheit (Diabetes mellitus). Bezüglich der hier angedeuteten genetischen Aspekte sei im einzelnen auf LENZ (1976) verwiesen.

Durch die Ejakulation gelangen Millionen von Spermien durch die Scheide in den weiblichen Organismus, dringen in den Uterus ein und bewegen sich von dort in die Eileiter, wo die Befruchtung stattfindet, sofern eine oder mehrere reife Eizellen dort vorhanden sind (Abb. 12). Wie FREYE (1975) herausstellt, sind die Spermien noch nicht befruchtungsfähig, wenn sie den männlichen Körper verlassen haben. Erst ein Aufenthalt von mehreren Stunden im weiblichen Organismus befähigt sie zum Eindringen in die Eizelle. Die genauen Faktoren hierfür sind noch nicht bekannt. Man vermutet, daß Hormone dabei eine Rolle spielen. Hat ein Spermium eine Eizelle erreicht, dringt es mit Kopf und Mittelstück in diese ein, der Schwanz fällt ab. Für das Eindringen ist eine besondere Struktur des Spermienkopfes,

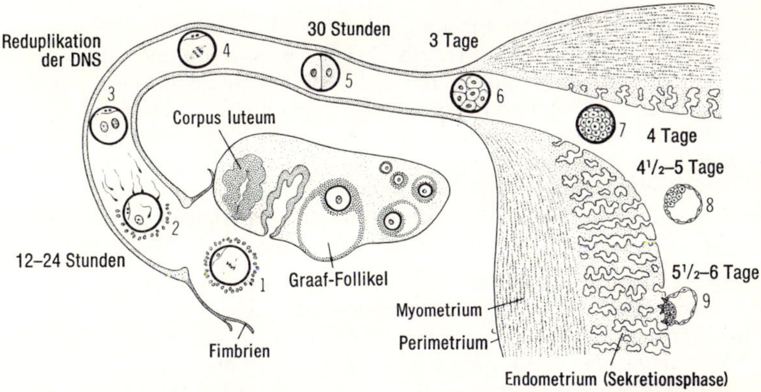

Abb. 12 Schematische Darstellung der Befruchtung und Wanderung einer befruchteten Eizelle in den Uterus. 1 Oozyte direkt nach der Ovulation, 2 Befruchtung, etwa 12–24 Stunden nach der Ovulation, 3 Stadium mit männlichem und weiblichem Vorkern, 4 Teilungsspindel der ersten Reifeteilung, 5 Zweizellenstadium, etwa 30 Stunden nach der Befruchtung, 6 Morulastadium, etwa 3 Tage nach der Befruchtung, 7 Morulastadium bei Eintritt in den Uterus, etwa 4 Tage nach der Befruchtung, 8 Blastozystenstadium, etwa $4^1/_2$ Tage nach der Befruchtung, 9 Nidation der Blastozyste, etwa 6 Tage nach der Befruchtung (aus LANGMAN, J.: Medizinische Embryologie. 5. Aufl., Thieme, Stuttgart 1977)

das *Akrosom* (Endkörperchen), von Bedeutung, welches die Membran der Eizelle perforiert (durchbohrt). Offenbar ist an diesem Vorgang aber auch ein Enzym beteiligt, die *Hyaluronidase*, welches die Gallertschicht der Eizelle aufzulösen vermag. Sobald ein Spermium in die Eizelle eingedrungen ist, zieht sich diese unter Auspressung von Flüssigkeit zusammen, so daß zwischen der Eizellenoberfläche und der Zona pellucida ein Spaltraum entsteht. Diese Zone verändert sich so, daß kein weiteres Spermium mehr eindringen kann. Wahrscheinlich wird durch die Berührung zwischen dem Spermiumkopf und der Eizellenoberfläche eine Reaktion ausgelöst, die bestimmte, allerdings noch nicht näher bekannte chemische Substanzen freisetzt, welche die Permeabilität (Durchlässigkeit) der Zona pellucida aufheben. Sofern es in möglicherweise seltenen Fällen doch dazu kommt, daß mehr als ein Spermium in eine Eizelle gelangt, ist wegen der Schwierigkeiten bei den ersten Zellteilungen mit einem baldigen Absterben einer derart mehrfach befruchteten Eizelle zu rechnen.

Die nicht zur Befruchtung gekommenen Spermien gehen zugrunde, während die befruchtete Eizelle, die Zygote, unter fortgesetzten Teilungen den Eileiter hinabwandert, in den Uterus gelangt und sich dort zwischen dem 5. und 6. Tag nach der Befruchtung einnistet.

Die Entwicklung einer Eizelle zu einem Embryo setzt ihre Befruchtung durch ein Spermium voraus. Aus der experimentellen Entwicklungsbiologie ist jedoch bekannt, daß durch Hitzeeinwirkung, starke Abkühlung und andere Faktoren auch eine unbefruchtete Eizelle zur weiteren Entwicklung angeregt werden kann. Man nennt diesen Vorgang *Parthenogenese* (Jungfernzeugung). Nach LANGMAN (1976) war es bisher jedoch nicht möglich, auf diese Weise einen lebensfähigen Organismus zu erzeugen, und insbesondere beim Menschen ist bislang kein Fall von nachgewiesener Parthenogenese bekannt geworden.

Das Zustandekommen einer Befruchtung ist an eine Reihe von Voraussetzungen gebunden, deren Kenntnis auch Grundlage für die Entwicklung und erfolgreiche Anwendung von empfängnisverhütenden Methoden ist (s. S. 59). Zunächst müssen sowohl die Samen- als auch die Eizellen befruchtungsfähig sein. Das ist auch bei nicht krankhaft veränderten, sondern normal herangereiften männlichen und weiblichen Keimzellen nicht unbefristet der Fall. So sind die Eizellen nur 6–12 Stunden nach dem Follikelsprung, die Samenzellen nur 2–3 Tage nach ihrem Eindringen in den weiblichen Organismus befruchtungsfähig. Das heißt also, kommt es innerhalb von 6–12 Stunden nach dem Follikelsprung nicht zu einer Befruchtung durch ein Spermium, geht die Eizelle unter den auf S. 23 beschriebenen Vorgängen ab. Andererseits erlischt die Befruchtungsfähigkeit der Spermien, wenn sie innerhalb von drei Tagen nach ihrem Eindringen in den weib-

Tabelle 2 Biologische Voraussetzungen für eine Befruchtung (nach Döring 1971)

Im weiblichen Geschlecht	Im männlichen Geschlecht
Eierstock	*Hoden*
Hormonproduktion	Hormonproduktion
Freiwerden einer intakten Eizelle	Bildung funktionsfähiger Spermien
Eileiter	*samenableitende Wege*
Durchgängigkeit	Durchgängigkeit von Nebenhoden und Samenleiter
Peristaltik	
Gebärmutterschleimhaut	*akzessorische Drüsen*
muß bei der Ankunft der befruchteten Eizelle für deren Einnistung vorbereitet sein	Bildung von Prostatasekret Bildung von Samenblasensekret
Gebärmutterhals	
Durchgängigkeit	
Verflüssigung des Schleims vor dem Eisprung	
Scheide	*Glied*
Bakterienflora	Erektionsfähigkeit, um das Sperma in die Scheide einführen zu können
keine anatomischen Fehlbildungen	
Berücksichtigung des günstigsten Zeitpunktes für eine Befruchtung	

lichen Organismus auf keine Eizelle gestoßen sind. Die Empfängnisverhütung durch periodische Enthaltsamkeit beruht auf diesen Erkenntnissen. Neben dem Alter der Keimzellen sind nach Döring (1971) noch eine Reihe von weiteren Voraussetzungen anatomischer, physiologischer und chemischer Art für eine erfolgreiche Befruchtung notwendig, die in Tab. 2 zusammengestellt sind.

Das Fehlen einer oder mehrerer Voraussetzungen kann *Sterilität* (Unfruchtbarkeit) bewirken. Innerhalb einer Ehe ist eine solche dann anzunehmen, wenn trotz regelmäßigen Geschlechtsverkehrs ohne empfängnisverhütende Methoden nach zwei Jahren noch keine Schwangerschaft eingetreten ist. Nach umfangreichen Untersuchungen liegen die Ursachen hierfür zu 30–50% beim Ehemann. Die Untersuchung der Zeugungsfähigkeit des Mannes sollte daher diagnostischen und therapeutischen Eingriffen bei der Frau vorausgehen (Ludvik 1976).

3.2.1. Die Entstehung von Mehrlingen

Wie auf S. 19 ausgeführt, reift normalerweise pro Monat *eine* Eizelle heran, aus welcher nach Befruchtung und anschließender Entwicklung *ein* Kind hervorgeht. Nun besteht aber einmal die Möglichkeit, daß *zwei* Eizellen heranreifen, befruchtet werden und sich weiterentwikkeln wie auch die, daß sich eine Eizelle in sehr frühen Phasen ihrer Entwicklung völlig durchschnürt und so zwei getrennte Zygoten entstehen, die sich selbständig weiterentwickeln können. Im ersteren Fall kommt es zur Bildung von *erbverschiedenen* oder *zweieiigen Zwillingen* (ZZ), im letzteren zur Bildung von *erbgleichen* oder *eineiigen Zwillingen* (EZ). Darüberhinaus sind auch Mehrlingsbildungen höheren Grades möglich (Drillinge, Vierlinge, Fünflinge usw.), die sich aus einer, zwei oder mehreren Eizellen ableiten lassen. So können z.B. Vierlinge aus einem EZ- und einem ZZ-Paar oder zwei EZ- oder zwei ZZ-Paaren usw. bestehen (Abb. 13). Die Gesamthäufigkeit von Mehrlingsgeburten folgt der sog. Hellinschen Regel, welche besagt, daß auf 85 Geburten einmal Zwillinge kommen (wovon ca. 25% eineiig und ca. 75% zweieiig sind), auf 85^2 Geburten einmal Drillinge (1:7225), auf 85^3 Geburten einmal Vierlinge (1:614125), auf 85^4 Geburten einmal Fünflinge (1:52200625) usw.

Infolge ihrer Abstammung aus *einer* befruchteten Eizelle sind die eineiigen Zwillinge genetisch identisch und besitzen somit auch dasselbe Geschlecht, sind also beide entweder männlich oder weiblich. In bezug auf solche körperlichen Merkmale, die absolut umweltstabil sind, wie z.B. Blutgruppensysteme, stimmen eineiige Zwillinge völlig überein, sind also zu *100% konkordant*. Gewisse Unterschiede, *Diskordanzen*, zwischen EZ-Paarlingen können dagegen bei solchen Merkmalen vorliegen, die in mehr oder weniger starkem Maße umweltlabil sind, wie z.B. Körperhöhe und Körpergewicht. Das Ausmaß solcher Diskordanzen kann Aufschluß darüber geben, wie stark der genetische Anteil an der Ausprägung eines Merkmals ist und in welchem Maße die Wirksamkeit nichtgenetischer Faktoren in Rechnung zu stellen ist. Auch für die Klärung genetischer Bedingtheiten in Auftreten und Verlauf von Krankheiten sowie krankhafter Mißbildungen der verschiedenen Körperteile und -organe (Lenz 1976, v. Verschuer 1954, 1959, Vogel 1961), desgleichen für die Abschätzung des Anteils genetischer Faktoren an der Ausprägung der Intelligenz und anderen psychischen Eigenschaften (v. Bracken 1969) sind Untersuchungen an ein- und auch zweieiigen Zwillingen von großer Bedeutung.

Die Ursachen, welche zur Durchteilung von Eizellen in frühen Entwicklungsphasen und damit zur Bildung von eineiigen Zwillingen führen, sind bisher noch unbekannt. Vergleichende Häufigkeitsuntersuchungen haben ergeben, daß bezüglich der EZ-Geburten weder regionale noch rassische Unterschiede nennenswerter Art vorliegen. Auch konnten keine Beziehungen zum Lebensalter der Mutter oder familiäre Häufungen von EZ-Geburten beobachtet werden.

Aus ebenfalls noch ungeklärten Gründen kann es dazu kommen, daß die völlige Durchtrennung einer befruchteten Eizelle unterbleibt, also

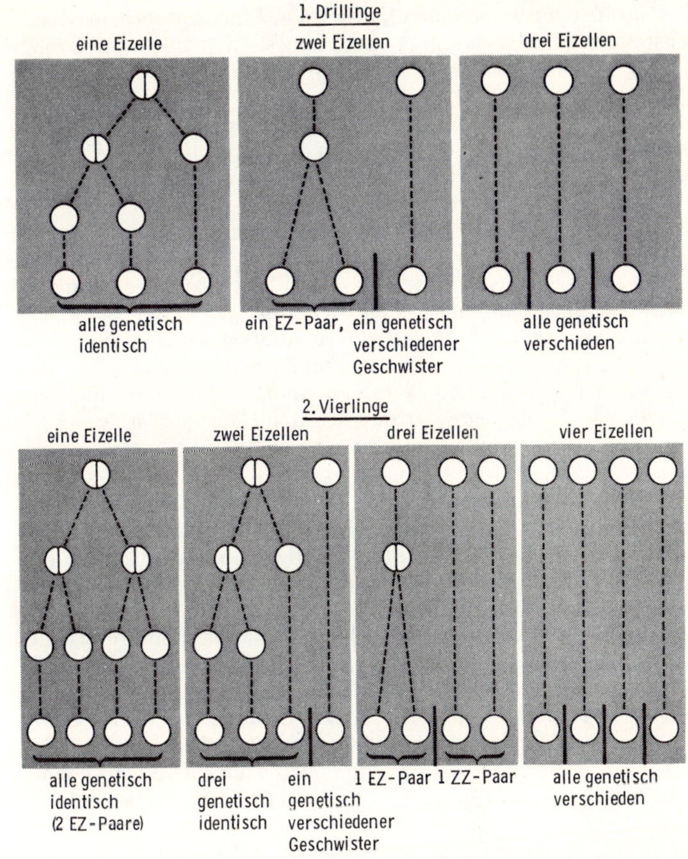

Abb. 13 Schematische Darstellung der Mehrlingsbildung (nach Scheinfeld)

eine *unvollständige Zwillingsbildung* stattfindet. Man spricht in diesem Fall von *siamesischen Zwillingen* (nach dem aus dem früheren Siam stammenden Bruderpaar Chang und Eng, an denen dieses Phänomen zum erstenmal wissenschaftlich beschrieben worden ist). Solche Zwillinge können in verschiedenen Körperbereichen (Kopf, Brustbein usw.) zusammenhängen und durchaus lebensfähig sein. Eine operative Trennung ist möglich, es sei denn, wichtige Organe wie Gehirn oder Leber sind nicht zweifach vorhanden. In derartigen Fällen kann in der Regel nur einer der beiden unvollständig getrennten

EZ-Paarlinge am Leben erhalten werden. Eine ausführliche Zusammenstellung und Beschreibung der siamesischen Zwillingsbildungen findet sich bei GEDDA (1951) und LOTZE (1937).

Zweieiige Zwillinge sind wegen ihrer Abstammung aus zwei befruchteten Eizellen normalen Geschwistern gleichzustellen, werden nur, im Gegensatz zu diesen, zur gleichen Zeit geboren. Sie sind wie diese erbverschieden und somit einander nicht ähnlicher oder unähnlicher als Geschwister zu sein pflegen. Da zweieiige Zwillinge aus verschiedenen Eizellen hervorgehen, ist es einsichtig, daß sie sowohl dem gleichen Geschlecht als auch verschiedenem Geschlecht angehören können, in letzterem Fall spricht man von *Pärchenzwillingen* (PZ). Da zweieiige Zwillinge aus einer *Polyovulation* (Ausstoßung von zwei und mehreren Eizellen) hervorgehen, ist es weiterhin möglich, daß sie verschiedene Väter haben können (*Superfecundatio* = Überschwängerung). Derartige Fälle sind nachgewiesen worden (GEYER 1940, v. KRIES u. GALLASCH 1967, s. auch KOCH 1976).

Es ist schon lange bekannt, daß die Häufigkeit von ZZ-Geburten nicht überall gleich ist, sondern erhebliche regionale und rassische Unterschiede aufweist. So beträgt die ZZ-Häufigkeit in Europa und bei weißen Amerikanern ca. 7%, bei amerikanischen Negern ca. 12%, bei afrikanischen Negern (Nigeria) ca. 40% und bei Japanern ca. 2–3% (CAVALLI-SFORZA u. BODMER 1971). Diese rassischen Unterschiede sind auch dann vorhanden, wenn man das Lebensalter der Mutter berücksichtigt. Das ist aus dem Grunde erforderlich, weil mit steigendem Alter einer Frau die Wahrscheinlichkeit zunimmt, daß sie zweieiige Zwillinge zur Welt bringt (Abb. 14). Erwähnt sei hier auch, daß bei Frauen, die selbst Zwillinge sind oder aus Zwillingsfamilien stammen, die Wahrscheinlichkeit gegenüber anderen Frauen drei- bis fünfmal so hoch ist, selbst wieder Zwillinge zu gebären. Aus diesen wiederholt bestätigten Beobachtungen familiär erhöhter ZZ-Häufigkeit wurde auf die Beteiligung genetischer Faktoren für die Entstehung von ZZ-Bildungen geschlossen. Neuere Untersuchungen (BENIRSCHKE u. KIM 1973) lassen vermuten, daß die Häufigkeit von zweieiigen Zwillingen von der Menge des follikelstimulierenden Hormons (FSH) abhängt, und zwar derart, daß mit steigender Bildung und Ausschüttung dieses Hormons die Zahl von Polyovulationen offenbar zunimmt. In ZZ-reichen Rassen bzw. Familien könnte demnach bei den Frauen ein generell erhöhter FSH-Spiegel vorhanden sein, woran genetische Faktoren zumindest teilweise mitbeteiligt sind. Weitere Untersuchungen hierzu sind jedoch noch erforderlich. Von Interesse ist in diesem Zusammenhang noch, daß in den für ZZ-Geburten prädisponierten Familien die Frauen mit steigendem Alter eine Zunahme der FSH-Ausscheidung

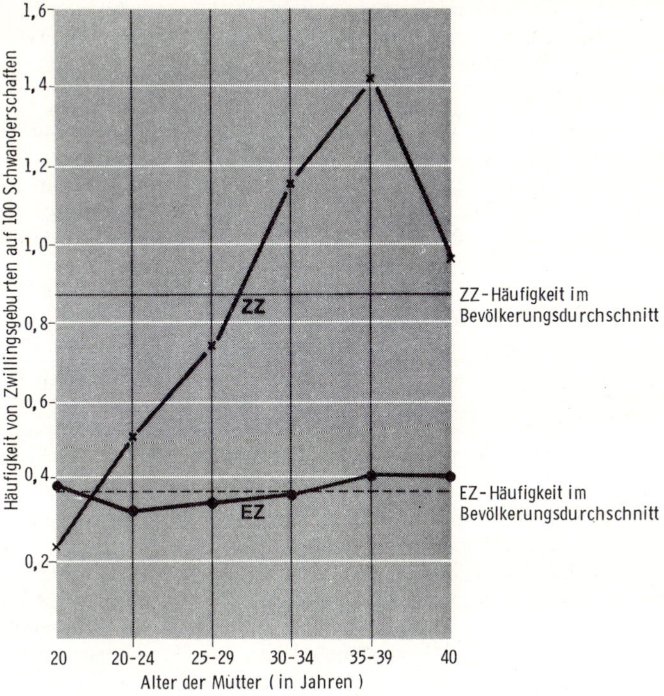

Abb. 14 Zwillingshäufigkeit und Lebensalter der Mutter bei der Konzeption (nach Parkes)

im Urin erkennen ließen und parallel dazu bei ihnen auch die Häufigkeit von ZZ-Geburten zunahm.

Schließlich dürfte auch die mehrfach belegte Beobachtung hormonell zu erklären sein, daß Frauen nach Absetzen von Ovulationshemmern (s. S. 65) Zwillinge oder noch höhere Grade von Mehrlingen gebären. Ovulationshemmer bewirken eine starke Verminderung des FSH und damit eine Unterdrückung der Ovulation. Nach dem Absetzen dieser Kontrazeptiva (Verhütungsmittel) kann es zu einer Überproduktion des FSH kommen, wodurch Polyovulationen begünstigt werden und die Entstehung von Mehrlingen wahrscheinlicher wird.

3.2.2. Die künstliche Befruchtung

In zahlreichen kinderlosen Ehen ist diese Kinderlosigkeit nicht bewußt gewollt, sondern durch die *Sterilität* (Unfruchtbarkeit) beider oder eines der beiden Ehepartner bedingt. Untersuchungen in den USA und Großbritannien haben ergeben, daß 10–15% aller Ehen Sterilitätsprobleme haben; man kann für andere Länder ähnliche Zahlen annehmen.

Die Ursache für eine unfruchtbare Ehe können sowohl bei Männern als auch bei Frauen einmal in der Unfähigkeit liegen, befruchtungsfähige Keimzellen zu bilden, zum anderen aber auch anatomischer Art sein (Mißbildungen oder krankhafte Veränderungen der Geschlechtsorgane und -wege). Bei Frauen kommen hier Hypoplasien (mangelnde Ausbildung) von Gebärmutter bzw. Eileitern oder deren Undurchgängigkeit nach Entzündungen in Betracht, bei Männern neben Hypoplasien der ableitenden Samenwege deren Verschluß durch Verletzungen oder entzündliche Erkrankungen, vgl. hierzu auch S. 9 und Tab. 2. Neben diesen biologischen können auch psychologische Faktoren zur *Impotenz* (Zeugungsunfähigkeit) führen. Diese vermögen z. B. bei Männern zu bewirken, daß der Penis nicht oder nur unzureichend versteift wird, so daß eine Beförderung des Spermas in die Scheide nicht möglich ist.

Durch geeignete ärztliche Maßnahmen gelingt es unter Umständen, die sterilitätsbedingenden Ursachen zu beseitigen. Ist das nicht der Fall, kann eine *artifizielle Insemination* (künstliche Befruchtung) der Ehefrau erfolgen, was allerdings voraussetzt, daß sie selbst fertil (fruchtbar) ist. Dies ist vorab durch eingehende Untersuchungen zu klären. In den USA ist die artifizielle Insemination bereits heute eine weitverbreitete Methode. Nach RICHARDSON (1975) lebten dort schon 1970 etwa 250000 Kinder, deren Mütter künstlich befruchtet worden sind. In den übrigen Teilen der Welt wird die Zahl solcher Kinder auf insgesamt ca. 100000 geschätzt. Zwischen 1950 und 1960 sollen allein in Frankreich und der Bundesrepublik Deutschland pro Jahr jeweils etwa 1000, in Großbritannien im gleichen Zeitraum sogar ca. 3000 Kinder pro Jahr durch künstliche Befruchtung ihrer Mütter entstanden sein.

Bei einem solchen Ersatz des natürlichen Befruchtungsvorganges durch den Geschlechtsverkehr sind zwei Methoden zu unterscheiden:

1. die homologe Insemination durch das Sperma des Ehemannes, welches durch Masturbation gewonnen und mittels bestimmter Techniken in Scheide oder Gebärmutter eingeführt wird und

2. die heterologe Insemination durch das Sperma eines fremden *Spenders*. Das Sperma kann frisch eingebracht, aber auch bei −196° C in flüssigem Stickstoff tiefgefroren (Kryosperma) über mehrere Jahre gelagert und nach Auftauen verwendet werden. Nach vorliegenden

Tabelle 3 Erfolgshäufigkeiten artifizieller Inseminationen (nach Richardson 1975)

	Samenspender Gesamtzahl der Inseminationen	davon erfolgreich	Ehemann Gesamtzahl der Inseminationen	davon erfolgreich
Frischsperma	2166	1433 (= 66,3%)	1378	627 (= 45,5%)
Kryosperma	855	350 (= 40,9%)	52	5 (= 9,6%)

Erfahrungen war ein solches Kryosperma noch nach 10jähriger Lagerung befruchtungsfähig.

Eine *homologe Insemination* wird dann durchgeführt, wenn ein Ehemann zwar fertil ist, aus anatomisch-funktionellen Gründen das Sperma aber nicht selbst in die Geschlechtswege der Ehefrau einführen kann. Auch bei ausreichender Menge und Qualität der im Ejakulat vorhandenen Spermien (s. S. 31) kommt es meistens jedoch nicht zu einer Befruchtung, selbst dann nicht, wenn der günstigste Termin hierfür (12.–14. Tag des weiblichen Monatszyklus) berücksichtigt wird. Für 1378 zwischen 1945 und 1973 in verschiedenen Ländern vorgenommene homologe Inseminationen gibt Richardson (1975) eine durchschnittliche Erfolgsquote von 45,5% an (Tab. 3), die Schwankungsbreite liegt zwischen 13,0% und 87,4%. Wesentlich ungünstiger sind die Befruchtungschancen bei verminderter Samenqualität. Sie liegen nach Ludvik (1976) zwischen 5% und 20%. Auch tiefgefrorenes Sperma hat mit durchschnittlich 10% nur geringe Befruchtungschancen. Die Ursachen hierfür dürften u. a. darin zu sehen sein, daß die Beweglichkeit der Spermien durch Einfrieren und Wiederauftauen leidet. Nach vorliegenden Erfahrungen sind bei homologer Insemination ca. 12 Samenübertragungen zum Gelingen einer Befruchtung notwendig.

Heterologe Insemination wird vor allem in den USA vorgenommen, und zwar in der Regel dann, wenn der Ehemann nicht in der Lage ist, befruchtungsfähige Spermien in ausreichender Zahl zu bilden. Allerdings nimmt diese Art der artifiziellen Insemination auch in anderen Ländern zu, z.B. in der Bundesrepublik Deutschland, obwohl die Rechtslage bei der Verwendung von Spendersamen noch völlig ungeklärt ist (Ludvik 1976). Rose u. Schaad (1974) haben berichtet, daß sie bei 1200 Frauen heterologe Insemination durchgeführt haben, wobei in 800 Fällen, das sind knapp 67%, ein Befruchtungserfolg eintrat. Diese Zahl entspricht dem von Richardson (1975) für verschiedene Länder Westeuropas sowie den USA mitgeteilten Erfolgswert, der für die zwischen 1959 und 1973 vorgenommenen heterologen Inseminationen mit frischem Sperma 66,3% beträgt. Die Schwankungsbreite liegt zwischen 60% und 75%. Weniger erfolgreich war die Verwendung von tiefgefrorenem Spendersamen, da hiermit nur 40,9% Befruchtungen glückten (Tab. 3).

Vergleicht man die Befruchtungserfolge von homologen und heterologen Inseminationen, so zeigt sich deutlich der bessere Erfolg der letzteren. Dabei ist es gleich, ob frisches oder tiefgefrorenes Sperma verwendet wird. Das dürfte gewiß damit zusammenhängen, daß unter den Ehemännern, welche nur auf künstlichem Wege Vater werden können, häufiger Männer mit befruchtungsunfähigen Spermien anzutreffen sind als unter Samenspendern, bei denen es sich in der Regel um junge Männer handelt, deren Sperma außerdem vor Verwendung auf Qualität und Quantität der in ihm vorhandenen Spermien untersucht worden ist.

Die *Motive* für eine artifizielle Insemination liegen zweifellos in dem legitimen Wunsch eines Ehepaares nach eigenen Kindern, wobei neben psychologischen unter Umständen auch ökonomische Gründe mitspielen dürften, vor allem dann, wenn Besitz- und Vermögenswerte vorhanden sind, die bei Kinderlosigkeit in fremde Hände übergehen würden. Denkbar ist auch, daß in noch kinderlosen Ehen Ehemänner vor krankheitsbedingten operativen Eingriffen, die einen Verlust der Fortpflanzungsfähigkeit befürchten lassen, Sperma in einer Spermabank deponieren, um so die Möglichkeit für eigene Kinder sicherzustellen. Kinder aus homologen Inseminationen sind rechtlich als ehelich gezeugte Kinder anzusehen.

Problematisch ist dagegen die rechtliche Stellung von Kindern aus heterologen Inseminationen, bei denen der biologische Vater also nicht mit dem gesetzlichen identisch ist. Grundsätzlich gilt zwar in der Bundesrepublik Deutschland und einer Reihe anderer Länder, daß alle in einer Ehe geborenen Kinder als ehelich anzusehen sind, es sei denn, sie könnten in einem Ehelichkeitsanfechtungsprozeß vom Ehemann erfolgreich als solche bestritten werden. Einen derartigen Rechtsschutz genießen Kinder aus heterologen Inseminationen laut Gesetz nicht. Angesichts der durchaus möglichen Zunahme solcher Inseminationen erscheint eine baldige Klärung der hiermit verbundenen juristischen Fragen dringend geboten.

Verhältnismäßig einfacher liegen dagegen die psychologischen und medizinischen Probleme bei einer heterologen Insemination. Zunächst muß ein ausführliches Gespräch zwischen den beiden Ehepartnern und dem die Insemination vornehmenden Arzt stattfinden. In diesem Gespräch muß auf alle zu bedenkenden psychischen und sozialen Aspekte sowie die möglichen medizinischen und genetischen Risiken hingewiesen werden, die sich aus der Tatsache ergeben, daß ein den Eheleuten völlig unbekannter Mann der biologische Vater des gewünschten Kindes sein wird. Beide Ehepartner müssen sich bewußt sein, daß nicht der Arzt, sondern *sie allein* die Verantwortung für das Kind übernehmen, und sie müssen sich auch darüber im klaren sein, welchen Schwierigkeiten Mutter und Kind bei einer eventuellen Ehescheidung ausgesetzt sind bzw. was aus dem Kind bei einem vorzeitigen Tod beider Eltern wird. Es bedarf keiner langen Ausführungen, um zu sehen, daß der Entschluß zu einer heterologen Insemination reifliche Überlegung erfordert und die Interessen, Rechte und Pflichten aller Beteiligten – Mutter, »Vater« und Kind – sorgfältig und kritisch *vorher* abgewogen und in einer für beide Ehepartner verbindlichen Form schriftlich festgelegt werden sollten.

In allen Ländern, in denen heterologe Inseminationen vorgenommen werden, bleibt der Name des Samenspenders völlig geheim. Auch der Spender erfährt nicht, welcher Frau sein Sperma eingeführt wird. Um diese Anonymität noch wirkungsvoller zu sichern, wird vielfach Sperma von verschiedenen Spendern vermischt. An die Spender selbst werden hohe gesundheitliche Anforderungen gestellt. So ist durch umfangreiche Untersuchungen abzusichern, daß bei ihnen und auch in ihren Familien keine körperlichen oder geistigen Erbkrankheiten vorhanden sind. Selbstverständlich müssen Samenspender auch frei von Geschlechtskrankheiten sein. Zur Vermeidung von Neugeborenenerkrankungen durch Rhesusunverträglichkeiten (s. S. 105) darf rhesusnegativen Frauen kein Sperma von rhesuspositiven Spendern zugeführt werden. Schließlich wird auch angestrebt, daß das körperliche Erscheinungsbild sowie Haut-, Augen- und Haarfarbe des Samenspenders dem Ehemann ähnlich sind, um ein völliges Abweichen des Kindes in den anthropologischen Merkmalen zu vermeiden. So wäre es z. B. unklug, einer blonden, helläugigen Frau, deren Ehemann die gleiche Farbkombination besitzt, Sperma eines dunkelhaarigen und -äugigen Mannes zuzuführen, da infolge des dominanten Erbverhaltens der Gene für starke Pigmentierung ein ebenso dunkles Kind zu erwarten ist, dessen Abweichung sowohl von der Mutter als auch vom »Vater« in unerwünschter Weise auffallen könnte. Genaue anthropologische Beschreibungen der Samenspender auf Datenkarten, die in den Spermabanken zu führen wären, könnten hier von Nutzen sein. Allerdings ist es wegen der komplizierten Erblichkeitsverhältnisse der meisten Körpermerkmale nicht möglich, eine Ähnlichkeit zwischen dem Kind und »Vater« durch Auswahl eines bestimmten Spenders zu garantieren.

Umstritten ist die Frage, ob Männer, die ihr Sperma einer Spermabank zur Verfügung stellen, dafür bezahlt werden sollen. RICHARDSON (1975) ist der Meinung, daß viele Männer im Bestreben, anderen helfen zu können, dies umsonst tun würden. In den angelsächsischen Ländern setzen sich die Samenspender zum großen Teil aus Medizinstudenten und jungen Ärzten medizinischer Zentren zusammen; allerdings sind die Ansichten darüber geteilt. SLOME (1973) kommt zu dem Schluß, daß die besten Samenspender solche Männer sind, die selbst schon Vater gesunder Kinder wurden und damit ihre Fertilität unter Beweis gestellt hätten. Zweifellos aber ist das gesamte Samenspenderwesen noch wenig geordnet, und es wäre zu begrüßen, wenn hier ähnliche, gesetzlich verankerte, klare Richtlinien aufgestellt würden, wie sie für das Blutspendewesen gelten.

Zur Frage, ob bei Verwendung von Spendersamen mit einer größeren Häufigkeit von Aborten (Fehlgeburten) oder Totgeburten zu rechnen ist, wurden zahlreiche Untersuchungen durchgeführt. Unter 2482 zwischen 1954 und 1973 zustandegekommenen künstlichen Befruchtungen heterologer Art fand RICHARDSON (1975) insgesamt 330 (= 13,3%) Fehl- und Totgeburten. Differenziert nach der Verwendung von frischem und tiefgefrorenem Sperma ergab sich für ersteres ein entsprechender Wert von 17,2%, für letzteres ein solcher von 8,0%. Der Gesamtwert von 13,3% liegt dabei in der Schwankungsbreite von 10%–17% für das Vorkommen von Fehl- und Totgeburten bei natürlicher Befruchtung. Auch die Häufigkeit von Mißbildungen liegt mit 1%–2% nicht über der bei natürlicher Befruchtung beobachteten (ca. 2%). Entscheidend ist natürlich die biologische Qualität des Spendersamens.

Man kann sich durchaus auf den Standpunkt stellen, daß eine artifizielle Insemination – homologer oder heterologer Art – zulässig und gesetzlich zu legimitieren sei, wenn sie nach kritischer Abwägung aller hiermit verbundenen Probleme auf *freiwilliger* Basis erfolgt. Abgesehen von der Rechtsunsicherheit, nicht nur in der Bundesrepublik Deutschland, stehen ihrer Durchführung aber auch teilweise erhebliche Widerstände seitens der Konfessionen gegenüber. Nach RICHARDSON (1975) lehnt das orthodoxe Judentum die heterologe Insemination völlig ab. Die homologe wird gestattet, wenn nach 10jähriger Ehe trotz bestehenden Kinderwunsches auf natürlichem Wege keine Schwangerschaft eingetreten ist. Die anglikanische sowie die römisch-katholische Kirche haben sich entschieden gegen jegliche Art von künstlicher Befruchtung ausgesprochen. Die evangelisch-lutherische Kirche nimmt ebenfalls eine ablehnende Haltung ein, wenn auch nicht so schroff. Diese negativen Stellungnahmen der Kirchen zur Frage der künstlichen Befruchtung basieren auf Moralvorstellungen, die nicht mehr unserer Zeit entsprechen. Es wäre zweifellos im Interesse der Menschen, denen mit Hilfe homologer oder heterologer Insemination zu einer gewünschten, auf normalem Wege aber nicht möglichen Elternschaft verholfen werden kann, wenn auch auf diesem Gebiet eine Meinungsänderung einsetzen würde, nicht allein der Kirchen, sondern auch des Gesetzgebers. Letzterer müßte endlich – wie für den Schwangerschaftsabbruch – einen gesetzlichen Rahmen zur Durchführung von artifiziellen Inseminationen schaffen.

3.3. Die Vererbung des Geschlechts

Wie auf S. 34 im einzelnen ausgeführt worden ist, findet bei der Befruchtung die Vereinigung der männlichen (Samenzellen) und weiblichen (Eizellen) Keimzellen statt, woraus die befruchtete Eizelle (Zygote) hervorgeht. In diesem Moment wird auch das biologische Geschlecht eines Menschen festgelegt, und zwar durch die *Geschlechtschromosomen* X und Y. Das Vorhandensein von zwei X-Chromosomen bewirkt die Ausbildung des weiblichen, die Konstellation XY die des männlichen Geschlechts. Diese Geschlechtschromosomen befinden sich auch in den Kernen aller Körperzellen des späteren männlichen (XY) und weiblichen (XX) Organismus; man spricht daher auch vom *Kerngeschlecht*.

Reife Eizellen haben in der Regel neben den 22 Autosomen je ein X-Chromosom, reife Samenzellen neben ebenfalls 22 Autosomen entweder ein X- oder ein Y-Chromosom. Unter der Annahme, daß 50% der gebildeten Spermien X-haltig und 50% Y-haltig sind, ist nach Abb. 15 zu erwarten, daß die Hälfte der gebildeten Zygoten zwei X-Chromosomen besitzen, also weiblich sind, die andere Hälfte dage-

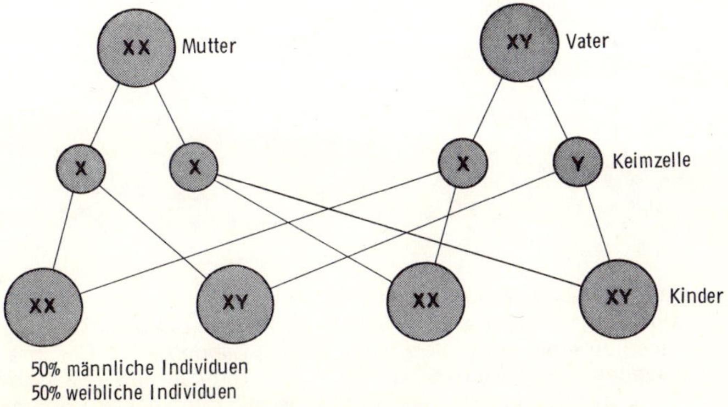

Abb. 15 Schematische Darstellung der Geschlechtsvererbung

gen je ein X- und ein Y-Chromosom, also männlich sind. In Wirklichkeit werden aber offenbar mehr männliche als weibliche Früchte angelegt (s. S. 53).

Abweichungen von der normalen Geschlechtschromosomenzahl n = 1 in den reifen Keimzellen, wie sie durch Verteilungsfehler (Non-disjunctions) während der Meiose (s. S. 32f.) entstehen können, bewirken mehr oder weniger ausgeprägte morphologisch-physiologische Störungen in der Ausbildung des biologischen Geschlechts, worauf auf S. 98 näher einzugehen sein wird.

In den Zellkernen zahlreicher Gewebe kann man im weiblichen Geschlecht ein sog. *X-Chromatin* finden (nach seinem Entdecker auch Barr-Körperchen genannt; weitere Synonyma: Geschlechts- oder Sex-Chromatin), welches elliptisch oder bohnenförmig ist und randständig liegt (Abb. 16). Nach Freye (1975) läßt sich dieses X-Chromatin in 12%–40% der untersuchten Körperzellen nachweisen. Sein Durchmesser schwankt zwischen 0,7–1,4 µm. An den Kernen der Leukozyten (weiße Blutkörperchen) kann das X-Chromatin als *Drumstick* (Trommelschlegel) in Erscheinung treten (Abb. 16). Die Größe dieser Kernanhängsel beträgt nach Freye (1975) etwa 1,2 µm. Bei gesunden Frauen treten sie in einer durchschnittlichen Häufigkeit von 2%–4% auf, wobei die Schwankungsbreite zwischen 0,4% und mehr als 20% beträgt. Männer besitzen derartige Gebilde normalerweise nicht; sie sind also X-chromatinnegativ.

Das X-Chromatin wird heute übereinstimmend als genetisch inaktives X-Chromosom angesehen, welches auch in der Interphase, also dem Zeitraum zwischen zwei Zellteilungen, in kondensiertem (verdichte-

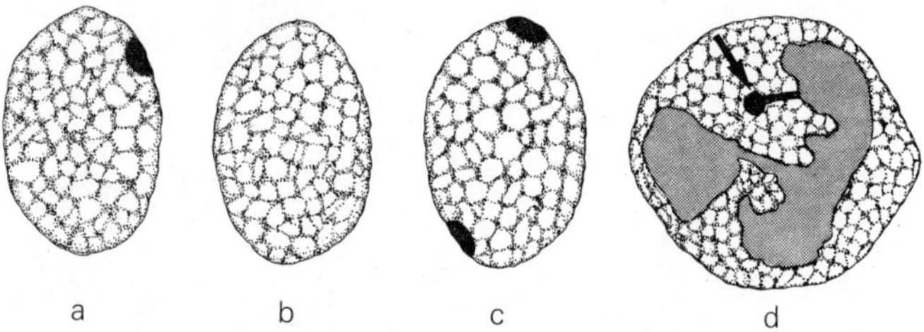

Abb. 16a–d Schematische Darstellung von X-Chromatin und Drumsticks. a) Körperzellen einer normalen Frau (XX) haben *ein* X-Chromatin, b) Körperzellen eines normalen Mannes (XY) haben *kein* X-Chromatin, c) Körperzellen eines Menschen mit 3 X-Chromosomen (XXX- oder XXXY-Syndrom) haben *zwei* X-Chromatine, d) Drumstick am polymorphen Leukozytenkern einer normalen Frau (XX)

ten) Zustand vorliegt. Diese Annahme geht letztlich auf LYON (1962) zurück, die aufgrund experimenteller Untersuchungen an Säugern (Mäusen) die Hypothese aufstellte, daß von den beiden weiblichen X-Chromosomen eines zwischen dem 12. und 14. Tag nach der Befruchtung inaktiviert und zum X-Chromatin umgewandelt wird. Von dieser Inaktivierung werden 50% der von der Mutter und 50% der vom Vater abzuleitenden X-Chromosomen betroffen. Da auch auf dem X-Chromosom genetische Informationen vorhanden sind, z.B. diejenigen für die Rot-Grün-Blindheit oder die Bluterkrankheit, ergeben sich aus dieser Inaktivierung natürlich eine Reihe von genetisch interessanten Konsequenzen, die hier jedoch nicht diskutiert werden können. Es sei bezüglich dieser Fragen auf LENZ (1976) verwiesen.

In der Humangenetik hat das X-Chromatin für die Diagnostik des Kerngeschlechts eine große Bedeutung erlangt, zumal es relativ leicht nachgewiesen werden kann, etwa in Abstrichen der Mundschleimhaut (PELZ u. MIELER 1972, WENDT u. THEILE 1974). Infolge der einfachen Beziehungen: Anzahl der X-Chromatine = Anzahl der X-Chromosomen − 1 läßt sich bei einem bestehenden Verdacht auf eine Störung in der körperlichen Geschlechtsentwicklung schnell feststellen, ob in bezug auf das X-Chromosom eine numerische Abweichung vorliegt. Hat ein solcher Suchtest den Verdacht erhärten können, ist selbstverständlich die – allerdings zeitaufwendige – exakte Analyse des Karyotyps (Zahl und Form der Chromosomen im Zellkern) anzuschließen, um die Diagnose völlig absichern zu können. Tab. 4 läßt den Zusammenhang zwischen X-Chromatinzahl, X-Chromosomenzahl und phänotypischem Geschlecht erkennen.

Tabelle 4 Anzahl der X- und Y-Chromatine bei verschiedenen Zahlen der Geschlechtschromosomen (nach Murken u. Cleve 1975)

Zahl der X-Chromatine	Zahl der Y-Chromatine	Geschlechts-chromosomen-befund	Klinische Diagnose
0	0	XO	Ullrich-Turner-Syndrom
1	0	XX	weiblich normal
0	1	XY	männlich normal
0	2	XYY	Diplo-Y-Syndrom
1	2	XXYY	
1	1	XXY	Klinefelter-Syndrom
2	1	XXXY	
3	1	XXXXY	
2	0	XXX	Poly-X-Syndrom
3	0	XXXX	
4	0	XXXXX	

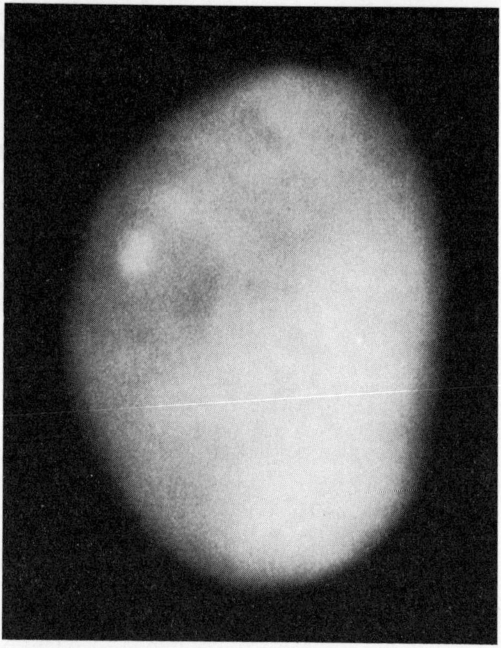

Abb. 17 Y-Chromatin in der Haarwurzelzelle eines Mannes (phot. A. KAPUNE, Bremen)

Auch das Y-Chromosom kann im Interphasenkern dargestellt werden, und zwar durch Anfärbung mit Akridinfarbstoffen, insbesondere Atebrin. Diese fluoreszierenden Farbstoffe bewirken ein intensives Leuchten des Y-Chromosoms (Abb. 17), und zwar seines langen Armes. Nach PELZ u. MIELER (1972) ist dieses sog. *Y-Chromatin* oder *F-Körperchen* in 20%–50% der Y-haltigen Zellen vorhanden. Sein Durchmesser beträgt ca. 0,25 μm; es wird meist randständig gefunden. Im Gegensatz zum X-Chromatin entspricht die Zahl der Y-Chromatine der Zahl der vorhandenen Y-Chromosomen. Demnach sind Frauen stets Y-chromatinnegativ, während Männer *ein* solches Chromatin besitzen, es sei denn, sie hätten zwei oder mehr Y-Chromosomen (s. S. 101). Die Darstellung des Y-Chromatins ist relativ einfach und vor allem schnell durchzuführen. In der Regel werden Haarwurzelzellen untersucht. Es eignen sich aber auch die meisten anderen Körpergewebe, z.B. die Mundschleimhaut. Bezüglich methodischer Einzelheiten sei auf PELZ u. MIELER (1972) sowie WENDT u. THIELE (1974) verwiesen.

Die Bestimmung des Kerngeschlechts, also die Konstellation der Geschlechtschromosomen, ist nicht nur von medizinischer Bedeutung, sondern kann unter Umständen auch im Bereich des Sports von Wichtigkeit sein. Aus gegebenem Anlaß hat daher die medizinische Kommission des Internationalen Olympischen Komitees am 3. Februar 1972 in Sapporo (Japan) einen Beschluß gefaßt, wonach alle Sportlerinnen vor Beginn der Olympischen Spiele den Nachweis zu erbringen haben, daß bei ihnen keine Intersexualität im Sinn eines Pseudohermaphroditismus maskuliner Art vorliegt (s. S. 11). Dieser Forderung, welche inzwischen auch für andere internationale Sportveranstaltungen gilt, wird dadurch Genüge getan, daß bei allen Sportlerinnen der Haarwurzeltest durchgeführt wird. Ergibt sich dabei der Befund X-chromatinpositiv, Y-chromatinnegativ, liegt weibliches Kerngeschlecht vor und der Teilnahme als Sportlerin stehen keine Bedenken entgegen. Wird dagegen diagnostiziert: X-chromatinnegativ, Y-chromatinpositiv, ist zu vermuten, daß trotz eines weiblichen Phänotyps ein männliches Kerngeschlecht vorliegt. Erhärtet sich dieser Verdacht in der anschließenden Chromosomenuntersuchung, ist mit einem Ausschluß von der Teilnahme an einem Sportwettkampf zu rechnen, da in einem solchen Fall eine gestörte Geschlechtsentwicklung anzunehmen, die Sportlerin also keine echte Frau ist.

Abschließend sei hier auch noch auf die Frage eingegangen, inwieweit das Geschlecht eines Kindes willkürlich vorgewählt werden kann. Theoretisch ist das durchaus nicht unmöglich, wie Ericson u. Mitarb. (1973) gezeigt haben. Ausgehend von der größeren Beweglichkeit der Y-haltigen Spermien haben diese Autoren ein Trennprinzip entwikkelt, wobei in einem Trennmedium unterschiedlicher Dichte und Viskosität (Zähflüssigkeit) die X-haltigen Spermien von den schnelleren und beweglicheren Y-haltigen überholt werden. Eine mehrmalige Wiederholung dieses Trennvorganges erbrachte Spermafraktionen, die bis zu 85% aus Y-haltigen Spermien bestanden. Durch künstliche Befruchtung einer Frau (s. S. 41) mit einem solchen Sperma könnte man erreichen, daß mehr männliche als weibliche Zygoten gebildet werden und der Anteil an Knabengeburten dementsprechend steigt. Es ist jedoch kaum anzunehmen, daß sich diese Verfahren zur willkürlichen Geschlechtsvorwahl eines Kindes durchsetzen wird.

Denkbar wäre es auch, X-haltige oder Y-haltige Spermien gezielt durch biochemische Mittel zu blockieren, etwa durch eine selektive immunologische Inaktivierung der männlichen Keimzellen vor der Befruchtung. Durch Anti-Y-Proteine könnte man so zumindest einen Teil der Y-haltigen Spermien unwirksam machen. Die Anwendung solcher Verfahren wäre jedoch sehr risikoreich, da die Gefahr von

Mißbildungen oder anderen Schäden bei den betreffenden Kindern nicht ausgeschlossen werden kann.

Problematisch ist schließlich auch die von JOST (1971) angegebene Methode, wonach das Geschlecht eines Kindes durch die Wahl eines geeigneten Zeitpunktes für die Befruchtung bestimmt werden könne. Danach wird angenommen, daß die X- und Y-haltigen Spermien von einer sauren oder alkalischen Beschaffenheit des Sekrets der Scheidenschleimhaut in verschiedener Weise beeinflußt werden: Y-haltige Spermien würden in höherem Maße durch ein saures Scheidenmilieu unwirksam gemacht, X-haltige dagegen eher durch ein alkalisches. Da dieses Sekret zum Zeitpunkt einer Ovulation alkalisch ist, müßten Y-haltige Spermien die größeren Befruchtungschancen haben. In der übrigen Zeit ist das Scheidensekret sauer, was zu einer Bevorteilung X-haltiger Spermien führen würde. So einleuchtend die Annahme ist, so wenig konnte sie bisher allerdings empirisch abgesichert werden.

Man kann also feststellen, daß es bis heute keine wirksamen und insbesondere auch vom medizinischen Standpunkt aus unbedenkliche Verfahren gibt, um das Geschlecht eines Kindes willkürlich festzulegen. Trotzdem ist bereits mehrfach die Frage aufgeworfen worden, ob langfristig mit einer merklichen Änderung des zahlenmäßigen Verhältnisses von Männern zu Frauen zu rechnen ist, wenn es eines Tages solche Methoden gäbe. Nach einer Untersuchung in den USA (WESTOFF u. RINDFUSS 1974) waren 46,7% der Befragten einer repräsentativen Stichprobe gegen eine willkürliche Geschlechtsfestlegung, 38,8% dafür. Das heißt also, daß offenbar ein großer Teil der US-Bevölkerung gegen eine künstliche Beeinflussung des Geschlechtsverhältnisses ist, was sicherlich auch für die Bevölkerungen vergleichbarer Länder zutrifft. Weitere Befragungen dieser Autoren ergaben, daß allerdings bei jungen Müttern die Tendenz zu bestehen scheint, sich bei der ersten Geburt einen Knaben zu wünschen. Praktikable und ungefährliche Methoden einer willkürlichen Geschlechtsfestlegung könnten daher einen gewissen Anstieg in der Häufigkeit von Knabengeburten bewirken, der nach vorliegenden Schätzungen zu einem Überschuß an männlichen Geburten von etwa 20% führen würde. Nach Meinung von WESTOFF u. RINDFUSS (1974) würde dies aber nur ein kurzfristiger Effekt sein, da in der Regel ein Ausgleich gewünscht wird, also die Geburt eines Mädchens nach erfolgter Knabengeburt (und umgekehrt). Bis jetzt gibt es weder nach diesen noch nach anderen Autoren stichhaltige Anhaltspunkte dafür, daß es in den nächsten Generationen zu einer drastischen Veränderung des Männer- und Frauenanteils in der Bevölkerung infolge willkürlicher und geplanter Festlegung des Geschlechts kommen wird.

3.3.1. Schwankungen in der Sexualproportion

Wie auf S. 47 erwähnt, ist rein theoretisch zu erwarten, daß bei der Befruchtung männliche und weibliche Zygoten im Verhältnis 1:1 entstehen und infolgedessen Knaben und Mädchen in gleicher Häufigkeit geboren werden. Das ist aber ganz offensichtlich nicht der Fall, denn in allen menschlichen Rassen überwiegt die Zahl der Knabengeburten deutlich die der Mädchengeburten. Diese sog. *sekundäre* Sexualproportion beträgt in Deutschland im Durchschnitt 106:100, was besagt, daß auf 100 Mädchen 106 Knaben geboren werden. Die Werte für andere europäische Bevölkerungen lauten ähnlich: Österreich 107, Italien 107, Spanien 110, Frankreich 106, Bulgarien 109, Rumänien 109 (nach v. EICKSTEDT 1944). Bei weißen Amerikanern beträgt die sekundäre Sexualproportion 106, bei US-Negern 103. In Indien fand sich ein entsprechender Wert von 107, für Korea wird 115 angegeben, für Japan 109, für Samoa 105 und für Neu-Guinea 108 (nach PARKES 1976). Aufgrund dieser Beobachtungen wird vermutet, daß die *primäre* Sexualproportion (bei der Befruchtung) noch höher liegt; nach v. PFAUNDLER (1947) beträgt diese 146:100. Die Richtigkeit dieser Annahme wird durch die Sexualproportion bei Feten bestätigt, welche durch Schwangerschaftsabbrüche aus sozialen Gründen nicht ausgetragen wurden. Bei Schwangerschaftsunterbrechungen im 1. Monat kamen auf 100 weibliche Feten 177 männliche, im 2. Monat betrug diese Proportion 136:100, im 3. Monat 117:100; der Mittelwert für die ersten drei Monate lautet: 137:100 (HNERKOVAKY u. Mitarb. 1964).

Die Ursachen dieser erheblichen Unterschiede zwischen theoretischen und empirischen sekundären Sexualproportionen dürften einmal in einer größeren Befruchtungschance Y-haltiger Spermien liegen, zum anderen aber auch in einer größeren pränatalen Sterblichkeit männlicher Früchte, was im einzelnen noch darzustellen sein wird. Die größere Sterblichkeit im männlichen Geschlecht hält auch nach der Geburt an und führt dazu, daß auch die *tertiäre* Sexualproportion nicht ausgeglichen ist. Diese ist dadurch gekennzeichnet, daß vor allem vom Erwachsenenalter an der Anteil weiblicher Individuen an der Gesamtbevölkerung immer mehr zunimmt, womit die ursprünglichen Proportionen schließlich ins Gegenteil verkehrt werden.

Die sekundäre Sexualproportion beträgt – wie bereits erwähnt – in Deutschland im Mittel ca. 106:100, zeigt aber bemerkenswerte *zeitliche* wie auch *soziale* Schwankungen. Entsprechende Untersuchungen ließen erkennen, daß unmittelbar *nach Kriegen* diese Proportion ansteigt, die Zahl der Knabengeburten also zunimmt. So betrug die sekundäre Sexualproportion in Deutschland zwischen 1906–1914: 105,6, 1919: 108,2 und fiel bis 1922 wieder auf 107,0. Im Jahre 1939 fand sich ein Wert von 106,5, 1946 ein solcher von 107,9; bis 1953 war er wieder auf 106,3 zurückgegangen. Ähnliche Schwankungen konnten auch in anderen, von den beiden Weltkriegen betroffenen europäischen Ländern beobachtet werden (v. Ungern-Sternberg 1963, Schott 1966). Soziale Oberschichten zeigen vielfach ein Defizit an Knabengeburten, soziale Unterschichten dagegen einen deutlichen Überschuß. So stellte Conrad (1950) bei Neugeborenen in München, deren Väter Universitätsprofessoren waren, eine sekundäre Sexualproportion von 70 : 100 fest, während sich bei denen, deren Väter ungelernte Arbeiter waren, ein entsprechender Wert von 118 : 100 ergab. Daß eine solche soziale Differenzierung offenbar über einen längeren Zeitraum vorhanden war, geht aus Tab. 5 hervor. Bemerkenswert daran ist, daß in der Gegenwart eine Angleichung der sekundären Sexualproportionen von sozialer Ober- und Unterschicht stattzufinden scheint. Zweifellos sprechen diese deutlichen und vielfach belegten zeitlichen und sozialen Schwankungen in den sekundären Sexualproportionen für ihre Beeinflussung durch exogene Faktoren.

Neben den hier genannten Beziehungen zeigt die sekundäre Sexualproportion auch solche zum *Alter der Eltern bei der Zeugung* eines Kindes sowie zur *Stellung* eines Kindes *in der Geschwisterreihe.* Wie Abb. 18 erkennen läßt, nimmt sowohl bei Männern als auch bei Frauen mit steigendem Alter die Wahrscheinlichkeit ab, Vater bzw. Mutter eines Sohnes zu werden. Weiterhin ergibt sich aus Abb. 18, daß unter Erstgeborenen mehr Knaben zu beobachten sind als unter den nachgeborenen Kindern.

Sicher ist nach allen vorliegenden Beobachtungen, daß bei der Befruchtung Y-haltige Spermien offenbar im Vorteil sind. Dabei dürfte nach Ludwig u. Boost (1947) nicht der Größenunterschied zwischen X- und Y-haltigen Spermien die entscheidende Rolle spielen, sondern die Ursachen scheinen eher in physiologischen Faktoren zu liegen, wie sie z.B. im pH-Wert der Schleimhautsekrete der weiblichen Ge-

Tabelle 5 Zeitliche und soziale Unterschiede in der sekundären Sexualproportion (Zahl der Knaben- auf 100 Mädchengeburten) in Einbeck/Niedersachsen von 1700–1950 (aus Walter, H.: Bevölkerungsgeschichte der Stadt Einbeck. Lax, Hildesheim 1960)

	Oberschicht	Unterschicht
1700–1750	93,6	136,1
1750–1800	104,1	118,9
1800–1850	105,4	137,8
1850–1900	104,2	131,7
1900–1950	110,0	113,3

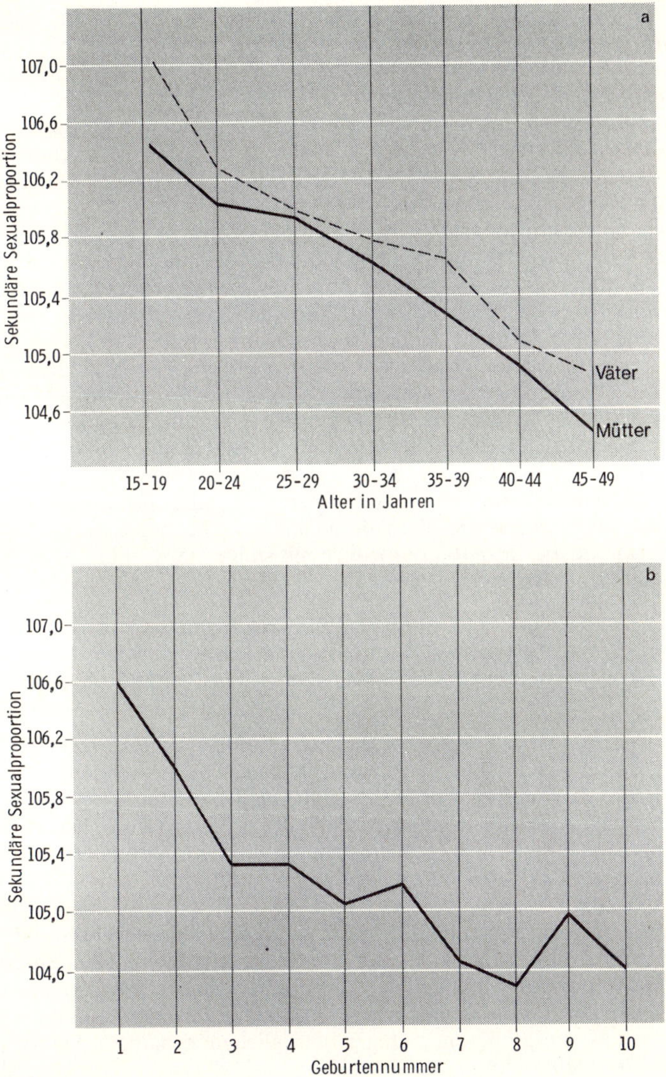

Abb. 18a u. b. a) Abhängigkeit der sekundären Sexualproportion vom Alter der Eltern bei der Zeugung. b) Abhängigkeit der sekundären Sexualproportion von der Stellung eines Kindes in der Geschwisterreihe (nach Cavalli-Sforza u. Bodmer)

schlechtswege gegeben sind. UNTERBERGER (1932) nimmt an, daß mit zunehmender Alkalisierung dieser Sekrete Y-haltige Spermien eher zur Befruchtung kommen. HARRISON (1977) weist auf einen Zusammenhang zwischen dem väterlichen Blut-pH und der sekundären Sexualproportion hin: je niedriger der pH-Wert, um so größer ist die Wahrscheinlichkeit, Vater einer Tochter zu werden. Möglicherweise wirkt sich ein geringerer pH-Wert ungünstig auf die Bildung bzw. Funktionsfähigkeit von Y-haltigen Spermien aus. Nimmt man an, daß sich die väterlichen und mütterlichen pH-Werte im Laufe des Lebens verändern, worüber freilich noch kaum systematische Untersuchungen vorliegen, lassen sich die in Abb. 18 wiedergegebenen, vom Alter der Eltern bei der Zeugung deutlich abhängigen, sekundären Sexualproportionen folgendermaßen erklären: Mit steigendem Lebensalter nehmen in beiden Geschlechtern die jeweiligen pH-Werte ab, so daß es bei Männern zu einer wachsenden Funktionsverminderung Y-haltiger Spermien kommt, bei Frauen zu einer Beeinträchtigung solcher Spermien in den Geschlechtswegen. Beide voneinander unabhängigen Vorgänge könnten auf diese Weise kumulativ eine Reduktion der primären und damit auch der sekundären Sexualproportion bewirken. Auch die geringeren Knabenanteile unter Nachgeborenen ließen sich so erklären, da das Alter der Eltern mit steigender Geburtennummer natürlich zunimmt.

Auf einen anderen Faktor im Zusammenhang mit dem unterschiedlichen Befruchtungserfolg X- und Y-haltiger Spermien weist DE RUDDER (1954) in seiner »Kolloid-dynamischen Zertationshypothese« hin.

Danach kann man annehmen, daß beim Eindringen des Spermiums in die Eizelle zunächst eine Auflösung der diese umgebenden Gallertschicht stattfinden muß. Ein wesentlicher Bestandteil dieser Gallertschicht ist ein Polysaccharid, nämlich die Hyaluronsäure. Die Auflösung der Gallertschicht geschieht durch ein im Sperma vorhandenes Enzym, die Hyaluronidase. Eiweißmangel führt zu einer Verminderung in der Menge dieses Enzyms. Liegt eine solche vor, kann diese Schicht nur unvollständig aufgelöst werden. Sie bleibt zäher, und die kleineren, beweglichen Y-haltigen Spermien haben eine größere Chance, die Gallertschicht zu passieren, die Eizellenmembran zu erreichen und zu durchdringen, mithin also eher zur Befruchtung zu gelangen als die größeren, weniger beweglichen X-haltigen Spermien. Die Erfolge hiervon ist nach DE RUDDER (1954) eine Erhöhung der Knabenziffer bei der Geburt, und zwar insbesondere dann, wenn schwerwiegende Eiweißdefizite in der Ernährung vorhanden sind. Mit Hilfe dieser Hypothese lassen sich nicht nur die Knabenüberschüsse nach den beiden Weltkriegen erklären (Rückgang des Konsums eiweißhaltiger Nahrungsmittel infolge von nachkriegsbedingten Versorgungsschwierigkeiten großer Teile der Bevölkerung), sondern auch die in Tab. 5 aufgeführten sozialen Unterschiede in der sekundären Sexualproportion, da zumindest früher erhebliche soziale Unterschiede in der Ernährungsqualität (geringerer Eiweißkonsum in den unteren Sozialschichten) bestanden haben. Die Bedeutung des Eiweißkonsums für den größeren Befruchtungserfolg von Y-haltigen Spermien kann sich auch darin zeigen, daß mit zunehmender Angleichung der Ernährungsverhältnisse in den sozialen Schichten die Differenzen in den sekundären Sexualproportionen zurückgegangen sind (Tab. 5). Allerdings wäre es nicht richtig, diese mutmaßlichen Beziehungen zwischen sekundärer Sexualproportion und Ernährungsqualität als ausschließliche Ursache für die genannten zeitlichen und sozialen Schwankungen anzusehen. Zumindest die höhere Knabenziffer nach den Kriegen ist nicht allein durch schlechtere Ernährungsverhältnisse bedingt, sondern auch durch die Zunahme von Erstgeburten (mit ihrem höheren Knabenanteil) infolge überdurchschnittlich zahlreicher Eheschließungen.

So plausibel diese Hypothese von DE RUDDER (1954) auch ist, darf man doch nicht übersehen, daß ein exakter Beweis für ihre Richtigkeit bisher nicht erbracht werden konnte. Weitere Untersuchungen dieser methodisch jedoch außerordentlich schwer anzugehenden Frage müssen abgewartet werden, ehe völlige Klarheit über diejenigen Mechanismen vorliegt, welche die größeren Befruchtungschancen Y-haltiger Spermien bewirken.

Geht man von der nach zahlreichen Beobachtungen zulässigen Annahme aus, wonach die primäre Sexualproportion höher ist als die sekundäre (146:100 gegenüber 106:100), bedeutet das, daß ein nicht unbeträchtlicher Teil der männlichen Früchte während der pränatalen Entwicklungszeit zugrundezugehen scheint und als Abort oder lebensunfähige Frühgeburt zur Welt kommt. Das ist in der Tat der Fall, wie aus Abb. 19 hervorgeht. Generell kann man feststellen, daß die Sterblichkeit männlicher Früchte erheblich größer ist als die weiblicher, insbesondere in den ersten vier Monaten nach der Befruchtung. Ein Grund hierfür wird in der Wirksamkeit von X-Chromosom-gebundenen *Letalfaktoren* (tödlich wirkende Erbanlagen) gesehen, die wegen des Fehlens »normaler« Allele (Genpartner) an den entsprechenden Loci (Genorte) auf einen zweiten X-Chromosom nicht kompensiert werden können (vgl. LENZ 1976). Allerdings reicht diese Annahme allein nicht aus, um die so viel größere Sterblichkeit männlicher Embryonen und Feten erklären zu können. Sehr wahrscheinlich sind männliche Früchte ganz allgemein empfindlicher als weibliche. Dafür spricht, daß unter unehelich geborenen Kindern die sekundäre Sexu-

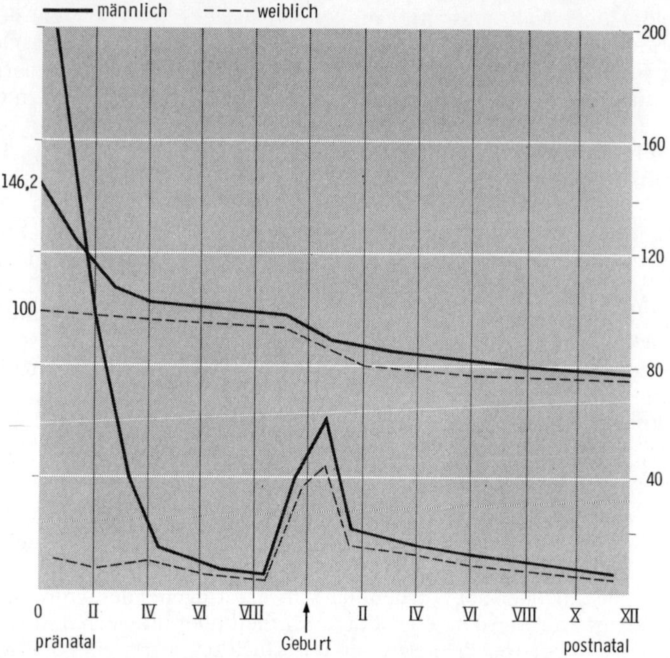

Abb. 19 Die männliche Übersterblichkeit bis zum Ende des 1. Lebensjahres. Zugrundegelegt ist eine primäre Sexualproportion von 146,2 : 100. Obere Kurven: Anzahl der überlebenden männlichen und weiblichen Kinder. Untere Kurven: Anzahl der prä- und postnatal absterbenden männlichen und weiblichen Kinder (nach v. Pfaundler u. Grimm)

alproportion deutlich niedriger ist als unter ehelichen. So betrug diese für die in der niedersächsischen Stadt Einbeck zwischen 1700–1950 geborenen unehelichen Kinder im Durchschnitt 96 : 100, für eheliche dagegen 111 : 100 (Walter 1960). Ähnliche Zahlen liegen auch aus anderen Untersuchungen vor. Man kann vermuten, daß Mütter unehelicher Kinder häufiger unter ungünstigen sozioökonomischen Bedingungen leben als diejenigen ehelicher Kinder, was zu einer allgemein größeren Häufigkeit von Aborten und lebensunfähigen Frühgeburten führt. Davon aber ist das männliche Geschlecht in stärkerem Maße betroffen als das weibliche.

Ganz zweifellos kann man abschließend feststellen, daß die Chancen männlicher und weiblicher Zygoten, sich zu lebensfähigen Neonaten (Neugeborenen) zu entwickeln, sehr unterschiedlich sind, wobei ein noch nicht in allen Einzelheiten geklärtes Zusammenwirken von endogenen und exogenen Faktoren zu einer allgemein größeren Benachteiligung männlicher Früchte führt.

3.4. Empfängnisverhütung

Aus der Kenntnis der vielfältigen Voraussetzungen, welche gegeben sein müssen, damit eine erfolgreiche Befruchtung, d.h. *Konzeption* (Empfängnis) bei einer Frau stattfinden kann (s. S. 36 und Tab. 2), lassen sich andererseits Methoden entwickeln, um eine solche zu verhüten. Nach DÖRING (1971) kann man die antikonzeptionellen (empfängnisverhütenden) Methoden in vier Gruppen einteilen:

1. die mechanischen Methoden, 2. die chemischen Methoden, 3. die Methoden ohne Anwendung von antikonzeptionellen Mitteln und 4. die Ovulationshemmer.

3.4.1. Mechanische Methoden

Zu den mechanischen Methoden gehört zunächst die Verwendung eines *Kondoms* (Präservativ), benannt nach dem englischen oder französischen Arzt Condom, dem die Erfindung dieses Antikonzeptivums zugeschrieben wird. Beim Kondom handelt es sich um eine dünne Gummihaut, die vor dem Einführen in die Scheide über das erigierte Glied gestreift wird. Das ausgestoßene Sperma wird im Kondom aufgefangen. Bei richtiger Anwendung ist die Zuverlässigkeit von (Qualitäts-)Kondomen gut (Tab. 6). Sie sind absolut unschädlich und verursachen weder bei der Frau noch beim Mann irgendwelche biologischen Nebenwirkungen. Außerdem stellen sie einen wirkungsvollen Schutz gegen die Übertragung von Geschlechtskrankheiten dar (s. S. 23). Die Verwendung von Kondomen ist derzeit für den Mann die einzige Möglichkeit, sieht man von der Sterilisierung ab, sich direkt an einer wirksamen Empfängnisverhütung zu beteiligen.

Andere mechanische Verhütungsmethoden können nur von Frauen verwendet werden. Dabei handelt es sich einmal um die *Portiokappe*, welche auf den Scheidenteil der Gebärmutter (Portio) aufgesetzt wird (vgl. Abb. 7); sie wird heute in der Regel aus Kunststoffmaterial hergestellt. Durch diese Kappe wird ein Eindringen der Spermien in die Gebärmutter verhindert, allerdings nicht mit absoluter Sicherheit. Da das sachgerechte Einsetzen der Portiokappe nicht ganz einfach ist, sollte dies von einem Arzt vorgenommen werden. Vor Beginn einer Menstruation ist die Kappe abzunehmen; sie wird nach deren Abschluß wieder aufgesetzt. Während drei Wochen ist eine Frau mit dieser Methode gegen eine unerwünschte Schwangerschaft geschützt, und zwar nach vorliegenden Beobachtungen in ebenso hohem Maße

Tabelle 6 Versagerquoten = ungewollte Schwangerschaften auf 100 Anwendungsjahre (1200 Zyklen) bei verschiedenen empfängnisverhütenden Methoden (nach Döring 1971)

Methode	Versagerquote	Ort bzw. Land	Jahr	Autoren
Kondom	7	Indianapolis	1953	WESTOFF u. Mitarb. (1953)
Scheidendiaphragma und Creme	4	Indianapolis	1953	WESTOFF u. Mitarb. (1953)
Scheidendiaphragma und Creme	34	Puerto Rico	1961	TIETZE u. Mitarb. (1961)
Portiokappe	7	New York	1953	TIETZE u. Mitarb. (1953)
Intrauterinringe und -spiralen	3,5	USA	1968	TIETZE u. LEWITT (1968)
Vaginaltabletten	7	Dänemark	1952	MADSEN u. Mitarb. (1952)
Vaginaltabletten	42	Puerto Rico	1961	TIETZE u. Mitarb. (1961)
Vaginalcreme	8	San Francisco	1962	MARGOLIS u. Mitarb. (1962)
Vaginalcreme	36	Puerto Rico	1961	TIETZE u. Mitarb. (1961)
Vaginalspray	7,6	USA	1965	KLEPPINGER (1965)
Coitus interruptus	10	Indianapolis	1953	WESTOFF u. Mitarb. (1953)
Coitus interruptus	38	Cincinnatti	1939	STIX (1939)
Kalendermethode	14	Boston	1951	TIETZE u. Mitarb. (1951)
Temperaturmethode	0,8	Deutschland	1966	DÖRING (1967)
Temperaturmethode	1,3	Frankreich	1966	RENDU (nach DÖRING)
Temperaturmethode	0,7	Österreich	1968	RÖTZER (1968)
Ovulationshemmer	0,8	England	1962	MEARS (1962)
Ovulationshemmer	0,7	Deutschland	1964	KIRCHHOFF u. HALLER (1964)
Ovulationshemmer	0,2	Deutschland	1968	DÖRING (1971)

wie bei Verwendung von Kondomen durch den Mann. Gesundheitliche Schädigungen sind bisher nicht bekannt geworden. Von einer Anwendung der Portiokappe ist abzusehen, wenn Entzündungen der Gebärmutterschleimhaut, des Gebärmutterhalses oder andere krankhafte Veränderungen der weiblichen Geschlechtsorgane vorliegen. Es ist in jedem Fall ratsam, vor Verwendung der Portiokappen entsprechende ärztliche Untersuchungen vornehmen zu lassen.

Das gilt auch für das *Scheidendiaphragma,* einem mit Gummi überzogenen Drahtring (Durchmesser 7–9 cm) und einem Gummibeutel. Es muß abends eingeführt und morgens wieder herausgenommen werden, da anderenfalls Entzündungen der Scheidenschleimhaut zu befürchten sind. Seine Wirkungsweise beruht ebenfalls darauf, daß den Spermien der Weg in die Gebärmutter versperrt wird. Gesundheitsschädigende Nebenwirkungen sind nicht bekannt. Die Zuverlässigkeit ist bei richtiger Anwendung relativ hoch (Tab. 6). Allerdings dürfte das ständige Einsetzen und Wiederherausnehmen für eine Frau recht lästig sein.

Als letzte der mechanischen Verhütungsmethoden wären die *Intrauterinpessare* zu nennen, bei denen es sich um Spiralen oder Schleifen (Abb. 20) handelt, die aus gewebefreundlichem Kunststoffmaterial

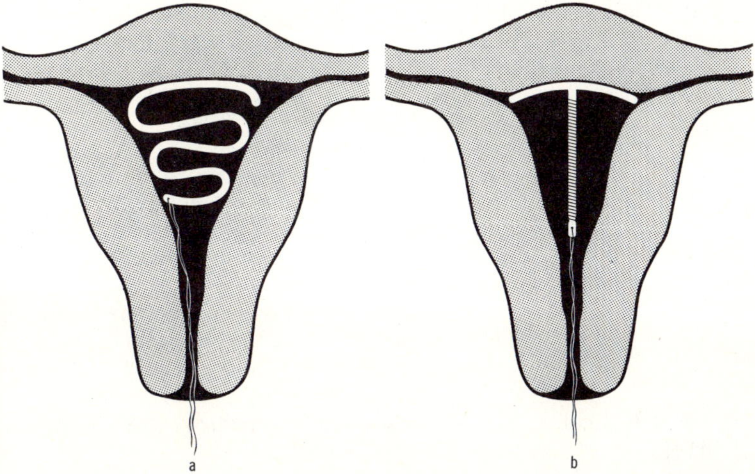

Abb. 20 a u. b Intrauterinpessare. a) Lippes-Loop, Intrauterine Double-S, b) Gyne-T, Intrauterinpessar mit Kupfer (Kupfer-T) (mit freundlicher Genehmigung der Herstellerfirma Cilag-Chemie GmbH, Alsbach an der Bergstraße)

bestehen und welche – vom Arzt – in die Gebärmutter eingesetzt werden. Nach DÖRING (1971) ist die Verwendung solcher Pessare weit verbreitet, vor allem in den Ländern der sog. »Dritten Welt«. So sollen 1968 in Südkorea 1,1 Millionen, in Pakistan 1,2 Millionen und in Indien 2,0 Millionen Intrauterinpessare eingelegt gewesen sein. Die empfängnisverhütende Wirkungsweise dieser Pessare, von denen verschiedene Typen bekannt sind, ist noch nicht befriedigend geklärt. Es wird angenommen, daß ihre Anwesenheit in der Gebärmutter ungünstige Bedingungen für eine erfolgreiche Einnistung einer befruchteten Eizelle schafft. Die Zuverlässigkeit von Intrauterinpessaren ist gut (Tab. 6). Allerdings sind eine Anzahl von ungünstigen Nebenwirkungen, wie z.B. krampfartige Schmerzen, Entzündungen im gesamten Gebärmutterbereich, Schmierblutungen und Unregelmäßigkeiten im Menstruationszyklus beobachtet worden, die zu einer Vorsicht in der Anwendung von Intrauterinpessaren, gleich welcher Art, raten lassen. DÖRING (1971) stellt daher mit Recht heraus, daß ihre Verwendung nur bei solchen Frauen gerechtfertigt ist, bei denen eine Konzeption dringlich vermieden werden muß, andere Verhütungsmittel nicht vorhanden sind oder nicht vertragen werden, insbesondere Ovulationshemmer.

3.4.2. Chemische Methoden

Zu den chemischen Methoden wird die Verwendung von *Tabletten, Cremes, Sprays* und dergleichen gerechnet, deren Wirksamkeit in der Fähigkeit liegt, die in die weiblichen Geschlechtswege eingedrungenen Spermien abzutöten. Die Zuverlässigkeit dieser Mittel schwankt stark (Tab. 6). Sie hängt nicht nur von ihrer *spermiziden* (spermientötenden) Wirkung ab, sondern auch von Regelmäßigkeit und Geschicklichkeit in ihrer Anwendung, da sie teilweise erst unmittelbar vor dem Geschlechtsverkehr mit Hilfe eines spritzenähnlichen Gerätes in die Scheide eingeführt werden müssen. Nach vorliegenden Untersuchungen ist die Verträglichkeit der chemischen Verhütungsmittel gut, sofern es sich dabei um anerkannte Markenpräparate handelt. Befürchtungen, daß es bei einem Versagen dieser Mittel zu Aborten bzw. zu Schädigungen des Kindes kommen könne, haben sich nicht bestätigt (DÖRING 1971).

3.4.3. Methoden ohne Anwendung antikonzeptioneller Mittel

Eine Empfängnisverhütung ist grundsätzlich auch ohne die Verwendung mechanischer oder chemischer Verfahren möglich. Dabei kommt einmal der Coitus interruptus in Betracht, zum anderen die periodische Enthaltsamkeit. Diese beruht auf der Erkenntnis, daß eine

Frau in der Regel nur wenige Tage im Monat empfängnisfähig ist, nämlich zwischen dem 10.–17. Tag bei einem 28tägigen Zyklus.

Beim Coitus interruptus (unterbrochener Geschlechtsverkehr) wird das Glied aus der Scheide gezogen, bevor es zur Ejakulation (Samenerguß) kommt. Es versteht sich von selbst, daß es sich hierbei – ganz abgesehen davon, daß keiner der beiden Partner, vor allem der weibliche zu einem Orgasmus (Höhepunkt des Lustgefühls beim Geschlechtsverkehr) gelangen dürfte – um eine recht unzuverlässige Methode handelt (Tab. 6). Sie ist auf keinen Fall zu empfehlen, wenn eine Empfängnis unbedingt vermieden werden muß.

In ihrer Wirksamkeit problematisch sind auch die *Kalendermethoden,* wie sie von den Gynäkologen OGINO und KNAUS entwickelt worden sind. OGINO (1932) ging von zwei seither wiederholt als richtig bewie-

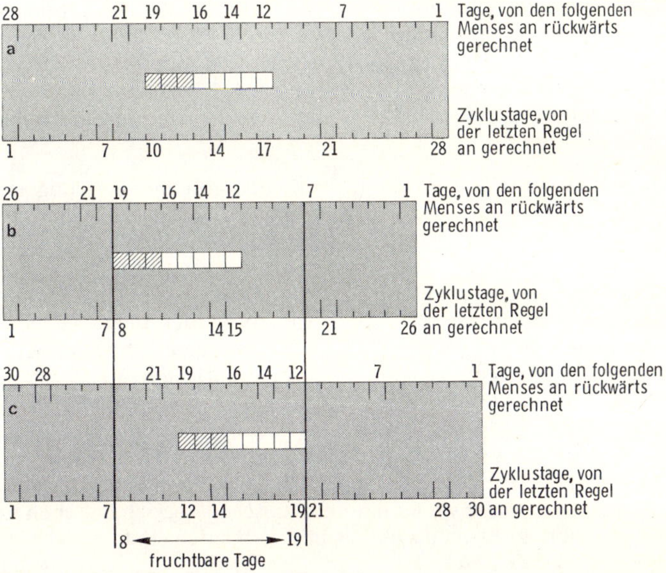

Abb. 21 a–c Berechnung der fruchtbaren Tage einer Frau nach Ogino. a) 28tägiger Zyklus, b) 26tägiger Zyklus, c) 30tägiger Zyklus. Unten sind jeweils die Zyklustage von der letzten Menstruation an fortlaufend eingetragen, oben die Tage von der folgenden Menstruation an rückwärts gerechnet. Die weißen Kästchen geben den Ovulationstermin nach Ogino an, die schraffierten die maximale Lebensdauer der Spermien. Alle Kästchen zusammen begrenzen die fruchtbaren Tage (aus DÖRING, G. K.: Empfängnisverhütung. 5. Aufl., Thieme, Stuttgart 1971; 6. Aufl. 1975)

senen Annahmen aus: 1. Die Ovulation (Eisprung) erfolgt zwischen dem 16. und 12. Tag vor Beginn der nächsten Menstruation. 2. Die maximale Lebensdauer der in die weiblichen Geschlechtswege gelangten Spermien beträgt 3 Tage. Der empfängnisfähige Zeitraum einer Frau liegt somit 19–12 Tage vor der folgenden Menstruation. Bei einem Zyklus von 28 Tagen bedeutet dies, daß eine Frau zwischen dem 10.–17. Tag fruchtbar ist. Abb. 21 gibt ein Beispiel für die Berechnung der fruchtbaren Tage einer Frau bei Annahme eines »Normalzyklus«, wie auch bei längeren und kürzeren Zyklen. Die Anwendung dieser Methode erfordert die Führung eines genauen *Menstruationskalenders*. Dies ist auch bei der von Knaus (1950) empfohlenen Methode notwendig, welche sich von der Ogino-Methode darin unterscheidet, daß sie auf der Annahme einer *stets* am 15. Tag vor der folgenden Menstruation stattfindenden Ovulation basiert. Die fruchtbaren Tage umfassen nach Knaus die Zeit von drei Tagen vor bis ein Tag nach der Ovulation. Damit ist die für eine Empfängnisverhütung notwendige Zeit sexueller Enthaltsamkeit drei Tage kürzer als bei der Ogino-Methode. Sicherlich ist die Knaus-Methode in ihrer Anwendung wegen der leichteren Berechnung des Ovulationstermins einfacher, andererseits jedoch gerade wegen dessen Fixierung auf nur einen Tag unsicherer.

Unter der Voraussetzung, daß diese Kalendermethoden richtig angewendet werden, wozu neben der sorgfältigen Führung eines Menstruationskalenders über mindestens 12 Monate, totale Enthaltsamkeit in den fruchtbaren Tagen sowie das Abwarten von wenigstens vier Menstruationen nach einer Geburt gehören (Döring 1971), gelten sie als zuverlässig. Ihre Versagerquoten (Tab. 6) werden überwiegend auf Anwendungsfehler zurückgeführt. Zu bedenken ist dabei jedoch auch, daß es infolge von Krankheiten, körperlichen Anstrengungen oder psychischen Streßsituationen zu zeitlichen Verschiebungen im Monatszyklus kommen kann, was zweifellos nicht von allen Frauen gewußt und entsprechend berücksichtigt wird. Diesen Nachteilen steht als Vorteil die absolute Unschädlichkeit dieser Kalendermethoden gegenüber, da sie weder mit mechanischen noch chemischen Eingriffen in den weiblichen Organismus verbunden sind.

Dies gilt auch für die *Temperaturmethode*, welche darauf basiert, daß ein bis zwei Tage *nach* der Ovulation die Körpertemperatur ansteigt. Schwankt sie bis dahin zwischen 36,5° C bis 36,8° C, erhöht sie sich dann auf 37,0° C bis 37,3° C und bleibt auf dieser Höhe bis zum Eintreten der nächsten Menstruation. Nach zahlreichen Untersuchungen (Döring 1967, 1971) kann es als sicher gelten, daß »vom zweiten Tag nach vollendetem Temperaturanstieg bis zur folgenden Menstruation nicht mit einer Empfängnis zu rechnen ist.« Die Zuverlässigkeit dieser

»strengen Form« der Temperaturmethode ist beträchtlich (Tab. 6). Weniger zuverlässig ist hingegen ihre »erweiterte Form«, welche davon ausgeht, daß auch in der Zeit von der Menstruation bis sechs Tage vor dem frühesten Temperaturanstieg keine Empfängnis erfolgen kann; sie kann nicht empfohlen werden.

Für die »strenge Temperaturmethode« spricht einmal ihre absolute Unschädlichkeit für die Frau, zum anderen die Möglichkeit, den individuellen Ovulationstermin mit ausreichender Genauigkeit zu bestimmen, und zwar auch bei Schwankungen der Zykluslängen. Von erheblichem Nachteil ist dagegen ihre Kompliziertheit, bedingt sie doch eine wissenschaftlich exakte, tägliche Messung der Körpertemperatur, welche zudem noch unter Ruhebedingungen (nach mindestens sechs Stunden Schlaf) und stets zur gleichen Zeit (morgens vor dem Aufstehen) erfolgen muß. Man kann sich leicht vorstellen, daß die Anwendung dieser Methode schon aus diesen Gründen für berufstätige Frauen oder Mütter mit kleinen Kindern kaum in Frage kommen dürfte. Nahezu ausgeschlossen erscheint die Anwendung dieser Methode in den meisten Ländern der »Dritten Welt«, zumal hier noch das Fehlen zuverlässiger Thermometer und Schwierigkeiten bei deren Ablesen (weitverbreiteter Analphabetismus bei den Frauen in großen Teilen Asiens, Afrikas, Mittel- und Südamerikas) hinzukommen.

3.4.4. Ovulationshemmer

Unter allen empfängnisverhütenden Methoden und Mitteln haben in den letzten dreißig Jahren ohne Zweifel die Ovulationshemmer (»Anti-Baby-Pille«) die größte Bedeutung erfahren. Sie basieren auf dem Prinzip, daß die verschiedenen, heute zur Verfügung stehenden Präparate Östrogene und Gestagene enthalten, welche die Ovulation (s. S. 19) hemmen. Darüber hinaus wird die Uterusschleimhaut so beeinflußt, daß eine Nidation erschwert ist. Endlich findet auch eine Herabsetzung der Durchlässigkeit des Gebärmutterhalsschleims statt, wodurch die Wanderung der Spermien in den Uterus beeinträchtigt wird. Im ganzen bewirken die Ovulationshemmer somit gewissermaßen eine »Scheinschwangerschaft«. Für die Reihe von Präparaten gilt, daß vom 5. Zyklustag an täglich möglichst um die gleiche Zeit eine Pille zu nehmen ist, und zwar bis zum 20.–22. Tag, wonach eine siebentägige Pause eingelegt wird. In dieser Zeit finden menstruationsähnliche Blutungen statt. Manche Firmen stellen Präparate mit 28 Pillen her, von denen die letzten sieben sog. Plazebos (wirkungsfreie Scheinpillen) sind. Es empfiehlt sich, während der Einnahme von Ovulationshemmern ärztliche Kontrolluntersuchungen im Abstand von etwa sechs Monaten vornehmen zu lassen, wobei inbesondere auf mögliche Nebenwirkungen zu achten ist. Die empfängnisverhütende

Sicherheit der Ovulationshemmer ist bei richtiger und vor allem regelmäßiger Einnahme außerordentlich hoch; sie sind hierin allen anderen Methoden klar überlegen (Tab. 6). Nach vorliegenden Schätzungen dürften sie aus diesem Grunde auch diejenigen Verhütungsmittel sein, die auf der ganzen Welt am häufigsten verwendet werden. Allein in der Bundesrepublik Deutschland haben bereits Ende 1970 ca. 2,7 Millionen Frauen, das sind 22,5% aller Mädchen und Frauen zwischen 15 und 44 Jahren, regelmäßig Ovulationshemmer gebraucht (Döring 1971). Diese Zahl dürfte heute noch wesentlich höher liegen.

Sehr intensiv wurde und wird auch gegenwärtig noch die Diskussion um die Frage nach möglichen *Nebenwirkungen* der »Pille« geführt. Eine ausführliche Darstellung dessen findet sich bei Döring (1971), worauf hier im einzelnen verwiesen sei. Ein Teil der beobachteten Nebenwirkungen wie Kopfschmerzen, Übelkeit, Gewichtszunahmen oder Veränderungen in der Libido (Geschlechtstrieb) können insofern als harmlos bezeichnet werden, als sie entweder nur vorübergehender Art sind bzw. durch Wechsel des Präparats beseitigt werden. Auf jeden Fall ist es aber zu empfchlen, den Arzt zu informieren, sobald irgendwelche körperlichen oder seelischen Symptome auftreten, die eine Frau vor Anwendung der Pille nicht kannte. Noch nicht völlig geklärt ist die Frage, ob die Anwendung von Ovulationshemmern einen Einfluß auf das Blutgerinnungssystem hat, was z.B. zu einem erhöhten Auftreten von thromboembolischen Prozessen (Bildung und Verschleppung von Blutpfröpfen in den Gefäßen) führen könnte. Möglicherweise spielen in diesem Zusammenhang genetisch bedingte, individuelle Unterschiede zwischen den einzelnen Frauen eine Rolle, und zwar derart, daß das Risiko hierfür bei solchen Frauen erhöht ist, welche primäre genetische Defekte im Blutgerinnungssystem bzw. in Bau und Funktion der Gefäßwände besitzen. Frauen mit thromboembolischen Erkrankungen, gleich welcher Ursache, wozu auch die Neigung zu starker Krampfaderbildung gehört, sollten zur Vermeidung möglicher Komplikationen Ovulationshemmer – wenn überhaupt – nur unter strenger ärztlicher Kontrolle nehmen.

Ausschließen kann man nach den bisherigen Erfahrungen die Möglichkeit, daß es selbst bei langfristiger Anwendung von Ovulationshemmern zur Bildung von bösartigen Tumoren (Krebsgeschwülsten) kommt. Auch liegen keine Hinweise darauf vor, daß zeitweilige Anwendungen von Ovulationshemmern spätere Schwangerschaften ungünstig beeinflussen bzw. die pränatale Entwicklung später gewünschter Kinder stören könnten.

Unbedingt abgeraten wird der Gebrauch von Ovulationshemmern, wenn Erkrankungen und Funktionsstörungen der Leber, hormonempfindliche bösartige Tumoren und andere innere Krankheiten vorliegen, weil es dadurch zu gefährlichen Verschlimmerungen der jeweiligen krankhaften Störungen kommen kann. Eine besonders intensive Kontrolle ist bei Frauen mit Herzkrankheiten, Krampfadern, Diabetes mellitus (Zuckerkrankheit), Epilepsie und multipler Sklerose geboten, obwohl auch diese grundsätzlich Ovulationshemmer verwenden können (BAILER 1973).

Junge Mädchen, die ihr Längenwachstum noch nicht abgeschlossen haben, sollten nach DÖRING (1971) Ovulationshemmer nicht nehmen, selbst wenn bei ihnen keine der eben genannten krankhaften Störungen vorliegen. Nach ihm ist zu befürchten, daß durch die Einwirkung der in allen Präparaten vorhandenen Östrogen-Gestagen-Gemische die Epiphysenfugen (s. S. 143) vorzeitig verknöchern, wodurch es zu Störungen im Wachstumsverlauf kommen kann.

Eine vergleichende Übersicht über die Zuverlässigkeit der verschiedenen empfängnisverhütenden Methoden wird in Tab. 6 gegeben. Daraus ergibt sich die deutliche Überlegenheit der Ovulationshemmer. Deswegen und auch wegen der Einfachheit ihrer Anwendung kann man sagen, daß die orale Ovulationshemmung (Einnahme eines medizinischen Präparates durch den Mund) für die Mehrzahl der Frauen zwar nicht die völlig ideale – wegen der nicht zu vermeidenden chemischen Eingriffe in den weiblichen Organismus – nach dem heutigen Erkenntnisstand aber optimale Methode zur Verhütung unerwünschter Schwangerschaften ist.

3.5. »Bevölkerungsexplosion« und Geburtenkontrolle

Seit einigen Jahren wird die Öffentlichkeit immer wieder mit z. T. sensationell aufgemachten Berichten aufgeschreckt, wonach die Erdbevölkerung, und insbesondere die Bevölkerung der wirtschaftlich unterentwickelten Staaten Asiens, Afrikas sowie Mittel- und Südamerikas, geradezu explosionsartig anwüchse, was zu weltweiten ökonomischen und politischen Krisen bisher nicht gekannten Ausmaßes führen müsse. Um das zu vermeiden, sei es notwendig, in den Ländern mit starkem Bevölkerungswachstum wirkungsvolle Geburtenkontrollen durchzuführen, um eine drastische Senkung der Geburtenziffern zu erreichen. Richtig ist zweifellos, daß die Erdbevölkerung in irgendeiner Weise auf eine bestimmte Zahl begrenzt werden muß, da auch bei optimalen ökonomisch-politischen Verhältnissen die Erde nicht eine unbegrenzte Zahl von Menschen tragen kann. Das haben u. a. MEADOWS u. Mitarb. (1972) überzeugend aufgezeigt. Richtig ist auch, daß das Wachstum der Erdbevölkerung regional sehr unterschiedlich ist. Ländern mit niedrigen Zuwachsraten (Europa) stehen solchen mit hohen gegenüber (Afrika, Asien, Mittel- und Südamerika), die überwiegend zu den wirtschaftlich unzureichend entwickelten gehören. Dagegen ist es falsch, anzunehmen, daß Geburtenkontrollprogramme allein ausreichten, um die wirtschaftlichen Schwierigkeiten dieser Länder und die sich daraus ergebenden Folgen für uns alle zu überwinden. Man sollte diese Fragen sehr differenziert betrachten.

Die Erforschung der menschlichen Abstammungsgeschichte hat erkennen lassen, daß die Vermehrungsrate der Menschheit offenbar über Jahrhunderttausende hinweg nur sehr gering war (Abb. 22), bedingt durch niedrige Geburtenüberschüsse als Folge einer sehr hohen Sterblichkeit. Aus Lebensalterbestimmungen an prähistorischen Skelettfunden ist bekannt, daß noch bis zu Beginn der Zeitrechnung die *Lebenserwartung* bei 22 Jahren lag. Die Altersgliederung der – erwachsenen – Gestorbenen wurde nach Untersuchungen an großen Skelettserien wie folgt geschätzt: 20–40 Jahre ca. 68%, 40–60 Jahre ca. 19%, über 60 Jahre ca. 13%. Es gibt sichere Anhaltspunkte dafür, daß in den davorliegenden früheren Zeiten (Eisenzeit, Bronzezeit, Steinzeit) diese Altersgliederung insofern noch ungünstiger war, als die jüngeren Altersklassen unter den Gestorbenen wesentlich stärker vertreten waren (Saller 1964, Schwidetzky 1970). Für das Mittelalter und die Neuzeit kann man für die europäische Bevölkerung eine mittlere Lebenserwartung von ca. 33 Jahren annehmen, und erst von der Mitte des 19. Jahrhunderts an nimmt sie ständig zu. Liegt sie in Deutschland zwischen 1871 und 1880 noch bei 35,6 Jahren im männlichen und 38,5 Jahren im weiblichen Geschlecht, beträgt sie zwischen 1901 und 1910 bereits 44,8 bzw. 48,3 Jahre, 1932 bis 1934 59,9 bzw. 62,8 Jahre, 1967 bis 1969 (im Bundesgebiet) 67,4 bzw. 73,5 Jahre (nach Angaben vom Statistischen Bundesamt in Wiesbaden). In ähnli-

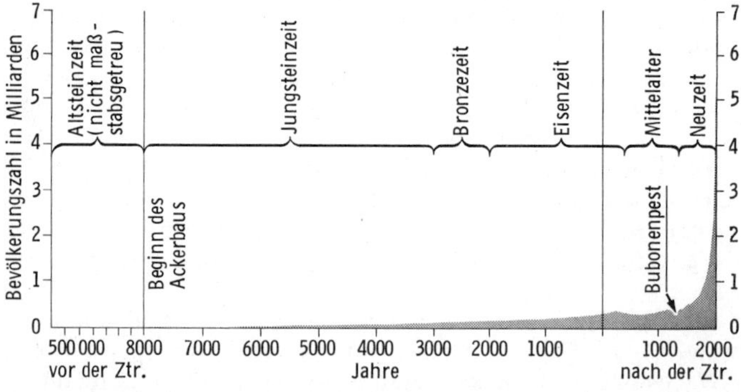

Abb. 22 Geschätzte Zunahme der Erdbevölkerung in den letzten 500000 Jahren (nach Ehrlich u. Ehrlich)

cher Weise verlief auch die Zunahme der mittleren Lebenserwartung in anderen europäischen Ländern.

Ermöglicht wurden diese Veränderungen in der durchschnittlichen Lebenserwartung zu einem wesentlichen Teil durch Aufkommen der experimentellen medizinischen Forschung in der Mitte des 19. Jahrhunderts. Durch diese wurden nach und nach immer wirkungsvollere Methoden zur Bekämpfung der Säuglings- und Kindersterblichkeit entwickelt, z. B. Schutzimpfungen gegen Diphtherie und andere Infektionskrankheiten oder therapeutische Maßnahmen zur Eindämmung tödlich verlaufender Ernährungsstörungen. So ging allein in Deutschland die Säuglingssterblichkeit von 24,2% (Knaben) bzw. 20,7% (Mädchen) in den Jahren 1881 bis 1890 über 8,5% bzw. 6,9% (1932–1934) auf 2,6% bzw. 2,0% in den Jahren 1968–1970 (im Bundesgebiet) zurück, die Sterblichkeit 1 bis 5jähriger Kinder im gleichen Zeitraum von 13,5% (Knaben) bzw. 12,8% (Mädchen) auf gegenwärtig 1,2% bzw. 0,9%. Auch diese Zahlen gelten analog für andere europäische Länder. Daß es in Deutschland oder in Europa dennoch nicht zu »Bevölkerungsexplosionen« mit ihren ökonomischen und politischen Folgen kam, ist einmal durch die industrielle Entwicklung mit ihrem enormen Bedarf an Arbeitskräften bedingt, zum anderen aber durch die Auswanderung zahlreicher Menschen in überseeische Gebiete. Man schätzt, daß allein im 19. Jahrhundert ca. 40 Millionen Europäer nach Übersee auswanderten, davon ca. 20 Millionen in die USA (Schwidetzky 1970).

Nach allen vorliegenden Untersuchungen kann man davon ausgehen, daß die gesamte Erdbevölkerung bis zur Mitte des vergangenen Jahrhunderts nur langsam anwuchs (Abb. 22) und der erste Wachstumsschub aus den genannten Gründen in Europa stattfand. Durch eine hier schon seit Jahrzehnten weithin praktizierte Begrenzung der Kinderzahl pro Familie – zunächst in den west- und nordeuropäischen Ländern, dann auch in den osteuropäischen, wenig allerdings noch in den südeuropäischen – hat sich das Bevölkerungswachstum in Europa (sowie auch das der weißen Bevölkerungen der anderen Erdteile) jedoch stark verlangsamt und liegt deutlich unter dem der meisten Länder Asiens, Afrikas und Amerikas. Nach verschiedenen übereinstimmenden Schätzungen wird dieser Unterschied in den nächsten Jahrzehnten nicht nur bleiben, sondern vielmehr noch immer größer werden (Abb. 23). Sofern sich die gegenwärtigen Wachstumsraten der Bevölkerung nicht ändern, die in den Industrieländern ca. 1% und in den Entwicklungsländern ca. 2,5% jährlich betragen, ist damit zu rechnen, daß im Jahre 2000 etwa 6,5 Milliarden Menschen auf der Erde leben, davon ca. 1,2 Milliarden in den wirtschaftlich hochentwickelten Industrieländern und ca. 5 Milliarden in den wirtschaftlich

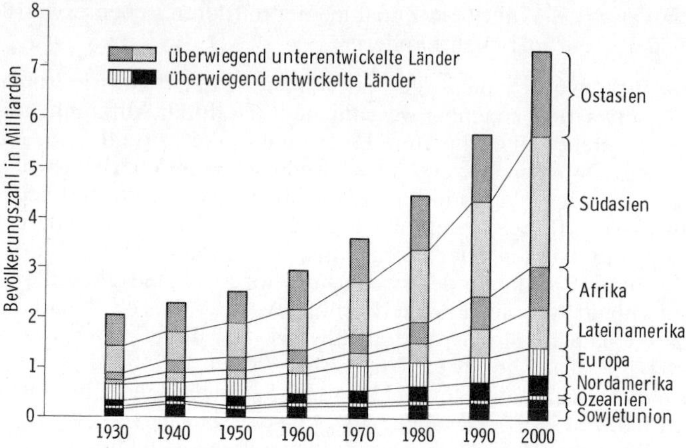

Abb. 23 Regionale Unterschiede im Bevölkerungswachstum (nach Ehrlich u. Ehrlich)

unterentwickelten Staaten Afrikas, Asiens und Lateinamerikas (Wewer 1974). Die immer kürzere Zeit, welche für eine Verdopplung der Erdbevölkerung erforderlich ist (Tab. 7), wird in ganz überwiegendem Maße durch die starke Bevölkerungsentwicklung in diesen Ländern bestimmt. Zweifellos hängt das damit zusammen, daß infolge einer immer weiteren Verbreitung und Anwendung moderner medizinischer Kenntnisse besonders die Säuglings- und Kindersterblichkeit auch in den Ländern der »Dritten Welt« gesenkt werden konnte. Im Gegensatz zu Europa fand jedoch kein Rückgang der Geburtenziffern statt, was zwangsläufig zu einer Steigerung der jährlichen Bevölkerungswachstumsraten führen mußte und auch weiterhin führen wird.

Aus der ständig größer werdenden Kluft zwischen Bevölkerungsentwicklung und Wirtschaftswachstum in den meisten Ländern der sog. »Dritten Welt«, von denen nicht wenige jahrhundertelang europäische Kolonien waren, ist nicht selten der Schluß gezogen worden, die starke Vermehrung der Bevölkerung sei die wesentliche Ursache für das geringe Wirtschaftswachstum mit allen seinen Folgen (Arbeitslosigkeit, Unterernährung usw.). Die sich hieraus ergebende Konsequenz sei daher die, mit geeigneten Methoden eine drastische Verringerung des Bevölkerungswachstums herbeizuführen. Solche Vorschläge, wie sie z.B. von Ehrlich u. Ehrlich (1972a, 1972b) und Ehrlich u. Mitarb. (1975) diskutiert werden, sind in den betreffenden Ländern jedoch auf Zurückhaltung und Ablehnung gestoßen, be-

Tabelle 7 Verdopplungszeiten der menschlichen Bevölkerungszahlen (nach Ehrlich u. Ehrlich 1972)

Zeit	geschätzte Bevölkerungszahl	Verdopplungszeit
8000 v. d. Zeitrechn.	5 Millionen	1500 Jahre
1650 n. d. Zeitrechn.	500 Millionen	200 Jahre
1850	1 Milliarde	80 Jahre
1930	2 Milliarden	45 Jahre
1975	4 Milliarden	35 Jahre

fürchtet man doch, daß die Industrieländer auf diese Weise nur ihre eigenen ökonomisch-politischen Interessen und Ziele verfolgen.

Wewer (1974) stellt zu Recht heraus, daß die Ursachen für das Anhalten der wirtschaftlichen Unterentwicklung in zahlreichen Ländern der Dritten Welt nicht primär in ihrem Bevölkerungswachstum liegen, sondern zum wesentlichen in den gegenwärtigen wirtschaftlichen Abhängigkeits- und Ausbeutungsverhältnissen, welche dazu führen, daß die armen Länder immer ärmer und die reichen Länder immer reicher werden. Nach Wewer (1974) ist die Armut in der Dritten Welt zuallererst ein Problem der ungleichen Verteilung der wirtschaftlichen Ressourcen, die auf nationaler und internationaler Ebene durch wirtschaftliche und politische Herrschaftsstrukturen abgesichert werden. Das so schnell wie möglich zu lösende Problem ist daher nicht nur die Reduzierung der Geburtenziffern, sondern vor allem die Überwindung der Armut durch Abbau der entwicklungshemmenden Strukturen. Es ist sicherlich richtig, daß eine optimale Entfaltung der wirtschaftlichen Potenzen vieler Entwicklungsländer durch eigenständige Verfügungsgewalten über Abbau und Nutzung vorhandener Bodenschätze (Erdöl, Erze) verstärkt wird. Das würde die Zahl der Arbeitsplätze erhöhen und die »Überbevölkerungsprobleme« zumindest verringern. Allerdings hätte das tiefgreifende Konsequenzen für die Industrieländer, welche eine grundsätzliche Neuorientierung ihrer gesamten Wirtschaftspolitik vornehmen müßten, was teilweise, ausgelöst durch die sog. Ölkrise, bereits im Gang ist. Daß das aber auch die sozioökonomischen Verhältnisse in den Industrieländern erheblich beeinflussen wird, liegt auf der Hand.

Festgehalten sei, daß die starke Bevölkerungszunahme in den wirtschaftlich unterentwickelten Ländern zu einem großen Teil durch die Intensivierung ihrer wirtschaftlichen Entwicklung gelöst werden muß, und nicht durch isolierte Geburtenkontrollprogramme allein. Natürlich werden auch diese Länder nicht umhin können, ihre hohen Fruchtbarkeitsziffern zu senken, um zu einer ausgeglichenen Balance zwischen Bevölkerungszahl und wirtschaftlicher Kraft zu kommen. Das aber sollte ohne Beeinflussung von außen in den einzelnen Ländern entsprechend ihren spezifischen Bedingungen selbst erfolgen. Auch der Weg zu einer Anpassung der Bevölkerungszahl an die wirtschaftlichen Möglichkeiten, d.h. die Methoden für eine Empfängnisverhütung (s. S. 59), sollte von jedem Land entsprechend seines gesamten kulturellen Hintergrundes selbst gesucht und nicht von außen aufgezwungen werden. Erfolg kann jeglicher geburtenreduzierenden Maßnahme letztlich aber nur dann beschieden sein, wenn primär die wirtschaftlich-sozialen Lebensverhältnisse in den betroffenen Ländern so umgestaltet werden, daß die Menschen dort eine Familienplanung aus eigener Motivation vornehmen können. Dazu müßte u. a. soziale und wirtschaftliche Sicherheit für jeden gegeben sein, damit Kinder nicht mehr als billige Arbeitskräfte und Altersversicherung für die Eltern »produziert« werden müssen. Die Schaffung humaner Lebensverhältnisse in jedem Land unserer Erde dürfte zu den wichtigsten und vordringlichsten Aufgaben gehören, vor die die gesamte Menschheit heute gestellt ist.

4. Die pränatale Entwicklung

4.1. Blastogenese und Nidation

Etwa 30 Stunden nach ihrer Befruchtung beginnt die Eizelle sich zu teilen, wodurch zwei Zellen *(Blastomeren)* entstehen. Diese beiden Blastomeren teilen sich ihrerseits weiter, so daß über ein Vierzellenstadium (nach ca. 40 Stunden), ein Achtzellenstadium, ein Sechszehnzellenstadium (nach ca. 3 Tagen) schließlich die sog. *Furchungskugel* (Morula) entsteht, deren Bildung nach etwa 4 Tagen abgeschlossen ist (Abb. 24). In dieser Zeit sind die Zellen des frühen *Blastoms* (Keims) noch von der Zona pellucida (s. S. 34) umschlossen, welche sich erst auflöst, wenn gegen Ende des 4. Entwicklungstages das Blastom auf seinem Weg den Eileiter hinunter im oberen Teil des Uterus angekommen ist (s. Abb. 12). Bis zu diesem Zeitpunkt hat auch noch keine funktionelle Differenzierung der Zellen innerhalb des Blastoms stattgefunden, obwohl hier bereits zwei Zellschichten unterschieden werden können, und zwar

1. eine innere Zellschicht, aus der sich später der Embryo und seine Anhangsorgane (Nabelblase, Harnsack und Schafhaut) entwickeln und
2. die äußere Zellschicht, aus der der Trophoblast (Ernährungsgewebe) hervorgeht, welcher später zum kindlichen Teil der Plazenta wird (s. S. 76).

Nachdem das Blastom in Form der Morula den Uterus erreicht hat, dringt Flüssigkeit in die Räume zwischen den Zellen der inneren Zellschicht ein. Diese Räume verbinden sich miteinander, so daß nach und nach eine Höhle entsteht, die *Blastozystenhöhle* (Abb. 25a). Das Blastom wird nun *Blastozyste* genannt. Die innere Zellschicht, jetzt als *Embryoblast* bezeichnet, konzentriert sich auf die eine Seite der Bla-

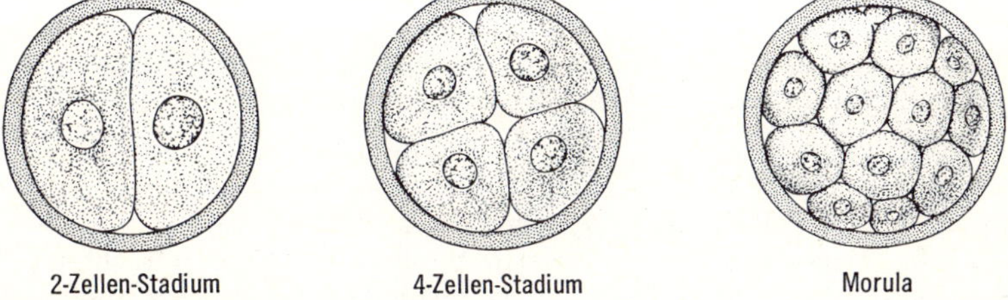

Abb. 24 Schematische Darstellung der Zygotenentwicklung vom Zweizellenstadium zur Morula (aus LANGMAN, J.: Medizinische Embryologie. 5. Aufl., Thieme, Stuttgart 1977)

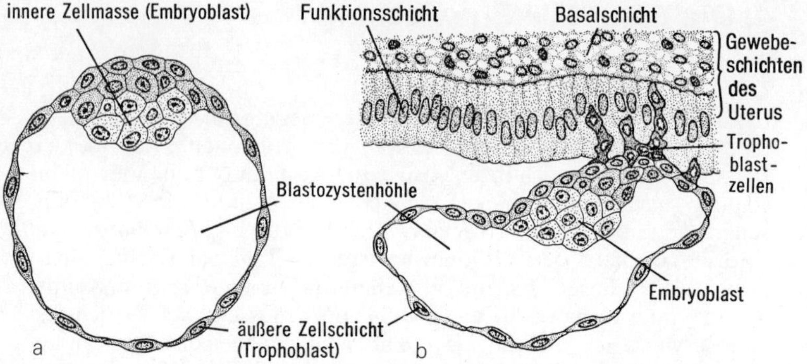

Abb. 25 a u. b a) Schematische Darstellung einer menschlichen Blastozyste im Alter von $4^1/_2$ Tagen, b) Schematisches Schnittbild durch eine bereits in die Uterusschleimhaut eingedrungene Blastozyste eines Rhesusaffen am 9. Entwicklungstag. Beim Menschen findet dieser Vorgang wahrscheinlich schon zwischen dem 5.–6. Entwicklungstag statt (aus Langman, J.: Medizinische Embryologie. 5. Aufl., Thieme, Stuttgart 1977)

stozyste. Die Zellen der äußeren Zellschicht flachen sich ab und bilden die Blastozystenwand.

In diesem Entwicklungsstadium, das zwischen dem 5. und 6. Tag nach der Befruchtung erreicht wird, beginnt die *Nidation* (Einnistung) oder *Implantation* (Einpflanzung) der Blastozyste in die Uterusschleimhaut (Abb. 12 und Abb. 25 b); in der Regel findet diese Nidation im oberen Teil des Uterus statt. Nach Langman (1976) ist dieser Vorgang am 6. Entwicklungstag abgeschlossen. Wahrscheinlich sind an der Nidation auch proteolytische (eiweißauflösende) Enzyme beteiligt, die im Trophoblast gebildet werden. Nicht alle befruchteten Eizellen kommen jedoch zu einer erfolgreichen Nidation. Es wird vermutet, daß etwa die Hälfte von ihnen vor oder bei dem Versuch der Nidation zugrundegeht (Döring 1971).

Im Zusammenhang mit juristischen und theologischen Überlegungen zur Frage des Schwangerschaftsbeginnes und des Schwangerschaftsabbruches spielt die Nidation eine beträchtliche Rolle. Nach gegenwärtig überwiegender Meinung wird die Einnistung der befruchteten Eizelle in die Uterusschleimhaut als Beginn der Schwangerschaft angesehen, wie Dörning (1971) herausstellt. Er führt dazu aus: »Vor der Nidation weiß der mütterliche Organismus nichts vom Vorhandensein einer befruchteten Eizelle. Er wird erst nach der Nidation durch hormonale Impulse, die von der Frucht ausgehen, auf »schwanger« umgeschaltet.

In der Bundesrepublik Deutschland ist gegenwärtig ein ärztlich vorgenommener Schwangerschaftsabbruch bis zum Ablauf des 3. Schwangerschaftsmonats dann straffrei, wenn
mütterliche Indikation (Gefahr für Leben und Gesundheit der Mutter bei Fortsetzung der Schwangerschaft,
kindliche Indikation (bei Verdacht einer schweren physischen oder psychischen Erkrankung des zu erwartenden Kindes),
ethische Indikation (z.B. bei Vergewaltigung der Mutter) oder
soziale Indikation (z.B. bei ungünstiger sozioökonomischer Situation der Mutter)
gegeben ist (Indikationslösung). Auf die möglichen Risiken für die Gesundheit der Frau, auch bei einem legal vorgenommenen Schwangerschaftsabbruch, weist KIRCHHOFF (1975) hin.

4.2. Versorgungs- und Entsorgungsorgane von Embryo und Fetus

Während des weitaus größten Teiles der gesamten pränatalen Entwicklung muß die Versorgung des heranwachsenden Kindes mit den für seinen Aufbau notwendigen Stoffen (Sauerstoff, Glukose als Energiequelle für Stoffwechselprozesse, Aminosäuren zur Eiweißsynthese, Fette, Phosphate, Natrium, Kalium, Vitamine usw.) über das Blut des mütterlichen Organismus erfolgen, desgleichen die Entsorgung, also der Abtransport von Kohlendioxid und Abbauprodukten des embryonalen bzw. fetalen Stoffwechsels.

Hierzu werden eine Reihe von besonderen Organen ausgebildet (Abb. 26), deren Bau und Funktion nachfolgend kurz beschrieben werden soll. Bezüglich weiterer Einzelheiten ihrer entwicklungsgeschichtlichen Differenzierung sei auf LANGMAN (1976) verwiesen.

Als Schutzorgan kann man das *Amnion* (Schafhaut) auffassen, welches das heranreifende Kind umhüllt. Die Zellen des Amnion scheiden eine Flüssigkeit ab, das Fruchtwasser (Liquor amnii), welches das Kind wie ein Wasserpolster umgibt und so wie ein Stoßdämpfer wirkt. Außerdem gewährleistet das Fruchtwasser die relative Bewegungsfreiheit des Kindes und schützt die Nabelschnur vor Abknickungen, die zum Tod des Kindes führen können. Schließlich kommt dem Fruchtwasser auch eine Bedeutung für den Stoffaustausch zwischen Mutter und Kind zu. Die Fruchtwassermenge beträgt zur Zeit der Geburt zwischen 0,5 und 1,5 l. Zuviel oder zuwenig Fruchtwasser kann zu empfindlichen Störungen in der pränatalen Entwicklung eines Kindes führen (BERG 1976, FRIEDBERG u. HIERSCHE 1975).

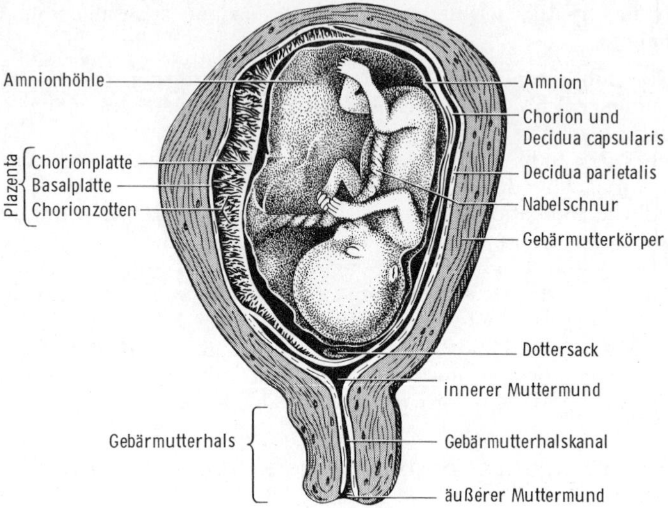

Abb. 26 Schematische Darstellung der embryonalen Anhangsorgane am Ende des 3. Entwicklungsmonats (nach Grosser u. Ortmann)

Versorgung und Entsorgung des Embryos werden durch *Nabelblase* (Vesicula umbilicalis) und *Harnsack* (Allantois) gewährleistet. Sie bilden sich im 2. Entwicklungsmonat jedoch wieder zurück und werden teilweise in die sich aus dem embryonalen Haftstiel entwickelnde *Nabelschnur* einbezogen, welche die Verbindung zwischen dem kindlichen Organismus und der Plazenta herstellt. Die Nabelschnur, welche 1–2 cm dick und im Durchschnitt 50–70 cm lang ist, enthält zwei Arterien und zwei Venen. Eine dieser Venen verschwindet im 1. Embryonalmonat wieder. Die *Vene* transportiert das sauerstoff- und nährstoffreiche Blut von der Plazenta in den kindlichen Organismus, die beiden *Arterien* führen das CO_2- und schlackenbeladene Blut zurück zur Plazenta.

Die *Plazenta* (Mutterkuchen), deren Bildung am Ende des 3. Entwicklungsmonats abgeschlossen ist, besteht aus dem *kindlichen Anteil,* der sich aus dem Trophoblast ableitet, und dem *mütterlichen Anteil,* der *Decidua basalis,* welche aus Zellen der Uterusschleimhaut gebildet wird. Der kindliche Plazentaanteil, das *Chorion* (Zottenhaut), bildet gefäßreiche Zotten, welche in den mit mütterlichem Blut (mütterlicher »Blutsee«) gefüllten Zwischenraum zwischen Chorion und Decidua basalis hineinreichen. Dieses Blut wird über enge Arterien in der

Decidua eingeleitet und fließt durch kleine, venöse Öffnungen in den mütterlichen Kreislauf zurück. Die gesamte Blutmenge in diesem Zwischenraum wird auf 150 cm^3 geschätzt und drei- bis viermal pro Minute erneuert (Langman 1976). Durch die Oberfläche der Zotten werden Gas- und Stoffaustausch vorgenommen, wobei jedoch kein direkter Kontakt zwischen mütterlichem und kindlichem Blut stattfindet. Die Gesamtoberfläche dieser Zotten beträgt nach vorliegenden Untersuchungen ca. 14 m^2, die Gesamtlänge aller Zotten etwa 18 km. Die in ihnen vorhandenen Gefäße können in der Minute einen Blutstrom von 100 cm^3 befördern (Grosser u. Ortmann 1966). Bemerkenswert ist, daß diese Werte bei Hochlandbevölkerungen wie z.B. den in den südamerikanischen Anden lebenden Indianern höher sind als bei vergleichbaren Tieflandbevölkerungen (McClung 1969). Es dürfte sich hierbei um eine Anpassung an die Sauerstoffarmut (Hypoxie) von Hochlandbiotopen handeln, durch die eine ausreichende Sauerstoffversorgung des kindlichen Organismus erreicht wird.

Mit fortschreitender Entwicklung des Fetus wächst auch die Plazenta. Sie hat bei der Geburt einen Durchmesser von 15–20 cm und eine Dicke von ca. 3 cm. Ihr Gewicht variiert dann zwischen 450–500 g. Auch diese Werte sind bei Hochlandbevölkerungen höher als bei solchen aus Tiefländern. So befand McClung (1969) bei Neugeborenen aus Cuzco (3416 m über dem Meeresspiegel) ein mittleres Plazentagewicht von 510,8 g, bei solchen aus Lima (203 m über dem Meeresspiegel) ein entsprechendes Gewicht von nur 484,2 g.

Neben den bereits genannten Funktionen (Gasaustausch, Austausch von Stoffwechselprodukten) hat die Plazenta auch eine wichtige Bedeutung als *Hormonbildungsstätte.* Sie bildet einmal *Progesteron* (s. S. 21), welches zum Fortbestehen der Schwangerschaft erforderlich ist, zum anderen auch *Östrogen.* Die Menge dieses Hormons wächst zunächst in immer stärkerem Maße an, um kurz vor Ende der Schwangerschaft wieder abzunehmen. Es wird vermutet, daß diese Abnahme zu denjenigen Faktoren gehört, welche die Geburt auslösen (s. S. 92). Schließlich werden von der Plazenta auch *Gonadotropine* erzeugt, die ähnlich wirken wie die vom Hypophysenvorderlappen gebildeten luetinisierenden Hormone (s. S. 169). Diese werden von den Schwangeren mit dem Urin ausgeschieden und sind daher für den Schwangerschaftsnachweis von Bedeutung.

Nach der Geburt löst sich die Plazenta von der Uterusschleimhaut und wird ca. 30 Minuten später als *Nachgeburt* ausgestoßen.

4.3. Die Embryogenese

Die Embryogenese, unter der man die Differenzierung der Zellen, ihren Zusammenschluß zu Zellverbänden und die Heranbildung der inneren und äußeren Organe versteht, beginnt etwa am 16. Tag nach der Befruchtung und reicht bis zum 75. Tag. In dieser Zeit werden unter Einwirkung genetischer Faktoren alle später vorhandenen Organe angelegt, allerdings zu verschiedenen Terminen. Entwicklungsstörungen durch fehlerhafte Gene oder äußere Einflüsse (s. S. 96), die in diesem Zeitraum auftreten, werden als *Embryopathie* bezeichnet.

Der Embryoblast hat sich am Ende der 2. Entwicklungswoche in zwei Zellschichten oder *Keimblätter* differenziert, das *Ektoderm* (äußeres Keimblatt) und das *Entoderm* (inneres Keimblatt). Am 15.–16. Tag bildet sich auf dem Ektoderm eine sog. *Primitivrinne,* deren Ränder leicht erhöht sind. In diese Rinne wandern ektodermale Zellen ein und bewegen sich nach beiden Seiten, so daß zwischen innerem und äußerem Keimblatt ein weiteres entsteht, das *Mesoderm* (mittleres Keimblatt).

Diese drei Keimblätter sind das Ausgangsmaterial für die späteren Körperorgane und -gewebe. Es entwickeln sich unter anderem aus dem

Entoderm	Mesoderm	Ektoderm
↓	↓	↓
Verdauungsapparat Pankreas (Bauchspeicheldrüse) Atemtrakt	Stützgewebe (Skelett) Muskelgewebe Bindegewebe Kreislaufsystem Urogenitalsystem	Haut- und Anhangsgebilde Zentralnervensystem Zahnschmelz

Den Ablauf der sehr komplizierten Differenzierungsvorgänge dieser Organe, Organsysteme und Gewebe im einzelnen nachzuzeichnen, würde bei weitem den Rahmen dieser Darstellung überschreiten. Hierzu muß auf die sehr detaillierten Ausführungen von LANGMAN (1976) verwiesen werden. Über Beginn und Beendigung dieser Differenzierungsvorgänge unterrichtet Tab. 8. Abb. 27 läßt erkennen, wie sich bis zur 8. Entwicklungswoche die äußere Körperform schon deutlich herausgebildet hat. Hingewiesen sei insbesondere auf das Verhältnis von Kopfgröße zur Gesamtkörpergröße sowie auf die noch geringen Längen der oberen und unteren Extremitäten (Arme und Beine). Darauf wird später noch näher einzugehen sein (s. S. 82). Die Körperlänge – gemessen vom Scheitel bis zum Steiß – beträgt am Ende der Embryonalzeit (75. Tag nach der Befruchtung) ca. 4 cm, das Kör-

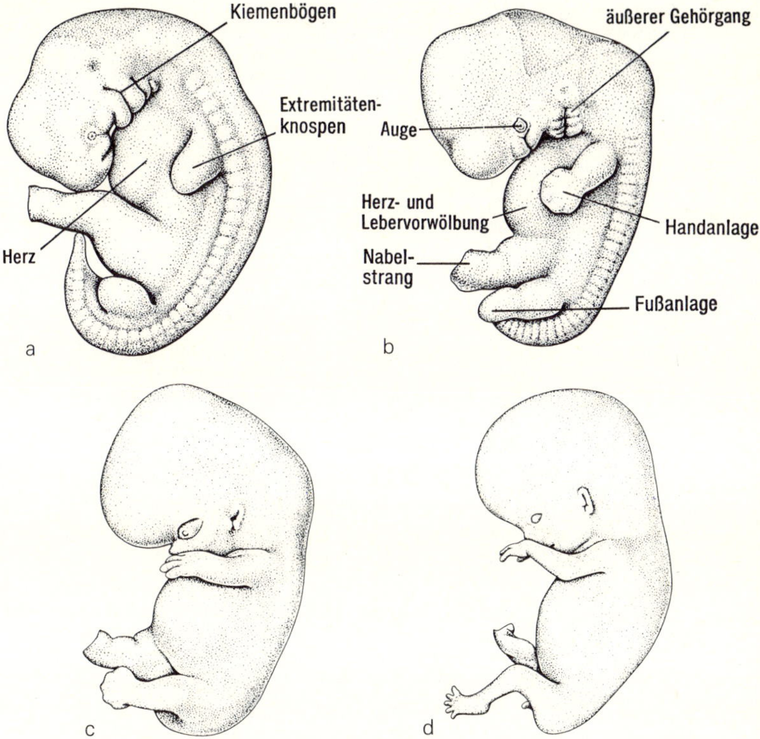

Abb. 27a–d Entwicklung der Körperform. a) im Alter von 5 Wochen, b) im Alter von 6 Wochen, c) im Alter von 7 Wochen, d) im Alter von 8 Wochen (aus LANGMAN, J.: Medizinische Embryologie. 5. Aufl., Thieme, Stuttgart 1977)

pergewicht etwa 20 g. Ausgeprägte geschlechtliche oder rassische Unterschiede in den anthropologisch wichtigen Kopf- und Körpermerkmalen bzw. in den Größen- und Gewichtsentwicklungen liegen in dieser Zeit noch nicht vor.

4.4. Die Fetogenese

Die Zeit vom 76. Entwicklungstag bis zur Geburt, die in der Regel um den 280. Tag nach der Befruchtung erfolgt, wird *Fetalperiode* genannt. Sie ist vor allem durch ein schnelles Wachstum des Körpers und seiner Organe gekennzeichnet. Eine weitere Differenzierung der bis dahin

Tabelle 8 Wichtige Daten der menschlichen Embryonalentwicklung (nach Pliess)

Präkonzeptionelle Phase des letzten Cyclus	*Blastogenese*		*Embryonalperiode*												
Kyemtage		14	21	28	35	42	49	56	63	70	77	84	91	98	*Kyemtage*
Kyemwoche	2	3	4	5	6	7	8	9	10	11	12	13	14		*Kyemwochen*
Schwangerschaftswoche	4	5	6	7	8	9	10	11	12	13	14	15	16		*Schwangerschaftswochen*

Präsomiten-Stadium

Herzanlage (*Aorta*, *Herz*)

- Kiemenbogenarterien
- Aortenentwicklung
- paarige Aorten
- primordiale Herzanlagen
- Verschmelzung der Herzanlagen
- Herzschlag, Myokardentwicklung
- Herzschleife
- Septum primum
- Septum secundum
- Ventrikelseptum

Erklärungen:

- ┌ annähernder Zeitpunkt einer beginnenden Entwicklung
- ┐ annähernder Zeitpunkt einer abgeschlossenen Entwicklung
- ⟶ fortschreitende Entwicklung
- ↓ kurzdauerndes Entwicklungsereignis

Ohranlage (*Ohr*)

- Ohrplakode
- Ohrbläschen
- häutiges Labytin th – gewebliche Differenzierung des Innenohres ⟶

Augenanlage (*Auge*)

- Linsenplakode
- Linsenbläschen und Linsenfaserbildung
- Augenblase
- Augenbecher
- Retinaentwicklung und -differenzierung (funktionelle Reife in mens VII)
- vorderer Augenbereich mit Ciliarkörper und Iris

Hirnanlage (*Hirn*)

Vorderhirn (Telencephalon und Diencephalon)
- grobe Gestaltung und feingewebliche Differenzierung des Gehirns ⟶

Mittelhirn, Hinterhirn, Rückenmark
- Kleinhirn ⟶

Neuralleiste (Ganglienleiste)
- Ganglien ⟶ Nervenfasern ⟶

Schluß des Neuralrohres

Skeletanlage (*Skelet*)

- Arm- und Beinknospe

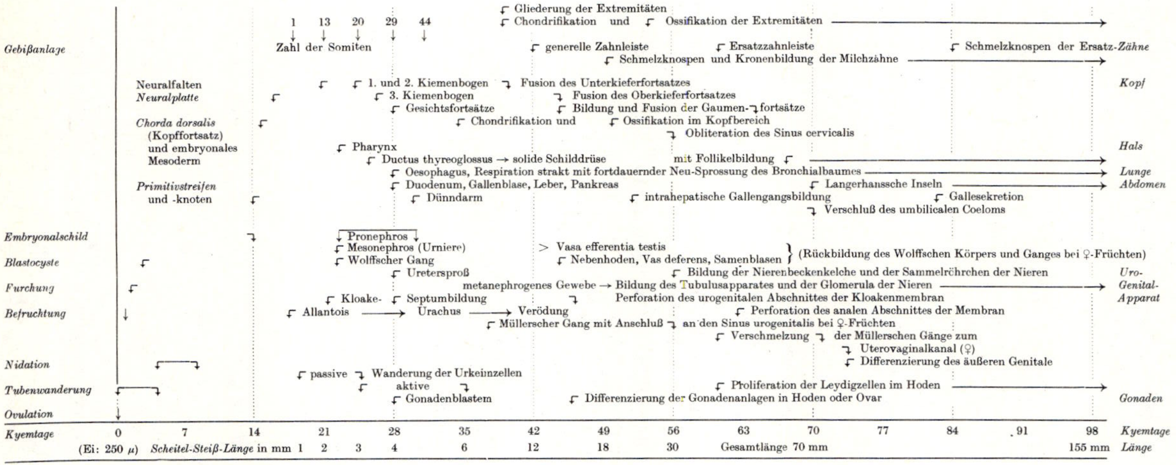
Gliederung der Extremitäten
Chondrifikation und Ossifikation der Extremitäten
1 13 20 29 44
Zahl der Somiten
Gebißanlage
generelle Zahnleiste
Ersatzzahnleiste
Schmelzknospen der Ersatz-Zähne
Schmelzknospen und Kronenbildung der Milchzähne
Neuralfalten
Neuralplatte
1. und 2. Kiemenbogen
Fusion des Unterkieferfortsatzes
Kopf
3. Kiemenbogen
Fusion des Oberkieferfortsatzes
Gesichtsfortsätze
Bildung und Fusion der Gaumenfortsätze
Chorda dorsalis (Kopffortsatz) und embryonales Mesoderm
Chondrifikation und
Ossifikation im Kopfbereich
Obliteration des Sinus cervicalis
Pharynx
Hals
Ductus thyreoglossus → solide Schilddrüse
mit Follikelbildung
Oesophagus, Respiration strakt mit fortdauernder Neu-Sprossung des Bronchialbaumes
Lunge
Primitivstreifen und -knoten
Duodenum, Gallenblase, Leber, Pankreas
Langerhanssche Inseln
Abdomen
Dünndarm
intrahepatische Gallengangsbildung
Gallesekretion
Verschluß des umbilicalen Coeloms
Embryonalschild
Pronephros
Mesonephros (Urniere)
Vasa efferentia testis
Blastocyste
Wolffscher Gang
Nebenhoden, Vas deferens, Samenblasen
(Rückbildung des Wolffschen Körpers und Ganges bei ♀-Früchten)
Uretersproß
Bildung der Nierenbeckenkelche und der Sammelröhrchen der Nieren
Uro-Genital-Apparat
Furchung
metanephrogenes Gewebe → Bildung des Tubulusapparates und der Glomerula der Nieren
Kloake-
Septumbildung
Perforation des urogenitalen Abschnittes der Kloakenmembran
Befruchtung
Allantois
Urachus
Verödung
Perforation des analen Abschnittes der Membran
Müllerscher Gang mit Anschluß an den Sinus urogenitalis bei ♀-Früchten
Verschmelzung der Müllerschen Gänge zum
Uterovaginalkanal (♀)
Differenzierung des äußeren Genitale
Nidation
passive
Wanderung der Urkeimzellen
aktive
Tubenwanderung
Proliferation der Leydigzellen im Hoden
Gonadenblastem
Differenzierung der Gonadenanlagen in Hoden oder Ovar
Gonaden
Ovulation
Kyemtage
0 7 14 21 28 35 42 49 56 63 70 77 84 91 98
Kyemtage
(Ei: 250 μ)
Scheitel-Steiß-Länge in mm 1 2 3 4 6 12 18 30
Gesamtlänge 70 mm
155 mm
Länge

entwickelten Gewebe findet kaum mehr statt (Langman 1976), man kann eher davon sprechen, daß sie in dieser Periode funktionell ausreifen.

Die Intensität des Wachstums von Körperlänge und -gewicht in der Fetalperiode ergibt sich aus Tab. 9. Diese Zunahmen gelten sowohl für das männliche als auch für das weibliche Geschlecht, obwohl sich bei diesen das Wachstum gegen Ende der Fetalzeit verlangsamt, was zur Folge hat, daß bei der Geburt männliche Neonaten (Neugeborene) im Durchschnitt etwas länger und schwerer sind als weibliche (s. S. 86). Auf *Rassenunterschiede* im fetalen Wachstum weist v. Eickstedt (1944) hin. Allerdings ist ungeklärt, ob es sich hierbei um echte genetische Unterschiede handelt oder ob diese exogen bedingt sind, z.B. durch ungünstige Ernährungsbedingungen der Mutter während der Schwangerschaft (s. S. 122). Roberts (1976) nimmt an, daß zumindest das fetale Gewichtswachstum klimaassoziiert ist.

Nach ihm sind die Neugeborenen in nichttropischen Biotopen deutlich schwerer als die in tropischen (Tab. 10), was durch langsamere Wachstumsraten des Gewichts gegen Ende der Fetalzeit in wärmeren Klimagebieten bedingt sei. Da jedoch tropische Biotope in der Regel Gebiete mit chronischen Ernährungsdefiziten sind, ist es wahrscheinlicher, daß hinter diesen vermeintlichen Klimabeziehungen in Wirklichkeit Mangel- und Fehlernährungen der Mutter während der Schwangerschaft stehen (Walter 1976).

Erheblich sind die *Proportionsverschiebungen* während der Fetalzeit (Abb. 28), welche in beiden Geschlechtern sowie in allen Rassen gleich ablaufen. Bei diesen Verschiebungen fällt insbesondere auf, daß die Kopfgröße im Verhältnis zur Rumpfgröße abnimmt, während die Extremitätenlängen (Arme und Beine) relativ zunehmen. In Kopf- und Gesichtsbau treten während der Fetalzeit bereits deutlich erkennbare rassische Unterschiede hervor, etwa zwischen europiden und negriden Feten (v. Eickstedt 1944, Schultz 1922, Walter 1968).

Tabelle 9. Die Intensität des pränatalen Wachstumstempos (nach Lenz 1954)

	Körperlänge in cm	Zunahme in %	Körpergewicht in g	Zunahme in %
Konzeption	0,012	–	0,0000015	–
1. Quartal	12	100000	26	1735000000
2. Quartal	36	200	930	347
3. Quartal	50	39	3300	255

Tabelle 10 Geburtsgewicht und Klima (nach Roberts 1976)

	Zahl der Stichproben	mittleres Geburtsgewicht in g
Europa	84	3341
Afrika	59	2951
Ost- und Südostasien	43	3048
Indien	46	2815
Südwestasien	9	3223
Melanesien, Neuguinea, Australien	12	2808

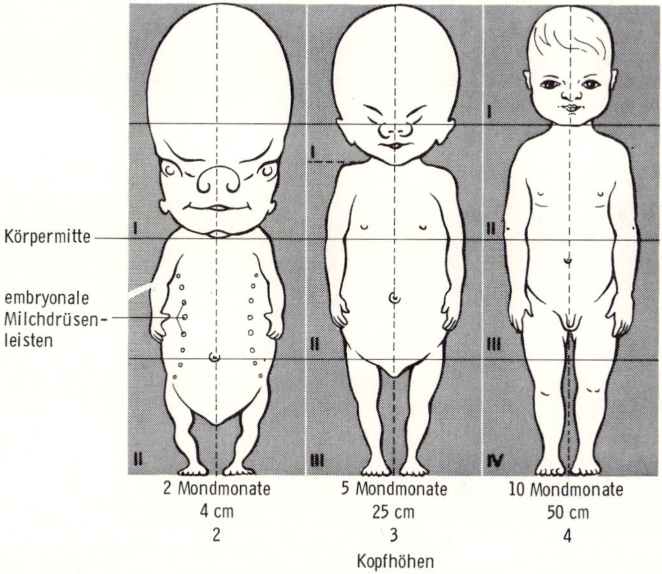

Abb. 28 Proportionsverschiebungen der Körperform (nach Stratz)

Das *Gehirnwachstum* erfolgt stetig bis zum Ende der 20. Entwicklungswoche. Dann setzt ein ausgeprägter Wachstumsschub ein, welcher bis zum 3.–4. Lebensjahr nach der Geburt anhält. In dieser Entwicklungsperiode ist das Gehirn gegenüber exogenen Störfaktoren, wie sie z. B. in einem Proteindefizit der mütterlichen bzw. der frühkindlichen Ernährung liegen können, außerordentlich empfindlich (s. S. 124). Mit dem Größen- und Gewichtswachstum des Gehirns hängt die Entwicklung des *Kopfumfanges* eng zusammen (Brandt 1976).

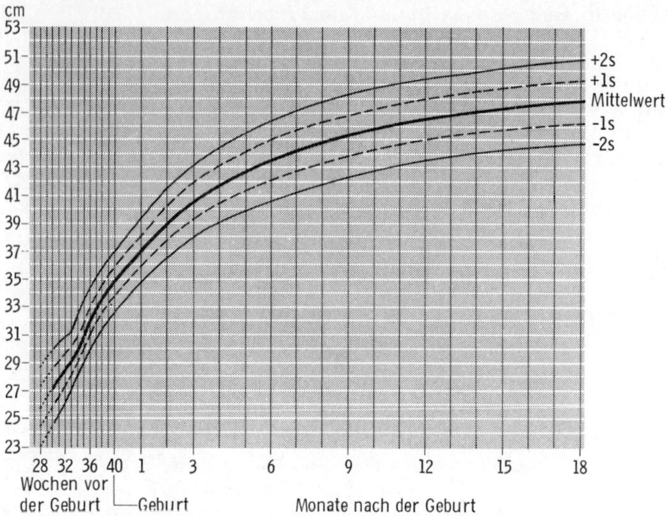

Abb. 29 Entwicklung des Kopfumfanges bei Knaben und Mädchen vor und nach der Geburt (nach Brandt)

Abb. 29 gibt die Mittelwerte sowie den Abweichungsbereich ±2 s für eine deutsche Stichprobe an. Werte, die unterhalb der –2-s-Linie liegen, lassen auf Entwicklungsverzögerungen schließen, welche mit Störungen in der quantitativen Gehirnentwicklung verbunden sein können. Eingehende fachärztliche Untersuchungen sind in solchen Fällen erforderlich, um Schäden in der Hirnfunktion frühzeitig erkennen und behandeln zu können.

Von den physiologischen Eigenschaften seien hier nur *Herz-* und *Muskeltätigkeit* genannt, weil deren Einsetzungszeitpunkt in der Fetalperiode wichtige Aufschlüsse über den Stand der kindlichen Entwicklung ermöglicht. *Kindsbewegungen,* die durch unwillkürliche Muskelbetätigung (meistens der Beinmuskeln) zustandekommen, treten normalerweise zwischen der 19. und 20. Entwicklungswoche zum ersten Mal auf. Die kindliche *Herztätigkeit* läßt sich mit Ultraschallgeräten von der 12. Entwicklungswoche an zuverlässig feststellen (BERG 1976). Ein Überschreiten dieser Termine bzw. ein völliges Ausbleiben dieser Tätigkeiten kann durch bedrohliche Verzögerungen oder gar Beendigung in der fetalen Entwicklung bedingt sein und erfordert unbedingt eingehende ärztliche Untersuchungen.

Von entscheidender Bedeutung für den erfolgreichen Abschluß der pränatalen Entwicklung, aber auch für die Überlebenschancen nach der Geburt, ist die Ausbildung des *Immunsystems*. Bis zur 9. Entwicklungswoche ist das *Nabelbläschen* das Hauptorgan der *Hämatopoese* (Blutbildung). Von der 12. Woche bis kurz vor der Geburt übernimmt die *Leber* diese Rolle, die dabei von der 12.–20. Entwicklungswoche von der Milz unterstützt wird, vorübergehend auch vom Thymus (vor dem Herzbeutel gelegene innersekretorische Drüse). Nach der 20. Entwicklungswoche gewinnt das *Knochenmark* eine immer größere Bedeutung für die Blutbildung (JONES 1976).

Die in diesen Organen gebildeten Blutzellen, insbesondere die *Lymphozyten* (besondere Form der weißen Blutkörperchen), haben die Fähigkeit, in den Körper eingedrungene Fremdeiweiße, bei denen es sich vielfach um Krankheitserreger handelt, zu erkennen und zu vernichten. Unterstützt werden sie dabei von den *Immunglobulinen* (hochmolekulare Eiweiße mit Antikörpereigenschaften), die von der 12. Entwicklungswoche an produziert werden, und zwar in der Milz (später auch in den Lymphknoten). Die endgültige Erreichung der *Immunkompetenz,* also der körpereigenen Abwehrfähigkeit krankheitserregender Fremdeiweiße bakterieller oder viröser Art, erfolgt jedoch erst im Laufe des 1. Lebensjahres. Das hat zur Folge, daß bis dahin ein erhöhtes Risiko für infektiöse Erkrankungen vorhanden ist, welches jedoch teilweise durch mütterliche Immunglobuline ausgeglichen werden kann, die über die Plazenta und nach der Geburt durch die Muttermilch in den kindlichen Organismus gelangen.

Der Aufbau des kindlichen Immunsystems kann einmal durch genetisch bedingte Synthesestörungen beeinträchtigt werden *(Antikörpermangel-Syndrom)* (CLEVE u. LEHMANN 1976), zum anderen aber auch durch exogene Faktoren. Hier sind massive pränatale Infektionen viröser oder bakterieller Art von Bedeutung, wie z. B. die Röteln, welche zur lebensbedrohenden Überbeanspruchung der kindlichen Immunkompetenz führen können. Ein anderer exogener Faktor, der vor allem in den Entwicklungsländern eine große Rolle spielen dürfte, ist die bei mütterlicher Unterernährung (Eiweißmangel) ungenügende Versorgung des Fetus mit Aminosäuren, die er zur Proteinsynthese und damit auch zum Aufbau seines Immunsystems benötigt.

Während der Fetalzeit ist der *Blutkreislauf* völlig anders geschaltet als nach der Geburt. Die Lungen sind noch nicht aktiv, da der Gasaustausch in der Plazenta stattfindet. Vom fetalen Herzen aus gelangt das sauerstoffarme Blut über die beiden Nabelarterien in die Plazenta, von wo es sauerstoffbeladen über die Nabelschnurvene zurückfließt. Durch zwei »Kurzschlüsse« wird das Blut an den fetalen Lungen vorbeigeleitet: 1. die Klappe der ovalen Herzgrube der Vorhofscheidewand ermöglicht den Blutfluß vom rechten zum linken Herzvorhof, 2. von der Lungenarterie führt ein direkter Weg zur Aorta (große Körperschlagader). Mit der Durchtrennung der Nabelschnur nach der Geburt ist dieses Kreislaufsystem nicht mehr möglich. Die nun einsetzende *eigene* Atmung des Kindes durch die Lungen bewirkt die »Einschaltung« des *Lungenkreislaufes,* welcher dem großen *Körperkreislauf* vorgeschaltet ist. Der Gasaustausch findet nunmehr in den Lungen statt. Von hier wird das sauerstoffbeladene Blut über das Herz in den Körper geleitet *(arterielles Blut)*. Nach Sauerstoffabgabe und Kohlendioxidaufnahme in den Geweben wird es über das Herz den Lungen zu erneutem Gasaustausch zugeführt *(venöses Blut)*. Falls dieser Lungenkreislauf nicht sofort bei der Geburt in Aktion tritt (bei Erhaltenbleiben der fetalen »Kurzschlüsse« oder bei Lungenfehlbildungen), droht infolge mangelhafter Sauerstoffversorgung der Körpergewebe, insbesondere des Gehirns, akute Lebensgefahr.

Wie in der postnatalen (nachgeburtlichen) Zeit, so erfolgt auch vor der Geburt der Sauerstoff- bzw. Kohlendioxidtransport durch das in den Erythrozyten (rote Blutkörperchen) vorhandene *Hämoglobin* (roter Blutfarbstoff). Allerdings unterscheidet sich das fetale Hämoglobin – Hb F – von dem erwachsenen Hämoglobin – Hb A (A von adult = erwachsen) – in seiner biochemischen Struktur, da sein Eiweißanteil, die Globinkomponente, anders aufgebaut ist. Bei der Geburt liegt das Hämoglobin zu 60–80% als Hb F und zu 20–40% als Hb A vor. In der Regel wird die Hb F-Synthese nach der Geburt allmählich eingestellt und das Hb A wird zur Hauptkomponente des Hämoglobins. Im Alter von 5 Jahren beträgt der Hb A-Anteil am Hämoglobin 96–98% und bleibt in dieser Höhe über das gesamte weitere Leben konstant (Marti 1963).

Etwa 280 Tage nach der Befruchtung der Eizelle ist die morphologische und physiologische Entwicklung eines Kindes abgeschlossen, die *Geburtsreife* erlangt. Normal entwickelte Kinder weisen bei der Geburt die folgenden *Körpermaßwerte* auf (nach Friedberg u. Hiersche 1975), wobei in der Regel die männlichen Neugeborenen etwas höhere Werte erkennen lassen als weibliche; man bezeichnet diese sich postnatal immer stärker ausprägenden Geschlechtsunterschiede als *Sexualdimorphismus*.

Körperlänge:	*48–54 cm (Durchschnitt 50 cm)*
Körpergewicht	*2800–4100 g (Durchschnitt 3400 g)*
Kopfumfang:	*33–37 cm (Durchschnitt 35 cm)*
Brustumfang:	*30–35 cm (Durchschnitt 33 cm)*
Schulterbreite:	*12 cm*

Schulterumfang:	*35 cm*
Hüftbreite:	*12 cm*
Hüftumfang:	*27 cm*

Außerdem sind eine Reihe von bestimmten *physiologischen* Merkmalen bei der Geburt vorhanden, wie z.B. konstante, umweltunabhängige Körpertemperatur zwischen 35,5–36,5° C, Schreckreaktion auf akustische Reize oder ein ausgeprägter Schlaf-Wach-Rhythmus. Die gesamte Schlafzeit eines reifen Neugeborenen beträgt 17–20 Stunden täglich, wobei ein Schlafzyklus zwischen 45–120 Minuten dauert.

Die Feststellung der körperlichen Reifemerkmale erfolgt routinemäßig bei jeder Geburt. Abweichungen von diesen *Reifezeichen,* die vor allem bei den Körpermaßen leicht zu diagnostizieren sind, weisen auf Unter- bzw. Überentwicklung hin. Da solche Kinder in erhöhtem Maße lebensgefährdet sind, ist bei ihnen eine besondere ärztliche Überwachung notwendig (Berg 1976, Friedberg u. Hiersche 1975).

Nach vorliegenden Untersuchungen sind 5–15% aller Geburten sog. *Frühgeburten,* worunter man Kinder versteht, welche morphologisch und physiologisch unreif zur Welt kommen. Definitionsgemäß werden alle Kinder als Frühgeburt bezeichnet, die entweder zwischen der 29. bis 38. Schwangerschaftswoche oder mit einem Gewicht von weniger als 2500 g geboren werden (Berg 1976). Die Ursachen hierfür können in mütterlichen Erkrankungen während der Schwangerschaft liegen, wobei etwa Schilddrüsen-Funktionsstörungen, Röteln, Grippe oder Gelbsucht eine Rolle spielen. Aber auch Funktionsstörungen der Plazenta, Mangel- und Fehlernährungen, schwere körperliche Arbeit, Unfälle, starke seelische Belastungen sowohl Alkohol- und Nikotinmißbrauch während der Schwangerschaft können Frühgeburten bewirken. Endlich erhöhen auch Mißbildungen des Kindes, Blutgruppenunverträglichkeiten oder übermäßige Fruchtwassermengen (mehr als 2 l, *Hydramnion*) das Risiko einer Frühgeburt.

Die *Mortalität* (Sterblichkeit) von Frühgeborenen ist außerordentlich hoch. Sie liegt bei einem Geburtsgewicht von weniger als 1000 g zwischen 90 und 100%, bei einem Geburtsgewicht von 1000–1500 g bei 72%, bei einem Geburtsgewicht von 1500–2000 g bei 41% und bei einem Geburtsgewicht von 2000 bis 2500 g immerhin noch bei 10% (nach Berg 1976). Von entscheidender Bedeutung für die Überlebenschancen eines frühgeborenen Kindes ist die konsequente Anwendung der Kenntnisse über die körperliche Wärmeregulation, der Atmung, des Kreislaufs, des Stoffwechsels und der Infektionsprophylaxe (Huch u. Mitarb. 1976). Dies ist allerdings wohl nur in den speziellen Frühgeborenenstationen großer Kliniken möglich. Wie umfangreiche Untersuchungen in England, Schweden, der Schweiz und auch in der Bundesrepublik Deutschland erkennen ließen, besteht durch den vollen Einsatz der heute verfügbaren medizinischen Kenntnisse und Techniken die Möglichkeit, »auch kleine Frühgeborene (unter 1500 g Geburtsgewicht) so großzuziehen, daß sie ein lebenswertes Leben ohne oder mit nur geringgradigen Restschäden erwartet« (HUCH u. Mitarb. 1976, vgl. hierzu auch BERG 1976, FRIEDBERG u. HIERSCHE 1975 sowie GOLDSTEIN u. PECKHAM 1976).

Geht man davon aus, daß bei etwa 20% aller Schwangerschaften ein erhöhtes Risiko für Mutter und bzw. oder Kind vorliegt (FRIEDBERG u. HIERSCHE 1975), kann man nicht genug die Notwendigkeit von *Schwangerenvorsorgeuntersuchungen* betonen. Nach Meinung der Fachärzte sollten die »Normalfälle«, also Frauen, bei denen keine Anhaltspunkte für eine von Anfang an riskante Schwangerschaft vorliegen (Tab. 11), bis zur 32. Schwangerschaftswoche in vierwöchigen Abständen untersucht werden, danach in Abständen von 14 Tagen. Diese Untersuchungen umfassen die folgenden ärztlichen Maßnahmen:

1. Erhebung der Anamnese (individuelle und familiäre Krankheitsvorgeschichte unter besonderer Berücksichtigung der eigenen bisherigen Schwangerschaftsverläufe bzw. der biologisch verwandter weiblicher Familienmitglieder),
2. Allgemeine Untersuchung der Schwangeren,
3. Feststellung des Schwangerschaftsbefundes,
4. Bestimmung des Geburtstermines,
5. Spezielle Schwangerschaftsuntersuchung (zur rechtzeitigen Erkennung von Gestosen, das sind im Verlauf einer Schwangerschaft auftretende oder sich unter dem Einfluß verschlimmernde Krankheiten) und
6. Schwangerschaftsberatung.

Ziel dieser Untersuchungen ist es, daß der behandelnde Arzt rechtzeitig erkennen kann, ob ein normaler Schwangerschafts- und Geburtsverlauf zu erwarten ist oder ob mit Komplikationen gerechnet werden muß, die einer besonderen ärztlichen Überwachung unter gegebenenfalls frühzeitiger Einschaltung von Spezialisten bedürfen. Wünschenswert wäre, wenn die konsultierten Ärzte auch humangenetisch geschult wären, um erblich bedingte Störungen in den pränatalen Entwicklungsverläufen zu erkennen und die betreffenden Frauen einer genetischen Beratung (s. S. 107) zuzuführen.

In jedem Fall empfiehlt es sich, den Ablauf der Fetogenese sorgsam kontrollieren zu lassen, damit bei Anzeichen irgendwelcher Störungen die entsprechenden ärztlichen Maßnahmen rechtzeitig eingeleitet

Tabelle 11. Risikoschwangerschaften und -geburten (nach Friedberg und Hiersche 1975)

Risikoschwangerschaften	
Spätgestose	Gefährdung des Kindes häufig durch Funktionsstörungen der Plazenta
Diabetes mellitus	
Übertragung des Kindes	
Alte Erstgebärende (über 35 Jahre)	
Mehrgebärende über 40 Jahre	
Vorausgegangene Totgeburt	
Mehrlinge	
Abnorme Lage des Kindes	
Hydramnion	
Mißbildung des Uterus	
Vorausgegangener Kaiserschnitt oder andere komplizierte Geburten	
Vorausgegangene Blutungen in der Schwangerschaft	
Vorausgegangene mehrfache Aborte oder Frühgeburten	
Vorausgegangene Blutgruppenunverträglichkeit	
Organerkrankungen der Mutter	
Frühere Riesenkinder	
Risikogeburten	
Geburt nach vorausgegangener Risikoschwangerschaft (s.o.)	
Enges Becken	
Frühgeburt	
Übertragung des Kindes	
Blutungen bei der Geburt	
Fieber bei der Geburt	
Verlängerte Geburt (über 16 Stunden)	

werden können. Unter Umständen wird eine künstliche Einleitung der Geburt oder eine operative Entfernung des Kindes aus dem Uterus (Kaiserschnitt), erforderlich sein, z.B. bei mütterlichen Beckenfehlern oder Lageanomalien des Kindes. Näheres hierzu findet sich bei Berg (1976) und Friedberg u. Hiersche (1975).

Von einer *Fehlgeburt* (Abort) spricht man, wenn eine Fruchtausstoßung in den ersten 28 Schwangerschaftswochen erfolgt, also zu einer Zeit, in der die Körperlänge noch weniger als 35 cm beträgt und das Körpergewicht unter 1000 g liegt. *Fehlgeburten sind nicht lebensfähig*. Die Ursachen für einen Abort können sehr verschiedenartig sein. Sie sind einmal in genetisch bedingten Entwicklungsstörungen von Embryo oder Fetus zu sehen (s. S. 96), in Plazenta- oder Nabelschnurdefekten, in Blutgruppenunverträglichkeiten von Mutter und Kind (s. S. 104), zum anderen in Erkrankungen der Mutter (z.B. Syphilis, Röteln, Stoffwechselkrankheiten) oder in Miß- und Fehlbildungen des Uterus. Auch hormonale Störungen im mütterlichen Organismus sowie Vergiftungen mit Blei, Quecksilber, Phosphor und Benzol können Aborte verursachen. Darüber hinaus kann eine abortive Wirkung von extremem Alkohol- und Nikotinmißbrauch angenommen werden. Noch unklar ist, ob auch schwere körperliche oder seelische Belastungen während der Schwangerschaft als primäre Abortfaktoren in Frage kommen.

Die genaue Häufigkeit von Aborten ist nicht bekannt, da ein großer Teil von ihnen in frühesten Schwangerschaftsphasen unbemerkt erfolgt. Nach einer Schätzung von FRIEDBERG u. HIERSCHE (1975) ist in der Bundesrepublik Deutschland bei 800000–1 Million Geburten pro Jahr mit mindestens 200000 Aborten zu rechnen. Von diesen sollen ca. 30% künstlich herbeigeführt sein, also durch instrumentelle, chemische oder andere Maßnahmen.

4.5. Die Geburt

Wie bereits mehrfach erwähnt, findet die Geburt etwa 280 Tage, d.h. 40 Kalenderwochen, 9 Kalendermonate oder 10 Mondmonate nach der Befruchtung der Eizelle statt. Schwankungen des Geburtstermines von ± 14 Tagen sind durchaus möglich. Wird die Frist von 280 ± 14 Tagen wesentlich unterschritten, spricht man von *Frühgeburten* (s. S. 87), wird sie wesentlich überschritten von *Übertragung*. Da in beiden Fällen Lebensgefahr für das Kind besteht, sind spezifische ärztliche Maßnahmen zu seiner Rettung erforderlich.

Aus dem Geburtstermin läßt sich umgekehrt die mutmaßliche Empfängniszeit zurückrechnen, deren Bestimmung z.B. in Vaterschaftsprozessen von Bedeutung sein kann. Als *gesetzliche Empfängniszeit* (GEZ) gilt die Zeit vom 181. bis 302. Tag vor der Geburt eines Kindes mit Einschluß sowohl des 181. als auch des 302. Tages. Männer, die in der GEZ mit einer Frau Geschlechtsverkehr hatten, kommen daher als mutmaßliche Väter eines in diesem Zeitraum gezeugten Kindes in Betracht. Ein Vaterschaftsausschluß ist neben Zeugungsunfähigkeits-, Blutgruppen- und anthropologischem Gutachten unter Umständen auch durch ein *Tragezeitgutachten* möglich, und zwar dann, wenn aus den Reifemerkmalen (Körperlänge, Körpergewicht, Kopfumfang) eines Kindes bei seiner Geburt geschlossen werden kann, daß der Zeitpunkt des Geschlechtsverkehrs nicht mit dem Beginn der anhand der Reifemerkmale errechneten Tragezeit übereinstimmt (HOSEMANN 1965). Der Beweiswert derartiger Gutachten ist im allgemeinen jedoch gering.

Rein theoretisch kann man annehmen, daß sich die Geburten in ihrer Häufigkeit gleichmäßig über das ganze Jahr verteilen. Das ist aber offensichtlich nicht der Fall, denn in vielen Ländern hat man deutliche

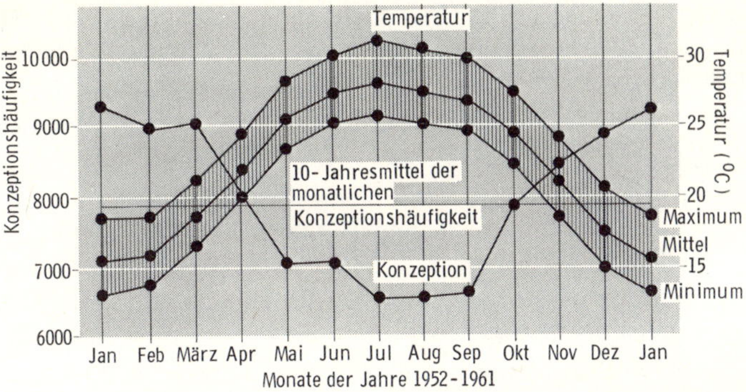

Abb. 30 Zusammenhang zwischen dem Verlauf der mittleren Monatstemperatur und der Konzeptionshäufigkeit in Hongkong (nach Parkes)

jahreszeitliche Geburtenmaxima beobachten können. So konnte in langjährigen Untersuchungen in Bayern festgestellt werden, daß in den Monaten Februar und März die meisten Geburten stattfanden, ein weiterer deutlicher Geburtengipfel war im September zu beobachten. Die Ursachen für diese jahreszeitlichen Schwankungen liegen zweifellos in jahreszeitlichen Unterschieden der Geschlechtsverkehrshäufigkeit und mithin der Konzeptionsraten. Inwieweit hier jahreszeitliche Unterschiede in der »physiologischen Geschlechtsaktivität« eine Rolle spielen, ist ungeklärt. Daß man hiermit rechnen kann, lassen Beobachtungen aus Hongkong vermuten, wonach ein deutlicher Zusammenhang zwischen dem Verlauf der mittleren Jahrestemperatur und den monatlichen Konzeptionsraten besteht (Abb. 30). Wahrscheinlicher ist es jedoch, daß die jahreszeitlichen Geburten- bzw. Konzeptionsmaxima vorwiegend durch soziologische und kulturanthropologische Faktoren bedingt sind, so z.B. durch jahreszeitliche Unterschiede in den Eheschließungsziffern (Geburt des ersten Kindes einer Ehe früher sehr oft neun Monate nach der Heirat), größere Feste mit gesteigertem Alkoholkonsum wie Neujahr, Karneval (in den katholischen Gebieten), auch Weihnachten. Die Bedeutung von derartigen Festen für die sexuelle Aktivität ergibt sich daraus, daß jeweils neun Monate später sowohl die Zahl ehelicher als auch unehelicher Geburten zunimmt. In der Bevölkerung sind diese Geburtensteigerungen zu bestimmten Jahreszeiten schon lange bekannt und mit charakteristischen Bezeichnungen versehen worden: die »Schützenfestkinder« in Norddeutschland oder die »Starkbierfestkinder« in Bayern, besonders in München. Es bleibt zu untersuchen, ob sich im Zeitalter der vereinfachten Empfängnisverhütung durch die »Pille« diese jahreszeitlichen Schwankungen in den Geburtenhäufigkeiten erhalten haben.

4.5.1. Geburtsverlauf

Der Geburtsverlauf, welcher bei Erstgebärenden insgesamt 15–24 Stunden dauert, bei Mehrgebärenden 10–12 Stunden, wird in drei Stadien eingeteilt:

1. Die Eröffnungsperiode (10–12 Stunden bei Erstgebärenden, 6–8 Stunden bei Mehrgebärenden)
2. die Austreibungsperiode (30–40 Minuten bzw. 20–30 Minuten, jeweils Durchschnittswerte) und
3. die Nachgeburtsperiode (ca. 30 Minuten).

Entscheidend für einen komplikationslosen Geburtsverlauf sind neben dem körperlichen Zustand der Schwangeren die anatomischen Verhältnisse der mütterlichen Geburtswege, insbesondere des *Bekkens,* sowie die *Wehentätigkeit*. Hierunter versteht man die schmerzhaften Zusammenziehungen der Uterusmuskulatur, durch die das Kind ausgetrieben wird. Die Ursachen für den Geburtsbeginn sind im Zusammenwirken verschiedener Regulationsmechanismen hormoneller, chemischer und mechanischer Art (Spannungen und Dehnungen der Uteruswand) zu sehen, was im einzelnen allerdings noch nicht völlig geklärt werden konnte (Friedberg u. Hiersche 1975).

Die *Eröffnungsperiode* beginnt mit dem Einsetzen regelmäßiger Wehen in Abständen von 15–20 Minuten, durch Dehnung des äußeren Muttermundes (am Ausgang des Uterus) sowie durch Blasensprung, d.h. dem Aufplatzen der Fruchtblase und dem anschließenden Entleeren des Fruchtwassers.

In der *Austreibungsperiode* findet die eigentliche Geburt statt (Abb. 31). Unter Pressen der Mutter tritt zunächst der Kopf des Kindes an der Scheide heraus, schließlich der übrige Körper.

Unmittelbar danach werden die Augen des Kindes zum Schutze vor Verunreinigungen oder Infektionen ausgespült und der Mund- und Rachenraum abgesaugt, um möglicherweise verschlucktes Fruchtwasser zu entfernen. Beeinträchtigungen der nun einsetzenden kindlichen Lungenatmung werden dadurch vermieden. Nach diesen Maßnahmen wird das Kind *abgenabelt,* d.h. die Nabelschnur durchtrennt. Eine sorgfältige Untersuchung des Neugeborenen schließt sich an, damit krankhafte Veränderungen von Kopf, Rumpf oder Gliedern, funktionelle Störungen oder biochemische Stoffwechseldefekte (s. S. 97)

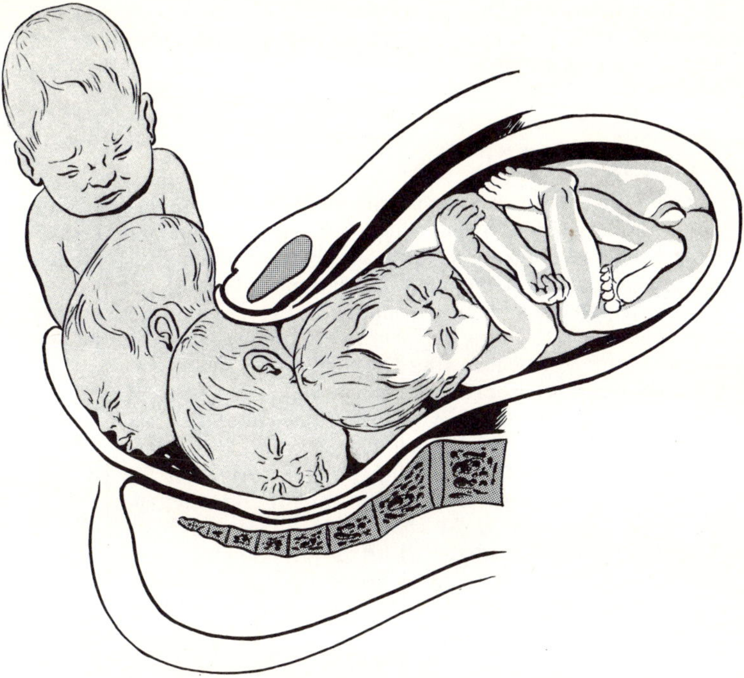

Abb. 31 Schematische Darstellung des Geburtsablaufes (aus FRIEDBERG, V. u. H.-D. HIERSCHE: Geburtshilfe. Thieme, Stuttgart 1975)

schnell erkannt und gegebenenfalls die entsprechenden therapeutischen Maßnahmen rechtzeitig eingeleitet werden können.

In der dritten Periode, der *Nachgeburtsperiode,* löst sich die Plazenta von der Uterusschleimhaut und wird unter Kontraktionen der Uterusmuskulatur ausgestoßen. Dieser Prozeß ist in der Regel ca. 30 Minuten nach der Geburt abgeschlossen. Bei Verzögerungen in der Plazentaablösung und -ausstoßung sind ärztliche Maßnahmen erforderlich, da durch Blutverluste und steigendes Infektionsrisiko das Leben der Mutter gefährdet wird. Von großer Bedeutung ist, daß keine Plazentareste im Uterus verbleiben, da das ebenfalls zu bedrohlichen Komplikationen für die Mutter führen kann. Der die Geburt leitende Arzt ist verpflichtet, sich vom völligen Ausstoßen der Plazenta zu überzeugen und andernfalls Rückstände durch entsprechende Eingriffe zu entfernen.

Bezüglich weiterer Einzelheiten über den Geburtsablauf und mögliche krankhafte Störungen desselben sowie über die für Mutter und Neugeborenes zu treffenden Vorkehrungen sei auf BERG (1976) und FRIEDBERG u. HIERSCHE (1976) verwiesen.

4.5.2. Laktation

Im physiologischen Zusammenhang mit Konzeption, Austragen und Geburt eines Kindes ist schließlich auch die *Laktation* zu sehen, worunter man die Fähigkeit der reifen weiblichen Brustdrüsen versteht, *Milch* abzusondern. Unter dem Einfluß eines besonderen Hormons *(Prolaktin)*, welches im Vorderlappen der Hypophyse gebildet wird und dessen Ausschüttung gegen Ende der Schwangerschaft beginnt, kommt es zur Vermehrung des Drüsengewebes der weiblichen Brust sowie zur Ausreifung der sog. Milchgänge. Die Zellen der Brustdrüsen bilden zunächst eine *Vormilch* (Kolostrum), die stark eiweißhaltig ist. Etwa 3–4 Tage nach der Geburt wird die reife *Muttermilch* gebildet, welche sich von der Vormilch durch einen geringeren Eiweißgehalt (1,5–2,0 g/100 ml gegenüber 3–9 g/100 ml) und einen höheren Anteil an Kohlehydraten (Milchzucker 6,5–7,0 g/100 ml gegenüber 4 g/100 ml) unterscheidet. Ernährungsphysiologisch stellt die Muttermilch eine optimale Nahrung für das Neugeborene dar, zumal sie neben allen vom Kind benötigten Aufbaustoffen auch bestimmte Immunglobuline enthält, die das noch nicht ausgereifte kindliche Immunsystem (s. S. 85) wirkungsvoll bei der Abwehr infektiöser Erkrankungen unterstützen.

Die *Stillzeit*, also die direkte Ernährung des Kindes durch die Mutter, kann mehr als 2 Jahre betragen. Allerdings hat die Stillbereitschaft in den wirtschaftlich entwickelten Ländern in den vergangenen Jahrzehnten erheblich nachgelassen. Nach FRIEDBERG u. HIERSCHE (1975) stillen in der Bundesrepublik Deutschland trotz vorhandener Fähigkeit nur noch 20–25% der Frauen drei Monate lang voll oder zumindest teilweise. Die Ernährung der Säuglinge erfolgt in immer stärkerem Maße mit Hilfe künstlicher Nahrungspräparate. In zahlreichen Ländern Asiens, Afrikas, Mittel- und Südamerikas wird dagegen noch häufig über längere Zeit gestillt.

So optimal die Muttermilch an sich auch ist, können dem Säugling doch insofern Gefahren drohen, wenn Medikamente bzw. deren Abbauprodukte, Alkohol oder Koffein durch sie in den kindlichen Organismus gelangen. Besondere Vorsicht bei medikamentösen Behandlungen während der Stillzeit und Zurückhaltung in Alkohol- und Kaffeekonsum ist daher geboten. Auf die Gefährdung der Muttermilch durch die zunehmende Belastung der Umwelt mit Insektiziden, Pesti-

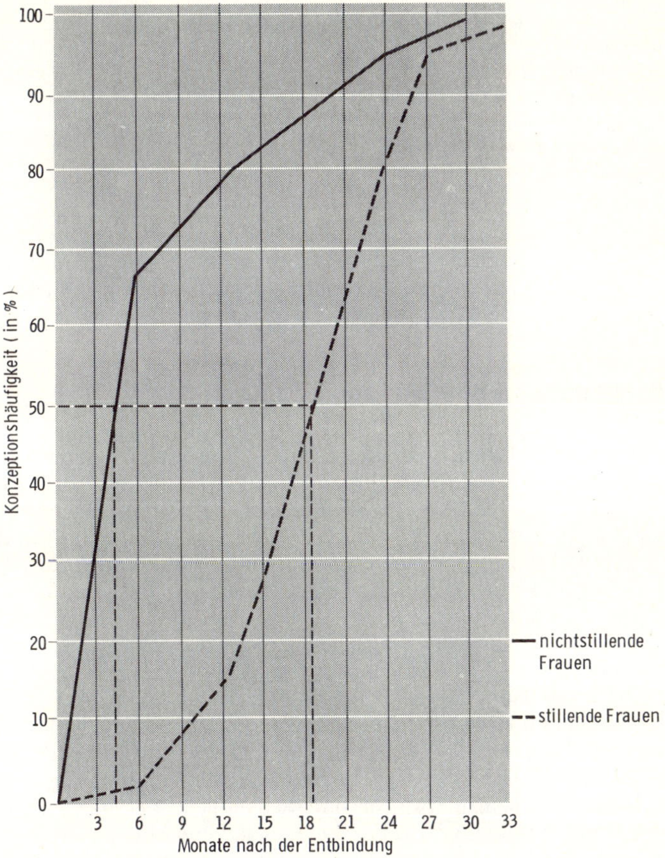

Abb. 32 Zusammenhang zwischen Stilldauer und Konzeptionshäufigkeit bei Frauen aus Ruanda (nach Parkes)

ziden und anderen Schadstoffen (CURLEY u. KIMBROUGH 1973) wurde bereits hingewiesen (s. S. 18).

Falls eine Frau nicht stillt, setzt der Menstruationszyklus in der Regel 6–8 Wochen nach der Geburt wieder ein. Bei Stillenden beginnt der Zyklus zu etwa 50% erst am Ende der Laktationszeit wieder, bei den übrigen 50% allerdings schon früher. Die Laktationszeit schützt auf keinen Fall gegen eine erneute Schwangerschaft, wenn auch das Empfängnisrisiko bei Stillenden geringer ist. Nach Untersuchungen im zentralafrikanischen Ruanda (Abb. 32) haben 50% der nicht stillenden Mütter innerhalb von 4 Monaten erneut empfangen, von den stillenden dagegen nur 1–2% (Bonte u. Van Balen 1969). Somit kann man die Laktationsperiode durchaus als eine Zeit herabgesetzter Empfängniswahrscheinlichkeit ansehen, wodurch eine aus verschiedenen Gründen ungünstige, zu rasche Aufeinanderfolge von Geburten weitgehend verhindert wird. Das ist vor allem in ökonomisch wenig entwickelten Gesellschaften von großem Vorteil sowohl für die Mütter als auch für die Kinder. Wegen der verminderten Empfängniswahrscheinlichkeit in der Laktationsperiode kommt deren Dauer auch eine gewisse Bedeutung für die Geburtenregulierung zu.

4.6. Pränatale Entwicklungsstörungen

Die Entwicklung eines lebensfähigen, körperlich wie geistig gesunden Kindes von der Befruchtung der Eizelle an bis hin zur Geburt setzt voraus, daß keine Faktoren vorhanden sind, die diesen Prozeß zum vorzeitigen Abbruch (Abort) bringen oder aber körperliche und geistige Defekte verursachen, welche die Lebensfähigkeit – auch in der weiteren postnatalen Entwicklungszeit – mehr oder weniger stark beeinträchtigen. Solche Abweichungen vom normalen Entwicklungsverlauf können einmal durch *genetische* Faktoren bedingt sein, zum anderen auch durch *nichtgenetische*. Die Kenntnis der zahlreichen Faktoren, die in verschiedenen Stadien der Entwicklung diese zum Abbruch oder zur Entgleisung bringen können, ist nicht nur von wissenschaftstheoretischem Interesse. Vielmehr ergeben sich aus ihr auch Möglichkeiten, gefährdeten Kindern rechtzeitig und wirksam zu helfen bzw. die Geburt solcher Kinder zu vermeiden, bei denen hochgradige Entwicklungsstörungen zu erwarten sind. Schließlich ist es auch möglich, den Einfluß der die normale Entwicklung beeinträchtigenden Faktoren auszuschalten oder doch zumindest zu verringern.

4.6.1. Genetisch bedingte Entwicklungsstörungen

4.6.1.1. Genmutationen

Jeder Mensch– von eineiigen Zwillingen abgesehen – beginnt seine Entwicklung mit einem individuellen genetischen Informationsprogramm, welches die pränatale (und auch postnatale) körperliche Entwicklung weitgehend steuert und kontrolliert. Auch für die Entwicklung psychischer Eigenschaften spielen ererbte genetische Informationen eine Rolle, wenn auch in geringerem Maße und in noch wenig bekannter Weise.

Die Träger der genetischen Informationen, die *Gene* (Erbanlagen) können sich *spontan,* d.h. ohne bisher geklärte Ursachen, oder *induziert,* d.h. unter Einwirkung von chemischen oder physikalischen Agentien, verändern *(Mutationen)*. Dadurch werden anstelle der ursprünglich angelegten phänotypischen Eigenschaften andere ausgebildet, die häufig krankhafter Art sind. Sofern in einem Genom derartige mutativ veränderte Gene vorhanden sind, kommt es zu mehr oder weniger ausgeprägten Störungen im Entwicklungsablauf bzw. in der Ausbildung und Funktion einzelner Organe. Im einzelnen muß hier auf das von BECKER (1964–1976) herausgegebene umfangreiche »Handbuch der Humangenetik« sowie auf LENZ (1976) verwiesen werden.

Es ist möglich, daß mutierte Gene vererbt werden, ohne daß der Träger eines solchen selbst auffällig ist. Das ist dann der Fall, wenn sich die Mutation erst im Verlauf des Lebens ereignet hat. Interessanterweise finden sich hier enge Beziehungen zum *Lebensalter des Mannes,* und zwar derart, daß mit steigendem Alter die Mutationshäufigkeit zunimmt. So ist bei der *Achondroplasie* (Zwergwuchs mit Verkürzung der Extremitäten), einem einfach dominanten Erbleiden, das Lebensalter der selbst nicht betroffenen Väter außergewöhnlich hoch. Man schätzt, daß zwischen dem 20.–40. Lebensjahr die Mutationsrate für dieses Leiden um das 10fache zunimmt. Ähnliche Beobachtungen liegen auch für andere Mutationen vor (MURDOCH u. Mitarb. 1972). Das Lebensalter der Mutter spielt in diesem Zusammenhang keine Rolle.

Liegt ein mutativ verändertes Gen in rezessiver Form vor, kann ein die Entwicklung beeinträchtigendes Erbleiden nur dann manifest werden, wenn ein Kind homozygot (reinerbig) ist, also sowohl vom Vater als auch von der Mutter ein entsprechendes Gen geerbt hat. Das ist der Fall bei vielen *erblichen Stoffwechselkrankheiten* (LENZ 1976, LINNEWEH 1962. SCHREIER 1963) wie z.B. Phenylketonurie (auch Brenztraubensäureschwachsinn oder Föllingsche Krankheit genannt.

Bei dieser Krankheit fehlt das Enzym Phenylalaninoxydase, wodurch das in der Nahrung vorhandene Phenylalanin nicht abgebaut werden kann und im Blut sowie in den Körpergeweben angehäuft wird. Die Folge dieser Abbaustörung ist eine irreparable Schädigung von Zentralnervensystem und Gehirn, verbunden mit Krämpfen und Schwachsinn. Durch phenylalaninarme Ernährung nach der Geburt kann diese Krankheit weitgehend vermieden oder doch zumindest gemildert werden, wie ausführliche Untersuchungen von BICKEL u. KAISER-GRUBEL (1971) gezeigt haben. Voraussetzung hierfür ist jedoch, daß diese erbliche Stoffwechselstörung unmittelbar bei der Geburt erkannt und eine entsprechende Diät eingehalten wird. Aus diesem Grunde werden heute routinemäßig alle Neugeborenen untersucht, indem ein mit Eisensalz, Magnesiumsalz und einem Puffer imprägniertes Testpapier kurz in den Säuglingsurin getaucht oder in die Windeln gepreßt wird. Ein Farbumschlag läßt auf das Vorliegen dieses Stoffwechseldefektes schließen.

Bei Verdacht auf das Vorhandensein einer erblichen Stoffwechselstörung bei einem noch ungeborenen Kind empfiehlt sich oft die Durchführung einer *Amnionzentese* (Gewinnung von Fruchtwasser durch Punktion der Fruchtblase); zur Methodik sei auf BERG (1976) verwiesen. Da im Fruchtwasser abgeschilferte fetale Zellen vorhanden sind, besteht die Möglichkeit, durch Züchtungen und spezielle Untersuchungen dieser Zellen sichere Anhaltspunkte darüber zu gewinnen, ob der Fetus die vermutete erbliche Stoffwechselstörung besitzt oder nicht. Derzeit können von den ca. 100 bekannten genetischen Enzymdefekten etwa 30 schon pränatal festgestellt werden, was für ihre rechtzeitige Therapie von großer Bedeutung ist.

4.6.1.2. Chromosomenaberrationen

Neben den durch abnorme Gene verursachten Störungen in der Entwicklung können auch numerische und strukturelle Veränderungen der Chromosomen als Ursachen hierfür in Frage kommen. Die Gesamthäufigkeit der chromosomal bedingten Entwicklungsstörungen wird auf 1–2% aller Neugeborenen geschätzt. Auch Chromosomenaberrationen können vielfach schon pränatal mit Hilfe der Amnionzentese erkannt werden. Unter Umständen kann ein zytogenetischer Befund an Fruchtwasserzellen, der auf erhebliche Mißbildungen eines Kindes hinweist, einen Schwangerschaftsabbruch angezeigt sein lassen.

Die *numerischen Chromosomenaberrationen,* bei denen die Chromosomenzahl von der diploiden Norm 2 n = 46 abweicht, umfassen sowohl *Vermehrungen* (Trisomie) als auch *Verminderungen* (Monosomie) in der Zahl einzelner Chromosomen. Davon betroffene Kinder können, je nachdem, welches Chromosom überzählig ist oder fehlt, durchaus lebensfähig sein, wenn auch mit gewissen körperlichen und geistigen Behinderungen. Dagegen führen *Vermehrungen des gesamten Chromosomensatzes* über die normale Diploidie hinaus (Triploidie = 69 Chromosomen, Tetraploidie = 92 Chromosomen) immer zum Tod in frühen Entwicklungsphasen (PELZ u. MIELER 1972). Ihre Gesamthäufigkeit bei chromosomal bedingten Aborten wird auf ca. 24% geschätzt.

Numerische Chromosomenaberrationen gehen auf Verteilungsstörungen (non-disjunction) der Chromosomen während der Meiose (s.

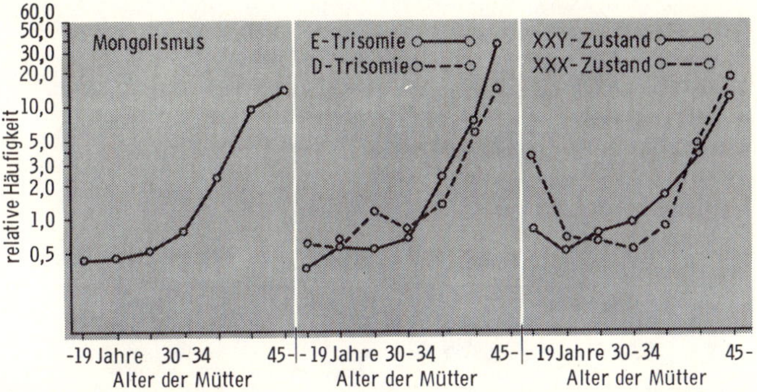

Abb. 33 Relative Häufigkeit verschiedener Trisomien bei Müttern unterschiedlicher Altersklassen (aus LENZ, W.: Medizinische Genetik. 3. Aufl., Thieme, Stuttgart 1976)

S. 32f. zurück. Sie zeigen vielfach enge Beziehungen zum *Lebensalter der Mutter* bei der Zeugung eines Kindes (Abb. 33), während das väterliche Alter ohne Bedeutung ist. Die Ursache dieser positiven Korrelation zwischen mütterlichem Lebensalter und der Häufigkeit von numerischen Chromosomenaberrationen dürfte darin liegen, daß im weiblichen Geschlecht die Keimzellen bereits um den Zeitpunkt der Geburt in die meiotische Teilung eintreten. Hierbei findet eine Paarung der homologen Chromosomen statt. Dieses Stadium dauert an, bis die Keimzellen nach 20, 30 oder 40 Jahren »abgerufen« werden. Erst dann vollenden sie ihre Meiose. Während dieser mehr oder weniger langen Ruhepause können die Chromosomenpaare durch äußere Einflüsse verändert werden, so daß ein Non-disjunction umso häufiger zu erwarten ist, je älter eine Frau bei Eintritt einer Schwangerschaft ist (DEGENHARDT 1973). Abweichungen von der normalen Chromosomenzahl können sowohl die *Geschlechtschromosomen* (Abb. 34) als auch die *Autosomen* betreffen.

Triplo-X-Syndrom (44 + XXX): Die Häufigkeit beträgt ca. 1 auf 1000 weibliche Geburten. Auffallende körperliche Besonderheiten sind nicht zu beobachten. Dagegen sind leichte Formen von Schwachsinn nicht selten. Frauen mit drei X-Chromosomen können Kinder empfangen und gebären, die nach allen Beobachtungen selbst zytogenetisch unauffällig sind. Nach LENZ (1976) kommt es bei diesen Frauen in der Meiose offenbar zu einer Selbstkorrektur einer Chromosomenanomalie.

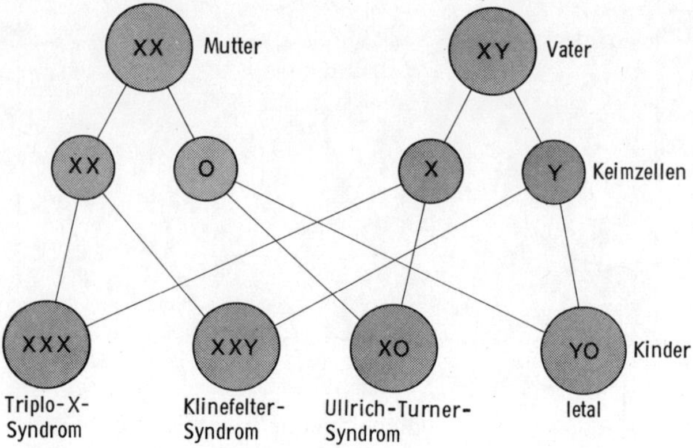

Abb. 34 Schematische Darstellung der Entstehung numerischer Chromosomenaberrationen durch Non-disjunctions in der Eizelle

Klinefelter-Syndrom (44 + XXY): Dieses 1942 von dem amerikanischen Arzt KLINEFELTER erstmalig beschriebene Syndrom ist zytogenetisch durch das Vorhandensein von zwei X-Chromosomen und einem Y-Chromosom gekennzeichnet. Genetisch sind diese Patienten also männlich. Die Häufigkeit dieser Anomalie wird auf 1–2 auf 1000 männliche Geburten geschätzt. Ihre wichtigsten Merkmale, die allerdings erst in und nach der Pubertät deutlich in Erscheinung treten, sind: Eunuchoider Hochwuchs (Hochwuchs infolge später Verknöcherung der Epiphysenfugen, s. S. 143, verbunden mit unvollkommener Ausbildung der äußeren Geschlechtsorgane) spärliche oder fehlende Bart- und Körperbehaarung, Gynäkomastie (Schwellung der männlichen Brust durch Zunahme des Drüsengewebes), Unterentwicklung der Hoden sowie der Leydigschen Zellen, so daß keine Spermien gebildet werden können und somit Unfruchtbarkeit besteht; die Intelligenzentwicklung ist vielfach gestört (DEGENHARDT 1973, LENZ 1976, MURKEN 1973, PELZ u. MIELER 1972).

Ullrich-Turner-Syndrom (44 + X): Die Häufigkeit dieser Chromosomenanomalie, welche durch das Vorhandensein von nur einem X1-Chromosom gekennzeichnet ist, wird von DEGENHARDT (1973) mit 1 auf etwa 9500 weiblichen Geburten angegeben. Die wichtigsten Merkmale dieses Syndroms sind: infantiler (auf kindlicher Entwicklungsstufe stehenbleibender) Minderwuchs, morphologische Fehlbildungen im Kopf-, Gesichts- und Halsbereich, weit auseinanderstehende, unterentwickelte Brustdrüsen, Unterentwicklung der inneren

(Eierstöcke, Uterus) und äußeren Genitalien, verbunden mit mangelnder Östrogenproduktion und häufiger Amenorrhö (Fehlen der Menstruation). Die Intelligenz ist im Durchschnitt leicht herabgesetzt; psychische Auffälligkeiten verschiedener Art wurden wiederholt berichtet (Degenhardt 1973, Lenz 1976, Pelz u. Mieler 1972).

XYY-Syndrom (44 + XYY): Diese Chromosomenaberration kommt durch Meiosestörungen in der Spermienreifung zustande, wodurch Spermien mit zwei Y-Chromosomen entstehen. Ihre Häufigkeit wird mit 1 auf 800 bis 1 auf 1000 männlichen Geburten angegeben. Die zunächst geäußerte Vermutung, daß die Anwesenheit von zwei Y-Chromosomen mit unterdurchschnittlicher Intelligenz und gesteigerter Aggressivität verbunden sei, was zu erhöhter Kriminalität solcher Männer führe, kann nach umfangreichen Reihenuntersuchungen an unausgelesenen Serien nicht mehr aufrechterhalten werden (Murken 1973, Noel u. Mitarb. 1974). Dagegen konnten alle Untersuchungen bestätigen, daß die Körperhöhe von XYY-Männern über dem Durchschnitt der nur ein Y-Chromosom besitzenden Männer liegt. Eine Beziehung zwischen dem Lebensalter eines Mannes bei der Zeugung bzw. bei der Bildung von YY-Spermien besteht nicht. Es liegen vereinzelte Beobachtungen darüber vor, daß XYY-Männer Söhne mit ebenfalls zwei Y-Chromosomen gezeugt haben.

Zusammenfassend kann man feststellen, daß numerische Variationen der Geschlechtschromosomen zwar teilweise zu deutlichen Störungen in der körperlichen Entwicklung führen können (XXY und XO), welche jedoch nicht die Lebensfähigkeit und Lebenserwartung der betroffenen Menschen herabsetzen. Auch als Ursache für Aborte spielen diese Aberrationen keine wesentliche Rolle, mit Ausnahme jedoch der XO-Monosomie, deren Anteil an zytogenetischen Aborten etwa 4% beträgt.

Demgegenüber sind die Auswirkungen von numerischen Aberrationen bei Autosomen schwerwiegender. Die meisten von ihnen führen bereits im embryonalen oder frühfetalen Stadium zum Entwicklungsabbruch. Das gilt insbesondere für Trisomie der relativ großen Chromosomen der Gruppen A–C. Man vermutet, daß diese Chromosomen so viel genetisches Material enthalten, daß eine Überdosierung derselben letal (tödlich) wirkt. Nach Pelz u. Mieler (1972) beträgt der Anteil aller autosomalen Trisomien an zytogenetisch untersuchten Aborten ca. 8%. Auch die nicht durch einen Abort endenden Trisomien sind mit schweren Störungen der körperlichen und geistigen Entwicklung verbunden, die ganz überwiegend schon in den ersten Lebensjahren zum Tod führen. Die bekanntesten autosomalen Trisomien sind:

Pätau-Syndrom (Trisomie des Chromosoms 13): Die Häufigkeit beträgt 1 auf 7600–9000 Geburten; die Überlebensdauer dieser Kinder überschreitet selten 2 Jahre. Charakteristische Merkmale sind u. a. erhebliche Mißbildungen im Hand- und Fußbereich, Lippen-, Kiefer-, Gaumenspalten, Augendefekte, Hirnmißbildungen verbunden mit Taubheit, Krämpfen und Schwachsinn sowie allgemein verzögerter psychischer Entwicklung.

Edwards-Syndrom (Trisomie des Chromosoms 18): Die Häufigkeit beträgt 1 auf 3500–7600 Geburten; die Überlebensdauer überschreitet selten 1 Jahr. An wesentlichen Merkmalen finden sich: Mißbildungen im Bereich von Kopf, Gesicht, Fingern und Zehen, Herzfehler,

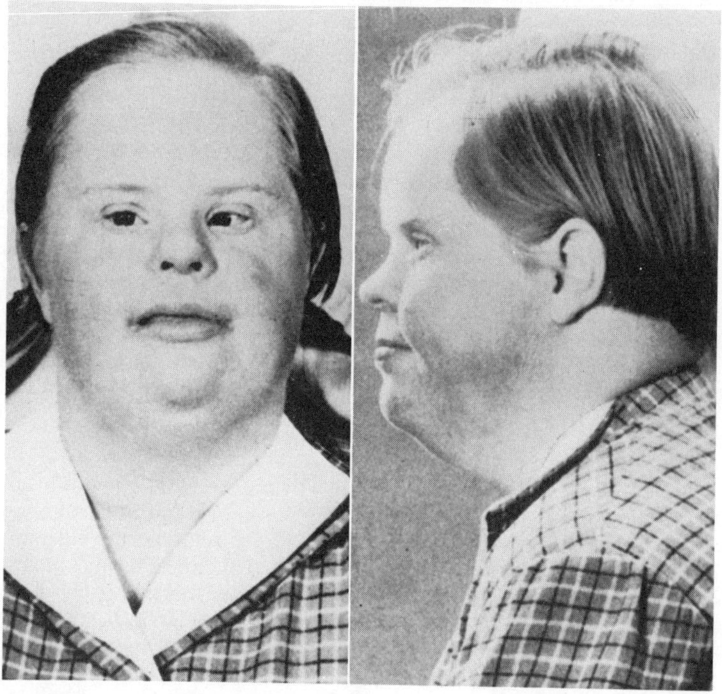

Abb. 35 Langdon-Down-Syndrom (Mongolismus) (aus SCHADE, H.: Erbliche (endogene) Mißbildungen in Entwicklung, Wachstum, Mißbildungen und Altern bei Mensch und Tier, hrsg. von K. A. Rosenbauer. Wissenschaftliche Verlagsanstalt, Stuttgart 1969)

Fehlbildungen im Kleinhirn, verbunden mit erheblichen Verzögerungen in der psychomotorischen Entwicklung.

Down-Syndrom (Trisomie des Chromosoms 21): Die Häufigkeit dieser Trisomie, wegen der Kopf- und Gesichtsbildung sowie der charakteristischen Augenfalte der Betroffenen auch *Mongolismus* genannt (Abb. 35), beträgt 1 auf 600 Geburten.

Die Überlebensdauer überschreitet kaum 25 Jahre; sie hängt in hohem Maße von den Lebensbedingungen dieser Patienten ab (Wunderlich 1970). Da Träger dieser Anomalie in das geschlechtsreife Alter gelangen können, ist eine Vererbung der Trisomie 21 möglich. In den letzten Jahren sind derartige Fälle bekannt geworden (Fuchs-Mecke u. Passarge 1972).

Die wichtigsten Merkmale des Down-Syndroms sind: Kurzer, runder Kopf, flaches Gesicht mit flacher Nasenwurzel, Epicanthus (sichelförmiger Verlauf der Hautfalte am inneren Rand des oberen Augenlides), Strabismus (Schielen), große, dicke Zunge, trockene Haut, überstreckbare Gelenke, Stummelfinger, Schlaffheit der Muskulatur, Schwachsinn. Bei intensiver psychologischer und heilpädagogischer Betreuung ist nach Wunderlich (1970) zumindest bei einem Teil dieser Patienten eine gewisse Selbständigkeit in einfachen Lebenstätigkeiten zu erreichen.

Neben diesen und anderen Aberrationen in der Zahl autosomaler Chromosomen können auch *Mosaikbildungen* (Körperzellen mit verschiedenen Chromosomenzahlen) und *Translokationen* (Verschmelzung zweier Chromosomen, z.B. der Chromosomen 15 und 21) zu mehr oder weniger ausgeprägten Entwicklungsstörungen führen (s. hierzu Degenhardt 1973, Lenz 1976 und Pelz u. Mieler 1972).

Von den *strukturellen Chromosomenanomalien* sei abschließend noch das *Cri-du-chat-Syndrom* (Katzenschreisyndrom) genannt, das durch eine *Deletion* (Stückverlust) des kurzen Armes des Chromosomes 5 bedingt ist und in einer Häufigkeit von 1 auf 50000 bis 100000 Geburten vorkommt. Bei dieser chromosomalen Strukturanomalie finden sich ausgeprägte Mißbildungen im Kopf- und Gesichtsbereich, Herzfehler, Schwachsinn sowie Verzögerungen in der psychomotorischen Entwicklung. Der Name für dieses Syndrom geht auf das katzenartige Schreien der betroffenen Kinder zurück.

Weitere Beispiele für die entwicklungsbeeinträchtigende Bedeutung von Chromosomendeletionen sind der oben angeführten Literatur zu entnehmen.

4.6.1.3. Serologische Unverträglichkeiten

Auch wenn keine krankhaften Gene oder abnorme Chromosomenverhältnisse vorliegen, kann die Entwicklung eines Kindes aus genetischen Gründen gefährdet sein, nämlich dann, wenn eine sog. *Blutgruppenunverträglichkeit* (Inkompatibilität) zwischen Mutter und Kind vorhanden ist. Die wichtigsten Formen solcher den *Morbus hämolyticus neonatorum* (krankhafte Zerstörung der roten Blutkörperchen bei Neugeborenen) hervorrufenden Unverträglichkeiten sind die des AB0- und des Rhesussystems.

Eine *AB0-Unverträglichkeit* zwischen Mutter und Kind kann sich z. B. dann entwickeln, wenn die Mutter der Blutgruppe 0 zugehört, der Vater dagegen der Blutgruppe A oder B. Kinder aus solchen Verbindungen können vom Vater die Eigenschaften A bzw. B erben (sie besitzen dann den Genotyp A0 bzw. B0) und haben damit ein Antigen, welches die 0-Mutter nicht hat. Da die Blutgruppenantigene schon in sehr früher Entwicklungszeit ausgebildet werden, besteht die Möglichkeit, daß 0-Mütter gegen A-Kinder bzw. B-Kinder immunisiert werden und diese durch Zerstörung ihrer Erythrozyten (rote Blutkörperchen), auf denen die Antigene lokalisiert sind, so geschädigt werden, daß es zu einem Abbruch der Entwicklung (Abort) kommt. So ist es zu erklären, daß in den Elternkombinationen Mutter 0 x Vater A bzw. Muter 0 x Vater B Kinder mit den Blutgruppen A bzw. B deutlich weniger häufig sind als es der theoretischen Erwartung entspricht (Tab. 12). Weiterhin konnte in vielen Bevölkerungen beobachtet werden, daß in diesen Elternkombinationen die Aborthäufigkeit signifikant höher ist als in den blutgruppenverträglichen, und daß unter den Aborten A- bzw. B-Kinder gegenüber 0-Kindern überwiegen (Vogel u. Helmbold 1972).

Tabelle 12 Häufigkeiten der Kinder aus verträglichen und unverträglichen Elternkombinationen im Vergleich zu den Erwartungswerten (nach Matsunaga 1972)

Mutter Vater	Zahl der Kombinationen	Anzahl der Kinder beobachtet	erwartet	beobachtet	erwartet
O×A-Kombinationen		*O*		*A*	
A × O	301	282	284,5	430	427,5
O × A	313	320	275,3	369	413,7
$\chi^2_{(1)} = 6,679$ $P<0,01$					
O×B-Kombinationen		*O*		*B*	
B × O	158	142	154,2	214	201,8
O × B	165	190	170,6	204	223,4
$\chi^2_{(1)} = 5,267$ $P<0,05$					

Sofern es nicht zum Abort von Kindern aus AB0-unverträglichen Elternkombinationen kommt, kann durch den plazentaren Übergang mütterlicher Antikörper aber auch eine Hämolyse (Zerstörung) der fetalen Erythrozyten stattfinden, welche in der Regel allerdings schwach verläuft und nicht zu Komplikationen führt. Wahrscheinlich spielen dabei unterschiedliche Durchlässigkeit der Plazenta, unterschiedliche Bindungsfähigkeit der kindlichen Antigene für die in den fetalen Organismus eingedrungenen mütterlichen Antikörper oder auch mütterliche Unterschiede in der Antikörpermenge eine Rolle.

Wesentlich schwerwiegender sind die Auswirkungen von Mutter-Kind-Unverträglichkeiten im *Rhesussystem*. Diese Situation kann sich dann ergeben, wenn eine Frau rhesusnegativ (rh-negativ) ist, ein Mann dagegen rhesuspositiv (Rh-positiv). Bei Homozygotie (Rh Rh) des Mannes haben alle aus einer Verbindung mit einer rhesusnegativen (rh rh) Frau entstehenden Kinder den heterozygoten Genotyp Rh rh und damit das Rhesusantigen. Ist der Mann heterozygot, werden theoretisch 50% der Kinder dieses Antigen erben. Die Häufigkeit rhesuspositiver Menschen in Europa beträgt ca. 85%, so daß an sich mit einer großen Zahl von Kindern aus rhesusunverträglichen (Rh-unverträglichen) Elternkombinationen zu rechnen ist. In Wirklichkeit werden aber nur 0,5–1,0% aller Neugeborenen aus solchen Verbindungen von einer Rhesusunverträglichkeit betroffen. Die Ursachen hierfür liegen nach Friedberg u. Hiersche (1975) in den folgenden sechs Faktoren:

1. Da in der ersten Schwangerschaft in der Regel keine Rhesusunverträglichkeitsreaktion bei den Kindern auftritt, es sei denn, die rhesusnegative Mutter hat bei einer Bluttransfusion rhesuspositives Blut erhalten, ist für diese Kinder nur ein geringes Risiko gegeben. 2. Da ein großer Teil der rhesuspositiven Männer heterozygot ist, können diese nur auf etwa die Hälfte ihrer Kindes das Rhesusgen vererben. 3. Nicht bei jeder Geburt gelangt kindliches Blut in den mütterlichen Organismus, so daß nicht in allen möglichen Fällen eine Sensibilisierung (s. u.) der Mutter stattfindet. 4. Eine AB0-Unverträglichkeit zwischen Mutter und Kind schützt die Mutter bis zu einem gewissen Grad vor einer Rhesussensibilisierung, weil bei ersterer die in den mütterlichen Organismus eingedrungenen kindlichen Erythrozyten rasch durch die mütterlichen Anti-A- bzw. Anti-B-Antikörper zerstört werden (vgl. hierzu auch Vogel und Helmbold 1972). 6. Die Fähigkeit rhesusnegativer Frauen, gegen Rhesusantigene entsprechende Antikörper zu bilden, ist verschieden stark ausgeprägt und in vielen Fällen aus bisher noch unbekannten Gründen zu gering, um wirksam werden zu können.

Der Ablauf der mütterlichen Sensibilisierung gegen kindliche Rhesusantigene und die sich hieraus ergebenden Konsequenzen für die betroffenen Kinder lassen sich folgendermaßen beschreiben: Bei der Geburt – seltener bereits im Verlauf der Schwangerschaft – können kindliche Erythrozyten mit dem Rhesusantigen über die Plazenta in den mütterlichen Organismus gelangen, wodurch dieser sensibilisiert wird, d.h. Antikörper gegen dieses für ihn fremde Antigen bildet. Für eine derartige Sensibilisierung der Mutter reichen schon geringe kindliche Blutmengen (weniger als 1 ml) aus. Da die Sensibilisierung in der Regel erst nach dem Geburtsakt stattfindet, wird das erste Kind meistens nicht von deren Folgen betroffen. Hiervon ausgenommen sind die Fälle, in denen eine rhesusnegative Frau Blutübertragungen mit rhesuspositivem Blut erhalten hat, was heute allerdings nicht mehr vorkommen dürfte. Bei einer zweiten und weiteren Schwangerschaft können die mütterlichen Antikörper über die Plazenta in den kindlichen Organismus gelangen, wo es dann zu einer Hämolyse der fetalen Erythrozyten kommen kann, vorausgesetzt, der Fetus ist wieder rhesuspositiv. Als Folge der Hämolyse entwickelt sich eine *Anämie* (Verminderung des Erythrozyten- und Hämoglobingehaltes im Blut), welche zusammen mit den Abbauprodukten der zerstörten Erythrozyten, die von der funktionell noch unreifen Leber nur ungenügend verarbeitet werden können, zum Tod der betroffenen Kinder oder doch zu schweren Schäden im Hirnstamm und Zentralnervensystem führen. Diese Schäden bewirken erhebliche Störungen in der Entwicklung von Motorik, Intelligenz und weiteren psychophysischen Funktionen.

Bei rechtzeitiger Erkennung einer derartigen Risikoschwangerschaft lassen sich diese ungünstigen Folgen für ein Kind vermeiden. Das wird durch die Schwangerenvorsorgeuntersuchungen erreicht, bei denen u.a. auch die Rhesusgruppe der Schwangeren bestimmt wird. Ist diese rhesusnegativ, wird auch der Ehemann serologisch untersucht. Wenn sich dieser als rhesuspositiv erweist und somit vermutet werden kann, daß auch der Fetus rhesuspositiv ist, wird eine Schwangere unter ständiger serologischer Kontrolle gehalten, d.h. eine regelmäßige Bestimmung ihres Antikörperspiegels vorgenommen. Das bietet die Möglichkeit, gegebenenfalls rechtzeitig entsprechende Maßnahmen zur Rettung des gefährdeten Kindes einzuleiten, z.B. eine *Austauschtransfusion*. Diese erfolgt unmittelbar nach der – oft vorzeitig eingeleiteten – Geburt und hat das Ziel, aus dem kindlichen Organismus das Blut mit den geschädigten Erythrozyten, deren Abbauprodukte sowie den von der Mutter stammenden Antikörpern zu entfernen und durch gesundes zu ersetzen. Bezüglich methodischer Einzelheiten des Transfusionsvorganges sei auf Spielmann (1972) verwiesen.

Neuerdings ist es möglich, die mütterliche Sensibilisierung durch besondere prophylaktische (vorbeugende) Maßnahmen fast völlig zu verhindern. Dabei erhalten rhesusnegative Frauen nach der Geburt des ersten Kindes ein sog. *Anti-D-Gammaglobulin* injiziert, welches die Fähigkeit besitzt, möglicherweise in den mütterlichen Organismus eingedrungene rhesuspositive Erythrozyten des Kindes vorzeitig zu vernichten, so daß eine Antikörperbildung gegen diese unterbleibt und keine Sensibilisierung der Mutter erfolgen kann. Der genaue immunbiologische Mechanismus dieser Sensibilisierungsunterdrückung ist noch unbekannt. Jedenfalls bewirkt diese Prophylaxe, daß heute kaum noch Schädigungen durch Rhesusunverträglichkeit beobachtet werden.

Wegen weiterer Einzelheiten bezüglich der Früherkennung und Behandlung von rhesusgefährdeten Kindern sei auf Berg (1976) sowie Friedberg u. Hiersche (1975) verwiesen.

4.6.1.4. Genetische Beratung

Wenn ein Kind als lebensunfähige Fehlgeburt vorzeitig zur Welt kommt oder nach einer normalen Tragezeit mißgebildet oder mit einer Krankheit bzw. Behinderung geboren wird, besteht bei den Eltern vielfach der Wunsch, zu erfahren, ob bei weiteren Kindern mit ähnlichen Entwicklungsabbrüchen bzw. krankhaften Veränderungen zu rechnen ist. Der in der Regel danach befragte Arzt sollte wissen, daß Aborte bzw. bei der Geburt zutagetretende Miß- und Fehlbildungen eines Kindes durch genetische Faktoren bedingt sein können. Sofern er selbst den Ratsuchenden keine entsprechende Auskunft geben kann, sollte er sie an eine *human genetische Beratungsstelle* verweisen, die es heute bereits in vielen Städten gibt (s. die Liste am Ende dieses Abschnittes). Diese von erfahrenen Humangenetikern geleiteten Institutionen, die über die notwendigen Laboratorien für Chromosomenuntersuchungen usw. verfügen und eng mit Fachkliniken zusammenarbeiten, können einmal die Frage klären, ob bei einer krankhaften Entwicklungsstörung eines Kindes genetische Faktoren eine Rolle spielen. Darüber hinaus ist in den meisten Fällen eine klare Aussage darüber möglich, ob mit einer Wiederholung eines solchen Ereignisses zu rechnen ist und wenn ja, mit welcher Wahrscheinlichkeit. Auch bei Vorkommen von Erbkrankheiten in den Familien zukünftiger Ehepartner kann fundierte Auskunft darüber erteilt werden, ob und mit welcher Wahrscheinlichkeit die in Frage kommenden Erbkrankheiten bei den eigenen Kindern zu erwarten sind.

Eine genetische Beratung setzt sorgfältige Befragungen und Untersuchungen sowohl der Ratsuchenden selbst als auch ihrer biologischen Verwandten voraus. Nur so kann der Humangenetiker den genetischen Sachverhalt exakt erfassen und entsprechende Empfehlungen geben, etwa derart, wegen eines hohen genetischen Risikos auf eigene Kinder zu verzichten. Die Entscheidung hierüber liegt letztlich jedoch völlig bei den Ratsuchenden selbst. In vielen Fällen ist es andererseits auch möglich, Bedenken bezüglich vermuteter genetischer Risiken auszuräumen, so daß genetische Beratung also nicht nur zu abratenden, sondern auch zu befürwortenden Aussagen darüber kommen kann, ob ein Ehepaar auf Nachkommen verzichten sollte oder nicht.

Von außerordentlich großer Bedeutung für die genetische Beratung haben sich die in den letzten Jahren entwickelten Methoden der *pränatalen Diagnostik* erwiesen, so z.B. die Amnionzentese, das Ultraschallverfahren oder die Bestimmung des α_1-Fetoproteins. Sie ermöglichen bei gegebenem Verdacht zu klären, ob ein Fetus genetische Defekte aufweist, welche einen Schwangerschaftsabbruch nahelegen bzw. das rechtzeitige Einsetzen wirkungsvoller therapeutischer Maßnahmen zu ihrer Kompensation erfordern, z.B. bei der Phenylketonurie (s. S.97).
Die *Amnionzentese* (s. S.98) bietet die Möglichkeit, fetale Zellen zur Diagnose von Chromosomenaberrationen zu gewinnen. Mit dem *Ultraschallverfahren* können frühzeitige Mißbildungen an Kopf, Rumpf und Extremitäten der Feten erkannt werden. Im mütterlichen Blutserum oder im Fruchtwasser nachweisbare erhöhte Mengen des vom Fetus gebildeten α_1-Fetoproteins lassen Schlüsse auf Störungen in der Entwicklung des Neuralrohres zu (geschlossenes, röhrenförmiges Gebilde aus ektodermalen Zellen, aus derem oberen Abschnitt sich später das Gehirn bildet, aus dem unteren das Rückenmark). Unterbleibt der Neuralrohrverschluß im Hirnbereich, kommt es zur Ausbildung eines *Anenzephalus* (Fehlen des Gehirns), liegt die Verschlußstörung im Rückenmarkbereich, entsteht eine *Spina bifida* (Spaltbildung der Wirbelsäule mit offenliegendem Nervengewebe des Rückenmarks).

Ausführliche Darstellungen der Grundlagen, Methoden und Möglichkeiten genetischer Beratung finden sich bei FUHRMANN u. VOGEL (1975), WENDT u. THEILE (1975) sowie WITKOWSKI u. PROKOP (1974).

In der Bundesrepublik Deutschland, in Österreich und in der Schweiz können die nachstehenden Institutionen für alle Fragen der genetischen Beratung konsultiert werden:

Bundesrepublik Deutschland
Berlin:
1. Institut für Genetik der Freien Universität Berlin, Arnimallee 5–7, 1000 Berlin 33
2. Zytogenetisches Labor der Frauenklinik der Freien Universität Berlin, Pulsstr. 4–14, 1000 Berlin 19

3. Zytogenetisches Labor der Kinderklinik der Freien Universität Berlin, Heubnerweg 6, 1000 Berlin 19

Bochum: Institut für Humangenetik der Ruhruniversität, Buscheystr., 4630 Bochum

Bonn: Institut für Humangenetik der Universität, Wilhelmsplatz 7, 5300 Bonn

Braunschweig: Fach Humangenetik und Zytogenetik der TU Braunschweig, Gaußstr. 17, 3300 Braunschweig

Bremen: Genetische Beratungsstelle an der Universität Bremen, Bibliothekstraße, 2800 Bremen 33

Düsseldorf:
1. Institut für Anthropologie und Humangenetik der Universität, Ulenbergstr. 127–129, 4000 Düsseldorf
2. Genetische Forschungsstelle des Landschaftsverbandes Rheinland, Bergische Landstr. 2, 4000 Düsseldorf

Erlangen: Institut für Anthropologie und Humangenetik der Universität Erlangen-Nürnberg, Bismarckstr. 10, 8520 Erlangen

Frankfurt:
1. Institut für Humangenetik und vergleichende Erbpathologie der Universität, Paul-Ehrlich-Str. 41–43, 6000 Frankfurt/M.
2. Abteilung für Klinische Zytologie, Zentrum für Frauenheilkunde und Geburtshilfe der Universität, Theodor-Stern-Kai 7, 6000 Frankfurt/M.
3. Zytogenetisches Labor des Zentrums für Innere Medizin der Universität, Ludwig-Rehn-Str. 14, 6000 Frankfurt/M.

Freiburg: Institut für Humangenetik und Anthropologie der Universität, Albertstr. 11, 7800 Freiburg/Br.

Gießen: Institut für Humangenetik der Universität, Am Schlangenzahl 14, 6300 Gießen

Göttingen: Institut für Humangenetik der Universität, Nikolausberger Weg 5a, 3400 Göttingen

Hamburg:
1. Institut für Humangenetik der Universität, Butenfeld 32, 2000 Hamburg 54
2. Zytogenetische Untersuchungsstelle des Allgemeinen Krankenhauses Barmbeck, Rübenkamp 148, 2000 Hamburg 33

Hannover: Institut für Genetik der Medizinischen Hochschule Hannover, Roderbruchstr. 101, 3000 Hannover-Kleefeld

Heidelberg:
1. Institut für Anthropologie und Humangenetik der Universität, Im Neuenheimer Feld 328, 6900 Heidelberg
2. Zytogenetisches Labor der Universitätskinderklinik, Hofmeisterweg 1–9, 6900 Heidelberg

Homburg/Saar: Institut für Humangenetik der Universität, Klinikum, 6650 Homburg/Saar

Kiel:
1. Institut für Humangenetik der Universität, Hospitalstr. 42, 2300 Kiel
2. Zytogenetisches Labor der Universitätskinderklinik, Fröbelstr. 15–17, 2300 Kiel

Krefeld: Institut für Pathologie der Städtischen Krankenanstalten, Lutherplatz 40, 4150 Krefeld

Lübeck:
1. Institut für Humangenetik der Medizinischen Hochschule, Ratzeburger Allee 160, 2400 Lübeck
2. Institut für Pathologie der Medizinischen Hochschule, Kronsforder Allee 71–73, 2400 Lübeck

Mainz: Genetische Beratungsstelle des Landes Rheinland-Pfalz, Große Langgasse 29, 6500 Mainz

Marburg:
1. Institut für Humangenetik der Universität, Bahnhofstr. 7A, 3550 Marburg/Lahn
2. Kinderklinik der Universität, Deutschhausstr. 12, 3550 Marburg/Lahn

München:
1. Institut für Anthropologie und Humangenetik der Universität, Richard-Wagner-Str. 10/1, 8000 München 2
2. Genetisches Labor der Universitätskinderklinik, Pettenkoferstr. 8a, 8000 München 15
3. Zytogenetisches Labor des Max-Planck-Instituts für Psychiatrie, Kraepelin-Str. 2, 8000 München 40

Münster: Institut für Humangenetik der Universität, Vesaliusweg 12–14, 4400 Münster/Westf.

Stuttgart: Chromosomenlabor in der Medizinischen Klinik I des Bürgerhospitals, Tunzhoferstr. 14–16, 7000 Stuttgart

Tübingen: Institut für Anthropologie und Humangenetik der Universität, Wilhelmstr. 27, 7400 Tübingen

Ulm:
1. Sektion Zytogenetik des Zentrums für Klinische Grundlagenforschung der Universität, Parkstr. 11, 7900 Ulm
2. Universitätsfrauenklinik, Oberer Eselsberg, 7900 Ulm

Österreich
Graz: Institut für Medizinische Biologie und Humangenetik der Universität, Hans-Sachs-Gasse 3, A-8010 Graz

Wien: II. Medizinische Klinik der Universität, Garnisongasse 13, A-1090 Wien

Schweiz
Basel: Universitätskinderklinik, Römergasse 8, CH-4000 Basel

Bern:
1. Genetische Abteilung der Universitätskinderklinik, Freiburger Str. 23, CH-3010 Bern
2. Zytogenetisches Laboratorium im Pathologischen Institut der Universität, Freiburger Str. 30, CH-3010 Bern

Genf: Institute universitaire de Génétique médicale, 8, chemin Thury, CH-1206 Genève

Lausanne: Division autonome de Cytogénétique Humaine, Hôpital Cantonal Universitaire, 17, rue du Bugnon, CH-1011 Lausanne

Zürich: Zytogenetisches Labor der Universitätskinderklinik, Steinwiesenstr. 75, CH-8032 Zürich

4.6.2. Nichtgenetisch bedingte Entwicklungsstörungen

Neben den vielfältigen genetischen Faktoren können auch eine große Zahl von nichtgenetischen Faktoren die embryonale und fetale Entwicklung ungünstig beeinflussen und zu einem vorzeitigen Entwicklungsabbruch bzw. zu mehr oder weniger ausgeprägten Störungen der körperlichen und geistigen Entwicklung führen. Gemeinsam ist allen nichtgenetisch bedingten Entwicklungsstörungen, daß sie *nicht vererbt* werden können, da das genetische Informationsprogramm der betroffenen Kinder von den in Frage kommenden Faktoren nicht beeinflußt wird. Nach ihrer Art können diese *teratogenen* (mißbildungserzeugenden) Faktoren in verschiedenen Klassen unterteilt werden.

4.6.2.1. Physikalische Faktoren

Zu den teratogenen physikalischen Faktoren im weiteren Sinn gehören eine Anzahl von *mechanisch* wirkenden Faktoren, wie z. B. Na-

belschnurumschlingungen, Amnionerkrankungen, Uterusanomalien oder Lageanomalien des Kindes.
Nabelschnurumschlingungen können bei Überlänge der Nabelschnur (s. S. 76) eintreten und durch das Zusammenziehen von Nabelschnurschlingen um den Hals des Kindes dieses erdrosseln oder Arme bzw. Beine so abklemmen, daß deren Sauerstoffversorgung infolge eines eingeengten Blutstromes gestört und ihre Entwicklung unter Umständen erheblich beeinträchtigt wird.

Amnionerkrankungen sind eine Folge zu starker oder zu geringer Fruchtwasserbildung. Zuviel Fruchtwasser (Hydramnion, mehr als 2 l) ist vielfach mit Anenzephalie (Fehlen des Gehirns) oder Speiseröhren- und Darmverschlüssen beim Fetus verbunden. Zu wenig Fruchtwasser (Oligohydramnion, weniger als 300 ml) bewirkt häufig Skelettmißbildungen oder Deformierungen der Extremitäten wie z. B. Klumpfuß.

Uterusanomalien schweren Grades lassen in der Regel Nidationen gar nicht zu, während solche Anomalien geringeren Grades zu erhöhten Abort- und Frühgeburtenraten führen. Möglicherweise ist in diesen Fällen die Einbettung der befruchteten Eizelle in die Uterusschleimhaut unvollkommen, so daß ihre Weiterentwicklung beeinträchtigt wird.

Lageanomalien des Kindes im Uterus sind durch Abweichungen von der normalen Hinterhauptslage (tiefe Beugung des Kopfes, so daß bei der Geburt das Hinterhaupt zuerst austritt) gekennzeichnet. Diese Lage ist bei 95% der Feten zu beobachten, während bei 5% Beckenendlagen oder Querlagen vorliegen, welche bei der Geburt zu Komplikationen, verbunden mit Verletzungen des Kindes, führen können. Einzelheiten über Ursachen, Diagnose und Behandlungsmöglichkeiten solcher mechanisch bedingter Entwicklungsstörungen finden sich bei BERG (1976), FRIEDBERG u. HIERSCHE (1975), ROSENBAUER (1969) und ZOLLINGER (1976).

Zu den teratogenen physikalischen Faktoren im engeren Sinn zählen die ionisierenden Strahlen und der Sauerstoffmangel. Inwieweit auch Ultraschall, Kurzwellen und thermische Faktoren teratogen wirken können, ist für den Menschen noch nicht klar zu übersehen. In Tierexperimenten hat sich die Teratogenität dieser Faktoren deutlich erwiesen. Allerdings wurde dabei mit wesentlich höheren Belastungen gearbeitet, als sie beim Menschen angewendet werden (ROSENBAUER 1969, SCHUMACHER u. FANGHÄNEL 1973).

Ionisierende Strahlen, zu denen sowohl die diagnostisch und therapeutisch verwendeten Röntgen- und Gammastrahlen als auch die radioaktiven Produkte von Atombombenexplosionen und radioaktiven

Tabelle 13 Phasenspezifität der Wirksamkeit teratogener Faktoren (nach Pliess u. Lenz)

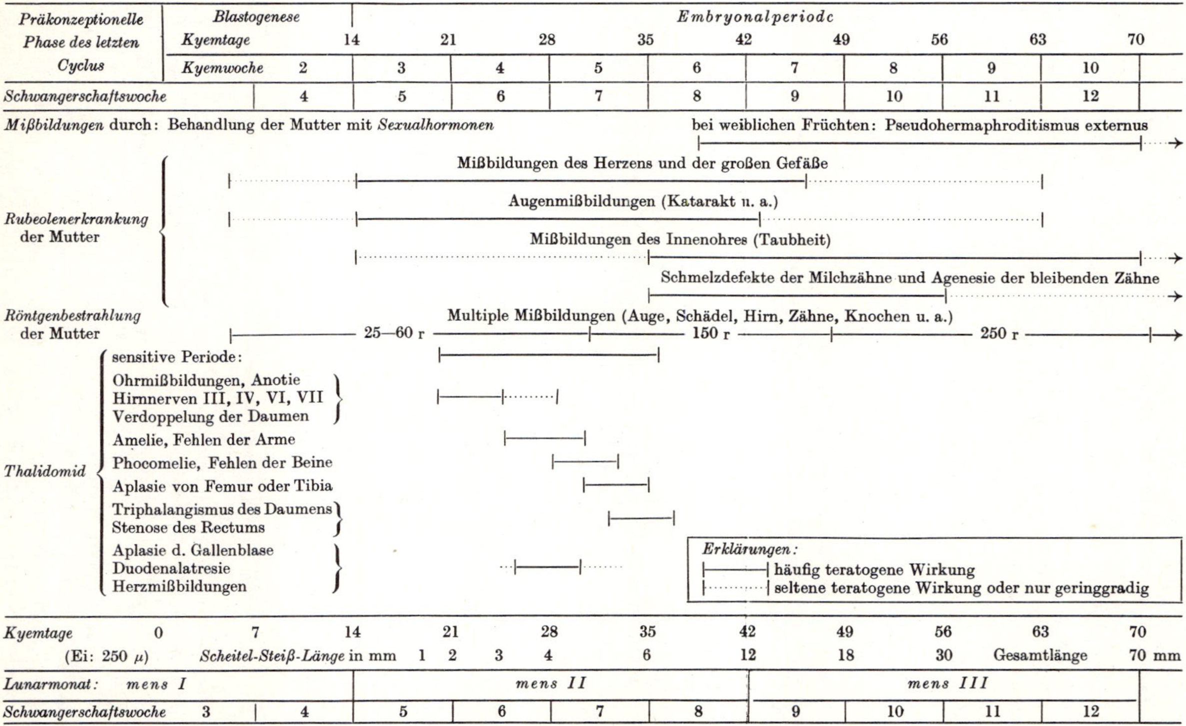

Abfälle (»Atommüll«) von Kernkraftwerken gehören, können neben ihrer mutagenen Wirkung auf alle von ihnen betroffenen Organismen – gleich welchen Alters – auch die pränatale Entwicklung in jedem Stadium empfindlich stören. Die ersten Beobachtungen dieser Art wurden an Kindern von Röntgenärzten, -technikern und -assistentinnen gemacht (Macht u. Lawrence 1956) und konnten seither vielfach bestätigt werden (Barthelmess 1973). Im Vergleich zu den Kindern einer Kontrollgruppe war die Anzahl gesund geborener Kinder in der Röntgengruppe deutlich niedriger, die Häufigkeit von Aborten mit 14,3% gegenüber 12,2% in der Kontrollgruppe dagegen höher. Unter den Neugeborenen in der Röntgengruppe hatten 6,0% eine Mißbildung, unter denen der Kontrollgruppe nur 4,8%. Diese Mißbildungen erstreckten sich auf das Herz- und Kreislaufsystem, die blutbildenden Organe, dem Atmungstrakt, Muskel und Gelenke, Magen- und Darmtrakt, Zentralnervensystem, Sinnesorgane und das endokrine System (Hormondrüsen), wobei die Mißbildungen im Bereich der Sinnesorgane am häufigsten waren. Neoplasmen (bösartige Geschwulstbildungen) fanden sich bei den Kindern der Röntgengruppe mit 1% ebenfalls häufiger als bei denen der Kontrollgruppe (0,7%). Frauen, die aus diagnostischen oder therapeutischen Gründen während der Schwangerschaft bestrahlt wurden, brachten in erhöhtem Maße Kinder mit Mißbildungen unterschiedlichen Grades und Ausmaßes zur Welt, wobei Mikrozephalie (abnorme Kleinheit des Gehirnschädels verbunden mit Hirnmißbildungen), Spina bifida (Spaltbildungen der Wirbelsäule), Gaumenspalten, Extremitätenmißbildungen und Blindheit besonders häufig zu beobachten waren. Aus diesen Gründen sollte eine Strahlenbehandlung von Schwangeren zumindest während der offenbar besonders strahlenempfindlichen Frühstadien der Embryonalentwicklung (Tab. 13) völlig unterbleiben oder auf ein Minimum beschränkt werden, falls eine derartige Behandlung unbedingt erforderlich ist (Goerttler 1964, Rosenbauer 1969). Friedberg u. Hiersche (1975) weisen darauf hin, daß eine Gefährdung für den Embryo schon dann gegeben ist, wenn in den ersten Tagen und Wochen einer Schwangerschaft eine einfache Beckenübersichts-Röntgenaufnahme erfolgt.

Von erheblicher teratogener Wirkung haben sich die *Atombombenabwürfe* auf Hiroshima und Nagasaki im August 1945 erwiesen. So hatten nach den Untersuchungen von Plummer (1952) und Yamasaki u. Mitarb. (1954) von den Frauen, welche zur Zeit dieser Bombenabwürfe schwanger waren, 28% Fehlgeburten. 25% dieser Frauen brachten Kinder zur Welt, die im 1. Lebensjahr starben und weitere 25% gebaren Kinder mit z.T. schweren Mißbildungen, vor allem im Bereich des Zentralnervensystems. Die Auswirkungen der Strahlung waren um so größer, je geringer das Schwangerschaftsalter war; Kinder von Frauen zwischen der 7.–15. Schwangerschaftswoche waren am stärksten betroffen. Von verschiedener Seite wird vermutet, daß die nach dem 2. Weltkrieg durchgeführten *Kernwaffentests* sich ebenfalls teratogen ausgewirkt haben könnten, indem sich das bei diesen Versuchen entstandene Strontium-90 durch atmosphärische Strömungen in bewohnte Gebiete ausbreitete und hier in den Organismus von Schwangeren und damit auch in den von Embryonen und Feten gelangte. So bringt STERNGLASS (1973) die in den USA beobachteten Verlangsamungen im Rückgang der fetalen Sterblichkeit in kausalen Zusammenhang mit Kernwaffentests, die in der Sowjetunion, in China, im pazifischen Raum sowie in den USA selbst stattgefunden haben. Auch gesteigerte Leukämieraten bei amerikanischen Kindern (Überproduktion von weißen Blutkörperchen infolge krankhafter Veränderungen der blutbildenden Organe) sowie höheren Strontium-90-Konzentrationen in den Unterkieferknochen von abortierten (fehlgeborenen) Feten sieht er als direkte Folge dieser Kernwaffentests und ihrer radioaktiven »fall-outs«. Obgleich ein schlüssiger Beweis für diese Annahme noch aussteht (STEWART 1973), ist die grundsätzliche Gefährdung von Embryonen und Feten durch die zunehmende Belastung der Umwelt mit radioaktiver Strahlung nicht in Zweifel zu ziehen, wobei es keinen verbindlichen Wert darüber gibt, welche Strahlendosis als ungefährlich angesehen werden kann. Man sollte, wie das u.a. von BARTHELMESS (1973) gefordert wird, nicht nur die militärischen, sondern auch die technisch-industriellen Quellen (Kernkraftwerke!) radioaktiver Gefahren für die Bevölkerung auf das Mindestmaß reduzieren, wenn man sie – was zweifellos am besten wäre – schon nicht völlig beseitigen kann oder will.

Von besonderer teratogener Wirkung hat sich nach vielen Untersuchungen auch der *Sauerstoffmangel* erwiesen, der als Folge von Erkrankungen des mütterlichen Gefäßsystems, Anomalien von Plazenta oder Nabelschnur, Narkosen während der Schwangerschaft, Vergiftungen mit Kohlendioxid oder Aufenthalt der Mutter während der Schwangerschaft in großen Höhen eintreten kann. Auch hier spielt der Zeitpunkt eine große Rolle, in dem eine Noxe (Schadfaktor) einwirkt. Als Regel gilt, daß Sauerstoffmangel in der *phänokritischen Entwicklungsphase,* das ist die Zeit zwischen der 3. und 13. Woche nach der Befruchtung der Eizelle, in der die Ausbildung der meisten Organe beginnt (Tab. 8), zu besonders schweren Störungen der gesamten Entwicklung bis hin zu deren völligem Abbruch führen kann. Später erfolgende starke Sauerstoffmängel, etwa bei Kohlendioxidvergiftung der Mutter, wirken sich vielfach auch ungünstig aus, indem sie z.B. Schädigungen des Zentralnervensystems bewirken können (BANKL u.

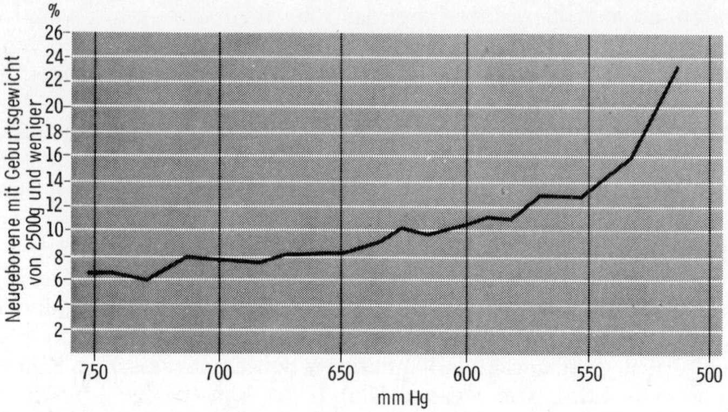

Abb. 36 Zusammenhang zwischen der Häufigkeit untergewichtiger Neugeborener weißer US-amerikanischer Frauen und dem mittleren Luftdruck der Schwangerschaftsorte (nach Zahlen von Grahn u. Kratchman)

Jellinger 1967). Sauerstoffmangel kann schließlich auch bei übermäßigem *Nikotingenuß* der Mutter während der Schwangerschaft zu Beeinträchtigungen der körperlichen Entwicklung führen, die sich in Längen- und Gewichtsdefiziten gegenüber den Kindern von Nichtraucherinnen bemerkbar machen (Goldstein u. Peckham 1976, Roberts 1976). So betrug in den USA bei Frauen, die während der Schwangerschaft täglich 1–5 Zigaretten rauchten, die Häufigkeit körperlich unreif geborener Kinder ca. 7%, bei solchen mit einem Zigarettenkonsum von mehr als 30 pro Tag dagegen ca. 33% (Krogman 1972). Die Gefährdung der Kinder von starken Raucherinnen liegt nicht in den geringeren Längen- und Gewichtswerten bei der Geburt, sondern in der allgemeinen körperlichen Unreife einschließlich des Immunkompetenzsystems (s. S. 85), was eine höhere Infektionsanfälligkeit und damit ein erhöhtes Sterblichkeitsrisiko im 1. Lebensjahr zur Folge hat.

Neben diesen Faktoren, die einen Sauerstoffmangel bewirken und so das heranreifende Kind gefährden können, spielt auch der atmosphärische Sauerstoffgehalt eine beachtliche Rolle als teratogenes Agens. Da der Sauerstoffgehalt mit zunehmender Höhe eines Biotops über dem Meeresspiegel abnimmt, überrascht es nicht, daß sowohl die Häufigkeit von Totgeburten als auch die von untergewichtigen, also unreifen Neugeborenen mit sinkendem Luftdruck, d.h. sinkendem Sauerstoffgehalt der Luft zunimmt (Abb. 36). Besonders eingehend wurden diese Zusammenhänge an südamerikanischen Indianern untersucht (Mc Clung 1969, Porter u. Knight 1971). Dabei zeigte sich, daß sowohl die Häufigkeit durch Sauerstoffmangel bedingter Aborte, als auch die von Mißbildungen vor allem des Herzens mit zunehmender Höhe anstieg, wobei diese Effekte jedoch bei reinrassigen und schon lange in großen Höhen lebenden Indiopopulationen deutlich seltener waren als bei Indio-Europäer-Mischlingen bzw. erst in jüngerer Zeit aus dem Tiefland eingewanderten. In diesem Zusammenhang ist es auch von großem Interesse, daß die weißen Frauen der spanischen Kolonisten in den südamerikanischen Andengebieten im Vergleich zu den Indiofrauen eine wesentlich höhere Totgeburtenrate zeigten. Spanier-Indio-Mischlingsfrauen hatten dagegen mehr lebensfähige Kinder als reinspanische. Nach MONGE (1948) nimmt der Anteil lebensfähiger Kinder in diesen Gebieten mit dem Grad der indianischen Beimischung zu. Diese Beobachtungen deuten darauf hin, daß die authochthonen Indianerpopulationen der südamerikanischen Andenhochländer genetisch an die sauerstoffarmen Lebensbedingungen ihrer Biotope adaptiert sind. Allerdings ist dieser Anpassungsvorgang, welcher offenbar eine wirkungsvollere Ausnutzung des geringen Sauerstoffangebots ermöglicht, noch nicht in seinen Einzelheiten bekannt (WALTER 1974).

4.6.2.2. Chemische Faktoren

Auch zahlreiche chemische Faktoren können störend in den pränatalen Entwicklungsprozeß eingreifen und zu ausgeprägten Mißbildungen oder gar zu völligen Entwicklungsabbrüchen führen. Hier wären zunächst eine Reihe von *Arzneimitteln* zu nennen, deren chemische Komponenten teratogene Wirkung besitzen.

Am bekanntesten unter diesen ist das *Thalidomid* (Contergan) geworden, das von 1958 bis 1961 auf dem Markt war und häufig auch schwangeren Frauen als Beruhigungs- und Schlafmittel verordnet worden ist. In allen Ländern (Westeuropa, Japan, Australien), in denen dieses Mittel verwendet wurde, ist in dieser Zeit die Zahl bestimmter Gliedmaßenmißbildungen, zum Teil kombiniert mit Mißbildungen der Ohren, Augen und inneren Organe, drastisch angestiegen und ebenso drastisch wieder gesunken, nachdem dieses Pharmakon vom Markt genommen wurde. Man schätzt, daß allein in der Bundesrepublik Deutschland gegenwärtig noch 2000–3000 dieser »Contergan-Kinder« leben. Wichtig ist die Beobachtung, daß auch dieses teratogene Agens phasenspezifisch wirkte (Tab. 13), also seine Anwendung nur in den phänokritischen Entwicklungsphasen bestimmter Organe oder Extremitäten (Abb. 37) deren Entwicklung völlig oder doch erheblich hemmte. Thalidomideinnahmen vor oder nach dieser Zeit hatten praktisch keine teratogene Wirkung. Es wird vermutet, daß das Thalidomid einen umschriebenen gengestörten Stoffwechselprozeß

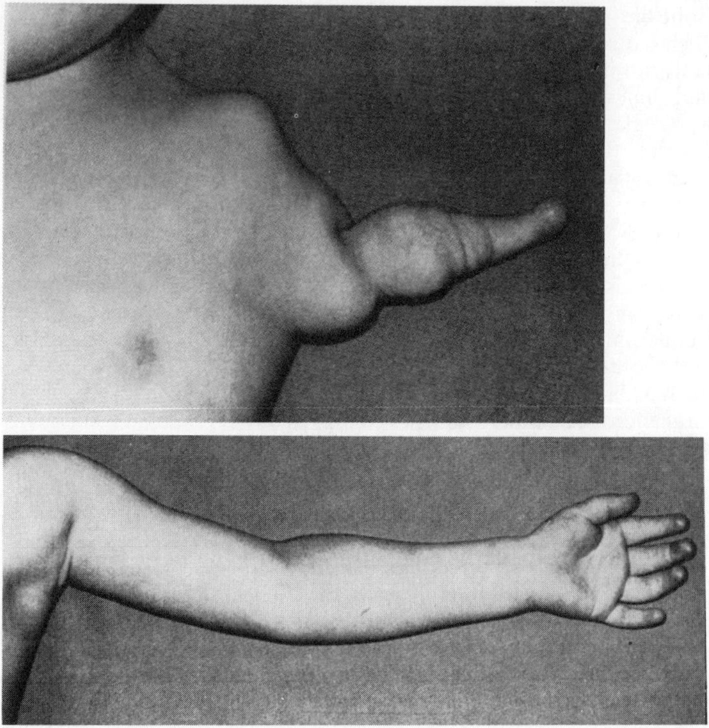

Abb. 37 a u. b a) Conterganbedingte Phokomelie bei einem 3,5 Jahre alten Kind, b) Arm eines gleichalten, normal entwickelten Kindes zum Vergleich (aus PETERSEN, D.: Die Mißbildungen der Arme bei der epidemischen Dysmelie [Thalidomidembryopathie] in: Fortschritte der allgemeinen und klinischen Humangenetik, Bd. II. Thieme, Stuttgart 1970, S. 1–29)

blockiert, welcher in der Periode der Organbildung eine wichtige Rolle spielt (LENZ 1976). Weitere Einzelheiten über diese seinerzeit von zahlreichen Forschungsgruppen außerordentlich intensiv untersuchten »Thalidomid-Embryopathie« finden sich bei DEGENHARDT (1973), GOERTTLER (1964), PETERSEN (1970) und ROSENBAUER (1969).

Auch andere Arzneimittel konnten in den letzten Jahren als teratogen erkannt werden, und auch für sie gilt sowohl die Dosis- als auch die Zeitabhängigkeit ihrer Wirkung über die Plazenta auf den Embryo. Genannt seien hier nur die im Rahmen der Krebs-, Schilddrüsen- und

Tuberkulosetherapie verwendeten *Zytostatika, Thyreostatika* und *Tuberkulostatika* sowie *Antibiotika,* welche bei der Bekämpfung von infektiösen Erkrankungen eine Rolle spielen. Schließlich konnte auch die teratogene Wirkung verschiedener *Hormone* aufgezeigt werden, die ebenfalls aus therapeutischen Gründen während der Frühschwangerschaft zur Anwendung kamen. Dabei haben sich insbesondere Kortison, Insulin und die Sexualhormone (Tab. 13) als entwicklungsgefährdend erwiesen (Rosenbauer 1969).

Auf eine möglichst teratogene Wirkung von *Drogen,* die bei der Behandlung von Krampfkrankheiten wie z.B. der Epilepsie zum Einsatz kommen, haben Miller u. Yasuda (1975) aufmerksam gemacht.

Eine ausführliche Beschreibung der verschiedenartigen Entwicklungsstörungen, welche durch die genannten Arzneimittel hervorgerufen werden können, würde hier zu weit führen. Es muß dazu auf die angegebene Literatur verwiesen werden. Allgemein kann man jedoch aus den vielen Beobachtungen über die teratogenen Wirkungen von Arzneimitteln ableiten, daß während einer Schwangerschaft und insbesondere in ihren frühen Phasen Arzneimittel sowie alle Arten von Beruhigungs- und Schlafmitteln nur dann und unter ärztlicher Aufsicht genommen werden sollten, wenn wirkliche Notwendigkeiten bestehen.

Zu den chemischen Teratogenen werden auch Schwermetalle wie *Blei* und *Quecksilber* gerechnet, die durch unzureichend gereinigte Industrieabfälle in die Umwelt (Viehweiden, Gewässer) gelangen, von Tieren (Kühen, Fische) aufgenommen werden und durch deren Verzehr in den mütterlichen bzw. fetalen Organismus kommen. Bekannt geworden sind diese Zusammenhänge bisher vor allem aus Japan (Murakami 1972). Frauen, die während der Schwangerschaft Fische aus der mit Quecksilber verseuchten Minamata-Bucht gegesen hatten, brachten zu einem hohen Prozentsatz Kinder mit verschiedenen Mißbildungen zur Welt wie z.B. Zahn- und Gebißanomalien (58%), Mikrozephalie (27%) und insbesondere auch Anomalien des Nervensystems. Wenn bisher auch noch keine anderen Fälle solcher durch ungereinigte Industrieabwässer verursachten Mißbildungshäufungen bekannt geworden sind, so zwingen diese japanischen Beobachtungen doch dazu, durch strenge Gesetze und Kontrollen zu verhindern, daß die Umweltbelastung mit teratogenen Schwermetallen zunimmt. Zu begrenzen ist nach Miller u. Yasuda (1975) schließlich auch die Verwendung von Pestiziden *(Schädlingsvernichtungsmittel),* da zumindest im Tierexperiment ihre teratogene Wirkung nachgewiesen werden konnte.

Als letztes chemisches Teratogen sei der *Alkohol* genannt, dessen chronischer Konsum während der Schwangerschaft ebenfalls zu schweren Entwicklungsstörungen führen kann. Nach MILLER u. YASUDA (1975) werden bei Kindern von chronischen Alkoholikerinnen gehäuft beobachtet: unterdurchschnittliche Geburtslängen und -gewichte, Entwicklungsverzögerungen nach der Geburt, Schädel-, Gesichts-, Herz- und Kreislaufsystemdefekte, Mikrozephalie, Gaumenspalten, Gliedmaßendefekte sowie Schwachsinn.

4.6.2.3. Erkrankungen der Mutter

Erkrankungen der Mutter während der Schwangerschaft können nach vielen Untersuchungen ebenfalls teratogen wirken, also die kindliche Entwicklung entweder mehr oder weniger empfindlich stören oder auch einen völligen Entwicklungsabbruch bewirken. Von besonderer Bedeutung sind in diesem Zusammenhang die *Viruserkrankungen.*

Am längsten (schon seit 1941) und auch am besten bekannt ist die teratogene Wirkung der *Röteln* (Rubeolen). Infektionen der Mutter in den ersten drei Schwangerschaftsmonaten haben bei 21–89% der geborenen Kinder Mißbildungen des Herzens und der großen Gefäße, der Augen, des Innenohres (verbunden mit Taubheit) sowie Defekte an den Zahnanlagen zur Folge (Tab. 13). In späteren Schwangerschaftsphasen erfolgende Infektionen wirken sich weniger stark aus; überdies ist die Häufigkeit entwicklungsgeschädigter Kinder geringer. Sie liegt bei etwa 10%, wenn die Mutter erst nach dem 3. Schwangerschaftsmonat erkrankt. Durch vorbeugende Maßnahmen wie z.B. rechtzeitige Schutzimpfungen kann diese Virusembryopathie heute erfolgreich bekämpft werden (FRIEDBERG u. HIERSCHE 1975).

Als ebenfalls teratogen hat sich auch die virusbedingte *Zytomegalie* (Zellvergrößerung) erwiesen, welche vor allem die Milz, Leber, Nieren sowie die Bauchspeicheldrüse (Pankreas) betrifft. Infektionen der Mutter in den ersten drei Schwangerschaftsmonaten führen nach MILLER u. YASUDA (1975) zu ausgeprägten Störungen in der Entwicklung des Zentralnervensystems und sind außerdem häufig mit Mikrozephalie, Hydrozephalie (Wasserkopf), Hirnmißbildungen sowie Herz- und Augendefekten verbunden.

Die früher vermutete teratogene Wirkung anderer Viruserkrankungen, wie *Hepatitis* (Leberentzündung), *Mumps* (Entzündung der Ohrspeicheldrüsen) und *Masern* (fieberhafte Infektionserkrankung mit Schleimhautentzündungen und rötlichen Hautausschlägen) hat sich dagegen nach intensiven Untersuchungen von SIEGEL (1973) nicht bestätigen lassen. Auch die teratogene Wirkung der *Grippe* konnte nicht bewiesen werden. Mißbildungen bei Kindern, deren Mütter während der Schwangerschaft hieran erkrankten, sind nach HAKOSALO u. SAXÉN (1971) mit wesentlich größerer Wahrscheinlichkeit auf Medikamente zurückzuführen, die zur Bekämpfung der Grippe eingenommen wurden.

Als weitere mütterliche Erkrankung mit starker teratogener Wirkung ist die *Toxoplasmose* zu nennen, die durch das Protozoon (einzellige Lebewesen von mehr als 1 µm Durchmesser) *Toxoplasma gondii* verursacht wird. Dieses kann durch den Genuß von unzureichend gekochtem bzw. gebratenem Fleisch oder durch den Umgang mit infizierten Tieren (z.B. Hunde oder Katzen) in den mütterlichen Organismus gelangen und über die Plazenta das Kind infizieren. Infektionen in frühen Schwangerschaftsphasen führen häufig zum Abort. Spätere Infektionen bewirken vielfach Entwicklungsstörungen im Bereich von Kopf, Gesicht, Augen sowie der blutbildenden Organe. In einer Reihe von Fällen kommt es auch zur Ausbildung eines Hydrozephalus sowie zur Degeneration von Hirnteilen, was sich in postnatal eintretenden Störungen der geistigen und psychomotorischen Entwicklung äußert.

Auf die teratogene Wirkung der Syphilis ist in anderem Zusammenhang bereits hingewiesen worden (s. S. 28).

Neben diesen Infektionserkrankungen können auch *Stoffwechselkrankheiten* der Mutter die pränatale Entwicklung eines Kindes gefährden. Von besonderer Bedeutung ist hier der Diabetes mellitus (Zuckerkrankheit), welcher auf einer ungenügenden Insulinproduktion der Bauchspeicheldrüse beruht. Diese Krankheit bewirkt in gesteigertem Maße Totgeburten sowie auch eine erhöhte Kindersterblichkeit in der Perinatalphase, also dem Zeitraum um die Geburt (s. S. 90). Überlebende Kinder lassen oft Herz- und Gefäßmißbildungen und Riesenwuchs erkennen (MILLER u. YASUDA 1975). Nicht selten sind auch Hydramnion mit seinen negativen Folgen für das Kind (s. S. 112) sowie Atemnotstände bei der Geburt und neurologische Schäden zu beobachten. Bei entsprechender Behandlung der kranken Mutter und intensiver Überwachung des Schwangerschaftsverlaufes können die teratogenen Effekte des Diabetes mellitus jedoch zumindest reduziert werden (BERG 1976, FRIEDBERG u. HIERSCHE 1975).

Da es schon heute in immer stärkerem Maße gelingt, Kinder mit der erblich bedingten Stoffwechselkrankheit *Phenylketonurie* (s. S. 97) am Leben zu erhalten, ist damit zu rechnen, daß künftig eine Reihe von Frauen, die diesen biochemischen Defekt besitzen, schwanger werden. In den USA sind bereits verschiedene solcher Schwangerschaften beschrieben worden (MILLER u. YASUDA 1975). Dabei zeigte sich, daß das von diesen Frauen nicht abgebaute Phenylalanin über die Plazenta in den kindlichen Organismus gelangen und in diesem Mißbildungen sowohl des Herzens als auch des Gehirns (verbunden mit Störungen in der gesamten geistigen Entwicklung) bewirken kann. Zur Vermeidung derartiger teratogener Auswirkungen müssen diese Frauen während der gesamten Schwangerschaft ständig auf den Phenylalaninspiegel in ihrem Blut hin untersucht und in ihrer Ernährung entsprechend eingestellt werden.

4.6.2.4. Mangel- und Unterernährung der Mutter

Zum Aufbau des kindlichen Organismus mit allen seinen Organen ist während der gesamten pränatalen Entwicklungszeit ein ausreichendes und ausgewogenes Angebot an Eiweiß, Kohlehydraten, Vitaminen, Salzen, Eisen, Kalzium sowie verschiedenen Spurenelementen erforderlich. Nach KROGMAN (1972) sollte eine Schwangere daher ihren täglichen Proteinkonsum auf 1,5 g pro kg Körpergewicht erhöhen, die Zufuhr von Kalzium und Phosphor auf insgesamt je 1,5 g, die von Eisen auf 15 mg und die von Jod auf 0,15–0,30 mg. Weiterhin sollte die tägliche Zufuhr von Vitamin D auf 400 i. E. (internationale Einheiten) gesteigert werden, die von Vitamin A auf 6000 i. E. und die der Askorbinsäure (Vitamin C) auf 100 mg. Weitere Einzelheiten bezüglich der optimalen Ernährung von Schwangeren hinsichtlich der Erfordernisse des heranwachsenden Kindes finden sich bei FRIEDBERG u. HIERSCHE (1975) (vgl. auch Tab. 18, S. 189).

Es ist anzunehmen, daß Unzulänglichkeiten in der Nährstoffversorgung des sich im Uterus entwickelnden Kindes durch *Mangel-* und *Unterernährung* der Mutter während der Schwangerschaft die pränatale Entwicklung empfindlich beeinträchtigen. Das konnte durch zahlreiche Beobachtungen bestätigt werden. Darüber hinaus ließ sich nachweisen, daß chronische und starke Formen von mütterlicher Mangel- und Unterernährung vielfach auch postnatal noch nachwirken und sowohl die körperliche als auch die geistige Entwicklung verzögern. Das ist insbesondere dann der Fall, wenn auch nach der Geburt die Ernährungssituation für ein Kind in qualitativer wie quantitativer Hinsicht schlecht bleibt. Hierüber liegen aus den Kriegs- und Nachkriegszeiten Europas sowie aus vielen Entwicklungsländern Asiens, Afrikas und Lateinamerikas umfangreiche Beobachtungen vor, die hier auch nur annäherungsweise nicht angeführt werden können. Im nachfolgenden kann die Beobachtung von Entwicklungsdefiziten der Mutter während der Schwangerschaft daher nur an wenigen Beispielen erläutert werden. Ausführliche Darstellungen, wie sich Vitamin-, Eisen-, Eiweiß- und kalorische Mangelzustände in der mütterlichen Ernährung auf die Geburtslängen und -gewichte, die Entwicklung des Skelettsystems, der inneren Organe, des Gehirns sowie des Immunsystems der betroffenen Kinder auswirken, finden sich bei CANOSA (1975), GYÖRGY u. KLINE (1970), JELLIFFE (1966), NEWMAN (1975), SCRIMSHAW u. GORDON (1968), SCRIMSHAW u. Mitarb. (1968), SOMOGYI (1970, 1973), SOMOGYI u. KODICEK (1969) und SOMOGYI u. FIDANZA (1970).

In den Niederlanden hatte der Hungerwinter 1944/45 eine deutliche Erhöhung der perinatalen Sterblichkeit zur Folge: 3% gegenüber 1,5% vor dem Krieg. Desgleichen waren sowohl die Geburtslängen als vor allem auch die Geburtsgewichte reduziert (SMITH 1947, STEIN u. Mitarb. 1975). Ähnliche Beobachtungen liegen auch aus dem Nachkriegsdeutschland vor, darüber hinaus konnten vielfach auch rachitische Störungen in der fetalen Knochenentwicklung als Folge von Phosphat- und Vitamin-D-Mangel der Mutter während der Schwangerschaft festgestellt werden (COSSACK 1952). Besonders schwerwiegend waren die Hungerfolgen für die während der deutschen Belagerung von Leningrad 1941/42 ausgetragenen Kinder (ANTONOV 1947). Die Totgeburtenrate war mit 9,8% doppelt so hoch wie vor dem Krieg, die Frühgeburtenrate betrug 41,2% gegenüber 6,5% in den Monaten vor und nach der Belagerung. Das Durchschnittsgewicht der zeitlich normal ausgetragenen Kinder lag 500–600 g unter den Vorkriegswerten. Stark herabgesetzt war auch die Lebensfähigkeit der zur Welt gekommenen Kinder: 32,3% von ihnen erkrankten ernsthaft im Verlauf des 1. Lebensjahres, meistens an infektiösen Erkältungskrankheiten. Diese führten nicht selten auch zum Tod. Die Gesamtsterblichkeit im 1. Lebensjahr betrug 9% gegenüber 1,4% in der Zeit vor und nach der Belagerung. Eine wesentliche Ursache für die stark herabgesetzte Lebensfähigkeit dieser Kinder dürfte in der durch die extreme mütterliche Unterernährung (pro Person und Tag maximal 500 g Brot schlechter Getreidequalität als Hauptnahrung!) bedingten ungenügenden Entwicklung der kindlichen Immunkompetenz (s. S. 85) zu sehen sein.

Während es derartige Hungerzustände in Europa heute nicht mehr gibt, werden sie in zahlreichen Entwicklungsländern noch angetroffen, vor allem in deren einkommensschwachen Bevölkerungsschichten. Protein- und Kalorienmangel in der mütterlichen Ernährung bewirken einen hohen Anteil körperlich unreif geborener Kinder, die u.a. an den geringen Geburtsmaßen erkannt werden können. So konnte EDOZIEN (1970) in Nigeria beobachten, daß die Neugeborenen der wirtschaftlich gutgestellten Angehörigen der Universität Ibadan im Durchschnitt 50,0 cm lang und 3,4 kg schwer waren, diejenigen einer eiweißunterernährten Dorfbevölkerung dagegen bei gleichlanger Tragezeit nur 48,0 cm bzw. 2,9 kg. Da mit körperlicher Unreife aber in der Regel Mängel im kindlichen Immunsystem verbunden sind, überrascht es nicht, daß die perinatale Sterblichkeit von Kindern unterernährter Mütter erhöht ist. So starben nach GORDON u. Mitarb. (1967) im Jahre 1960 im Alter von 0–6 Tagen nach der Geburt in den USA 1,6% der Neugeborenen, in Guatemala 3,8% und in Indien 5,1%. Erschwerend für die ohnehin schon in ihrer Lebensfähigkeit beeinträchtigten Kinder unterernährter Mütter kommt hinzu, daß die Milchproduktion solcher Mütter geringer ist als die gut ernährter. Die Frauen der oben erwähnten Universitätsangehörigen aus Ibadan z. B. bildeten durchschnittlich 975 ml Milch pro Tag, diejenigen der unterernährten Dorfgruppe dagegen nur durchschnittlich 350 ml pro Tag.

Noch schwerwiegender als die durch mütterliche Mangel- und Unterernährung bewirkten Schäden in der körperlichen Entwicklung (Wachstumsverzögerungen und -rückstände, erhöhte Anfälligkeit gegenüber Infektionskrankheiten infolge unzulänglicher Immunkompetenz) sind jedoch die Schäden in der *Gehirnreifung* der betroffenen Kinder (DOBBING 1972, 1976, MAIER 1975, WINICK u. Mitarb. 1972, WINICK 1976). Mütterlicher Eiweißmangel in den verschiedenen Phasen der kindlichen Gehirnentwicklung und -differenzierung (s. S. 83) verhindert das normale Zellwachstum und führt so nicht nur zu geringeren Hirngewichten dieser Kinder, sondern auch zu mangelhafter funktioneller Ausreifung der verschiedenen Hirnareale. Nach vorliegenden Untersuchungen wird dabei das Zerebellum (Kleinhirn) am stärksten geschädigt, mehr oder weniger stark aber auch alle anderen Hirnbereiche. Diese Entwicklungsschäden sind *irreversibel,* d.h., sie können nicht wieder rückgängig gemacht werden, selbst wenn nach der Geburt für diese Kinder eine optimale Ernährungssituation hergestellt werden könnte.

Bei vielen Kindern aus den Entwicklungsländern ist zu vermuten, daß wegen der weitverbreiteten Mangel- und Unterernährung ihrer Mütter während der Schwangerschaft die pränatale Gehirnentwicklung in mehr oder weniger starkem Ausmaß irreversibel beeinträchtigt wird. Das aber hat erhebliche Folgen für die psychische und geistige Entwicklung dieser Kinder. Es wird noch zu zeigen sein (s. S. 191), daß diese bereits pränatal vorhandenen Benachteiligungen vieler Kinder aus der »Dritten Welt« auch postnatal anhalten.

5. Die postnatale Entwicklung bis zum Abschluß der Pubertät

5.1. Terminologische und methodische Grundlagen

Mit der Geburt endet die pränatale oder intrauterine Entwicklungsphase und die postnatale oder extrauterine beginnt. In dieser Phase setzt sich nicht nur die Veränderung der Körperform und ihrer Proportionierung fort, sondern auch die Wachstums- und Reifungsprozesse der in den frühen Pränatalphasen angelegten Organsysteme gehen weiter. Gegen Ende des 2. Lebensjahrzehnts ist die körperliche Entwicklung mit dem Erreichen der vollen physischen Funktions- und Leistungsfähigkeit abgeschlossen. Es liegt dann die *adulte* (erwachsene) Ausprägungsform des menschlichen Organismus vor.

Auch der Ablauf der postnatalen Entwicklungsphase unterliegt weitgehend der Steuerung durch genetische Faktoren, die sowohl für die immer stärker zum Audruck kommenden Geschlechts- und Rassenunterschiede in den verschiedenen anatomischen, morphologischen und physiologischen Körpermerkmalen, als auch für deren individuelle Unterschiede verantwortlich sind. Allerdings spielen auch in diesem Lebensabschnitt zahlreiche nichtgenetische Faktoren für die Merkmalsentwicklungen und -ausprägungen eine wichtige Rolle, indem sie die Realisierung der jeweiligen genetischen Informationen verzögern oder teilweise auch hemmen können. Das gilt z. B. für den sexuellen Reifungsprozeß oder für die Entwicklung der Körperhöhe. Ganz allgemein läßt sich feststellen, daß an den individuellen wie an den gruppentypischen (Geschlecht, Rasse) Merkmalsvariabilitäten beim Menschen zwei Kräftefelder beteiligt sind: die Vererbung *und* die Umwelt. Beide wirken in komplizierter und nicht scharf voneinander zu trennender Weise zusammen.

Das gilt in ganz besonderem Maße für die Entwicklung und Ausprägung der *psychischen* Eigenschaften und Verhaltensweisen. Auch für diese sind zwar genetische Faktoren anzunehmen (v. Bracken 1969), deren Realisierung jedoch noch stärker als bei den Körpermerkmalen von Umwelteinflüssen abhängt, insbesondere von solchen der sozialen Umwelt, wie z. B. Elternhaus, schulische Bildungsmöglichkeiten usw. Eine ausführliche Darstellung der psychischen Entwicklung sowie der vielfältigen Faktoren, welche sie im günstigen oder auch ungünstigen Sinn zu beeinflussen vermögen, findet sich bei Hassenstein (1973), worauf hier verwiesen sei.

Bevor versucht wird, aus der kaum noch zu übersehenden Literatur die wichtigsten Erkenntnisse über den Ablauf der postnatalen Wachstums- und Reifungsvorgänge und der ihnen zugrundeliegenden Kausalfaktoren darzustellen, erscheinen einige begriffliche und methodische Klärungen angebracht.

Zunächst sind die Begriffe Wachstum und Reifung gegeneinander abzugrenzen. Unter *Wachstum* versteht man nach Knussmann (1968b) die *quantitative* Seite der körperlichen Entwicklung, unter *Reifung* die *qualitative*.

Wachstum ist somit ein Prozeß, der mit meßbaren Größen- und Formveränderungen des Körpers oder seiner Organe verbunden ist, wie z.B. die Zunahmen von Körperhöhe oder -gewicht. Reifung kennzeichnet dagegen einen physiologischen Prozeß, also die fortschreitende Fähigkeit eines Organs, seine genetisch determinierte Funktion auszuüben. Unter diesem Aspekt ist die Entwicklung der männlichen und weiblichen Keimdrüsen oder die pränatale Entwicklung der Atmungsorgane und des Kreislaufsystems als Reifungsprozeß zu verstehen. Beide Vorgänge – Wachstum und Reifung – laufen jedoch nicht unvermittelt nebeneinander ab. Sie hängen insofern zusammen, als das Wachstum und die damit verbundene Gewebedifferenzierung der einzelnen Körperorgane erst deren Funktionieren ermöglichen. Störungen im anatomisch-morphologischen Wachstumsablauf eines Organs führen in der Regel zu Funktionsbehinderungen, wie das im einzelnen noch zu zeigen sein wird (s. S. 181).

Aus zahlreichen Untersuchungen an Tieren und Menschen ist bekannt, daß in einer bestimmten Zeiteinheit das *Wachstumstempo* der einzelnen Organe oder Körperabschnitte unterschiedlich sein kann. Dadurch verändern sich z.B. die Körperproportionen. Man spricht beim Vorhandensein derartiger Unterschiede von *allometrischem Wachstum*. Ein Beispiel hierfür ist das Wachstum von Rumpf- und Beinlänge. Letztere nimmt im Verlauf der postnatalen Entwicklung deutlich stärker zu als erstere, bedingt durch ihr größeres Wachstumstempo. Diese wächst gegenüber der Rumpflänge *positiv allometrisch*, während deren Wachstum im Vergleich zu dem der Beinlänge *negativ allometrisch* ist. *Isometrie* liegt dann vor, wenn sich die Proportion zweier Körperabschnitte in einer bestimmten Zeiteinheit nicht ändert, ihr Wachstumstempo also gleich ist. Als Beispiel hierfür sei das Wachstum von Oberschenkellänge und Gesamtlänge des Beins genannt. Allometrieuntersuchungen vermögen zwar keine Aufschlüsse über die Ursachen unterschiedlicher Wachstumsgeschwindigkeiten der einzelnen Körperabschnitte zu geben. Sie ermöglichen aber eine genaue Erfassung und Beschreibung des gesamten Wachstumsablaufs, was für verschiedene Bereiche der angewandten Humanbiologie von Bedeutung ist (s. S. 210).

Um den körperlichen Entwicklungsstand eines Kindes oder Jugendlichen zu beurteilen, genügt es keinesfalls, vom *chronologischen* Alter auszugehen, da dieses allein nichts über den Stand von Wachstums- und Reifungsvorgängen aussagt. Aus diesem Grunde werden in umfangreichen Reihenuntersuchungen für jede Altersklasse die *Mittelwerte* $\overline{X}$ sowie die *Standardabweichungen* s (statistisches Maß für die Streuung der individuellen Einzelwerte um den Mittelwert) für die verschiedenen Körpermerkmale, wie z.B. Körperhöhe oder -gewicht bestimmt. Liegt ein gemessener Wert innerhalb der für eine bestimmte Altersklasse kennzeichnenden Variationsbreite $\overline{X} \pm 1$ s, kann man sagen, daß in bezug auf dieses Maß, z.B. die Körperhöhe, ein altersentsprechender Entwicklungsstand vorliegt. Liegt der Meßwert dagegen über + 1 s, ist das Kind für sein Alter *überentwickelt* (akzeleriert), liegt er unter – 1 s, ist es für sein Alter *unterentwickelt* (retardiert). Für die Beurteilung der körperlichen Schulreife wie auch für andere Bereiche der angewandten Humanbiologie können derartige Feststellungen von großer Bedeutung sein (s. S. 210).

In der Regel erfolgt die Beurteilung des körperlichen Entwicklungsstandes nach dem *morphologischen Alter* oder *Proportionsalter*, d.h. nach gleichzeitiger Beurteilung von Körperhöhe, Körpergewicht und Körperproportionierung. Hierüber liegen umfangreiche Daten für alle Altersklassen der verschiedenen Bevölkerungsgruppen Europas und Außereuropas vor, so daß nach diesen Kriterien auch regionale und rassische Vergleiche bezüglich der körperlichen Entwicklung möglich sind; ausführliche Tabellen hierzu finden sich bei Martin u. Saller (1957–1966).

Zur Beurteilung des körperlichen Entwicklungsstandes kann auch das *Zahnalter* herangezogen werden, da die einzelnen Zähne sowohl des Milch- als auch des Dauergebisses in bestimmter, zeitlich verschiedener Reihenfolge durchbrechen (s. S. 154). Allerdings kann diese Methode nur in Verbindung mit den anderen verwendet werden.

Als zuverlässigstes Kriterium für die genaue Erfasung des biologischen Alters hat sich die Bestimmung des *Skelettalters* erwiesen, das auf dem jeweiligen Stand der Knochenentwicklung beruht. Jeder Knochen wird zunächst knorpelig angelegt. Pränatal und teilweise auch erst postnatal bilden sich *Ossifikationszentren* (Verknöcherungszentren) aus, von denen fortlaufend die Verknöcherung und damit die Verfestigung der knorpeligen Anlagen stattfindet. Bei den Längsknochen der oberen und unteren Extremitäten (Arm- und Fingerknochen, Bein- und Zehenknochen) ist zudem zwischen den *Epiphysen* (Knochenenden) und *Diaphysen* (Knochenschaft) eine sog. *Epiphysenfuge* oder *Epiphysenscheibe* vorhanden. Dabei handelt es sich um eine *Knorpelzone,* in der während der prä- und postnatalen Entwicklungsphase das Längswachstum der Knochen erfolgt und die später ebenfalls verknöchert. Durch die Auswertung von Röntgenbildern ist es möglich, den jeweiligen Stand der Knochenentwicklung eines heranwachsenden Kindes zu beurteilen. Da sich Ossifikationszentren und Synostosen (Knochenverbindungen durch Verknöchern der Epiphysenfugen) in verhältnismäßig konstanter Reihenfolge ausbilden, kann röntgenologisch somit das Skelettalter, also das biologische Alter eines Kindes, festgestellt werden. Der Reifegrad eines Skeletts wird dabei nach Zahl und Ausprägungsgrad der Ossifikationszentren sowie nach dem Grad der Epiphysenverschlüsse beurteilt. Normwerte hierfür finden sich in besonderen Atlanten und statistischen Tafeln (GREULICH u. PYLE 1959; vgl. auch TANNER 1962). Aus biologischen Gründen (mutagene Gefahren durch Röntgenaufnahmen!) kommt diese Methode, die zudem auch mit größerem zeitlichen und apparativen Aufwand verbunden ist, jedoch nur wenig zur Anwendung. Ganz überwiegend wird der Bestimmung des morphologischen Alters der Vorzug gegeben. Diese reicht in der Praxis für die Feststellung des körperlichen Entwicklungsstandes völlig aus.

Für die Erfassung der Wachstums- und Reifungsvorgänge, deren Bestimmungstechniken anthropologischen Lehrbüchern (v. EICKSTEDT 1940, GRIMM 1966, HEBERER u. Mitarb. 1970, MARTIN u. SALLER 1957–1966, SALLER 1964) zu entnehmen sind, stehen zwei Methoden zur Verfügung: die Querschnittmethode und die Längsschnittmethode.

Bei der *Querschnittmethode* werden repräsentative Stichproben der verschiedenen Altersklassen untersucht und die gewonnenen Meßdaten in der Regel zu *Mittelwerten* vereinigt. Aus diesen können *Somatogramme* gebildet werden. Darunter versteht man Tabellen, die für die einzelnen Altersklassen die mittlere Körperhöhe sowie das mittlere Körpergewicht einschließlich der Standardabweichungen (s. S. 210) enthalten. Von praktischer Bedeutung ist mitunter auch die Ermittlung der *Perzentilwerte.* Diese geben an, wieviel Prozent der Individuen einer Altersklasse einem bestimmten Meßwert zugeordnet werden können oder diesen über- bzw. unterschreiten. Der Perzentilwert 10 besagt z. B., daß 10% der untersuchten Individuen einen bestimmten Meßwert erreichen oder darunter liegen, während 90% ihn überschreiten. Eine besondere Bedeutung hat der Perzentilwert 50 *(Medianwert),* welcher den Meßwert angibt, der von 50% der Untersuchten erreicht wird. Für vergleichende Wachstumsstudien sind diese Werte oft aufschlußreicher als die Mittelwerte.

Daten aus Querschnittsuntersuchungen sind schließlich auch die Grundlage für das Aufstellen von *Wachstumskurven.* Bezieht man die

Meßergebnisse zweier oder mehrerer Altersklassen aufeinander, kann man schließlich Informationen darüber gewinnen, ob das *Wachstumstempo* eines Merkmals gleich bleibt oder sich in bestimmten Entwicklungsabschnitten beschleunigt bzw. verlangsamt. Bezüglich der statistischen Behandlung von wachstumsrelevanten Meßwerten sowie der verschiedenen Verfahren zur Erstellung von Wachstumskurven muß auf die einschlägigen Lehrbücher verwiesen werden (MARTIN u. SALLER 1957–1966, SALLER 1964, WEBER 1961).

Bei den *Längsschnittuntersuchungen* werden *dieselben* Individuen zu verschiedenen Zeiten untersucht, so daß man die Möglichkeit hat, individuelle Entwicklungsverläufe klar zu erfassen. Der Nachteil dieser Methode besteht natürlich darin, daß man nur von jeweils *einem* Kind die Entwicklungsverhältnisse verfolgen kann. Erst durch den Vergleich zahlreicher individueller Entwicklungsverläufe wird es möglich, allgemein gültige Aussagen zu treffen. Solche Längsschnittuntersuchungen, wie sie z. B. v. VERSCHUER (1954) an Zwillingen und COERPER u. Mitarb. (1954) an deutschen Nachkriegskindern vorgenommen haben, lassen sich aus verständlichen Gründen nur schwer über längere Zeiträume durchführen. Ihre Zahl gegenüber Querschnittuntersuchungen ist daher auch wesentlich geringer.

5.2. Die Veränderung der Körperform

5.2.1. Die Phasenlehren

Ein charakteristisches Merkmal der postnatalen Entwicklung ist darin zu sehen, daß das körperliche Wachstum nicht in gleichbleibendem Tempo erfolgt, sondern in *Schüben.* Dabei herrschen abwechselnd stärkere Zunahmen von Körperhöhe oder Körpergewicht vor. Infolge des unterschiedlichen Wachstumstempos der verschiedenen Körperabschnitte kommt es im Verlauf der postnatalen Entwicklung auch zu deutlichen *Proportionsverschiebungen* (Abb. 38). Insbesondere nimmt die *relative Kopfhöhe* (Anteil der Kopfhöhe an der gesamten Körperhöhe) während dieser Zeit ab, die *relative Beinlänge* (Anteil der Beinlänge an der gesamten Körperhöhe) dagegen zu; die *relative Rumpflänge* bleibt annähernd konstant. Charakteristisch ist auch das *Flacherwerden des Brustkorbes. Geschlechtsunterschiede* in den Körperproportionen zeichen sich vor allem von der Pubertät an ab (s. auch S. 174). In dieser Zeit ist im männlichen Geschlecht ein starker Wachstumsschub in der *Schulterbreite* zu beobachten, nicht dagegen im weiblichen. Die *Hüftbreite* nimmt in der Pubertät zwar in beiden Geschlechtern erheblich zu, aber während die Schulterbreite bei den Knaben stärker zunimmt als bei den Mädchen, wird die *relative Hüftbreite* (bezogen auf die Schulterbreite) bei ersteren geringer. Die spä-

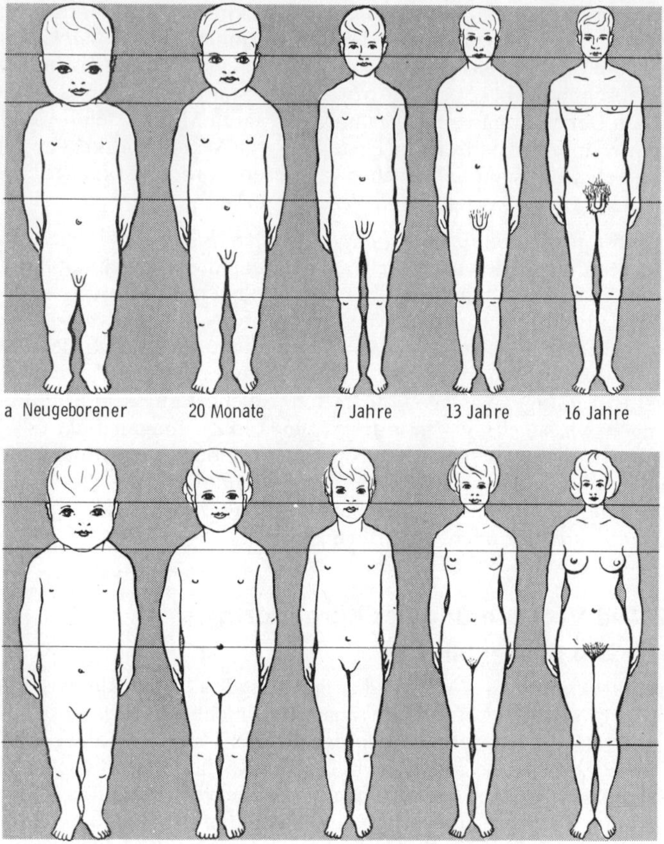

Abb. 38 a u. b Die Proportionsverschiebungen des Körpers von der Geburt bis zur Pubertät. a) im männlichen Geschlecht, b) im weiblichen Geschlecht (nach Ellis)

teren Erwachsenenunterschiede in der Schulterbreiten-Hüftbreiten-Relation (Abb. 40) differenzieren sich somit in der Pubertät bereits aus.

Im Verlauf der postnatalen Entwicklung finden auch deutliche Veränderungen der *Körperzusammensetzung* statt (Tab. 14). Die Verschiebung der einzelnen Körperkomponenten ist in beiden Geschlechtern

Tabelle 14 Änderung der Körperzusammensetzung im Lauf der Entwicklung (nach Wilmer 1940)

Anteile von	Fetus im 6. Entwicklungsmonat	Kind bei der Geburt	Erwachsener
Skelett	22%	18%	18%
Muskeln	25%	25%	43%
Nerven	21%	15%	3%
Eingeweide	16%	16%	11%
Haut und Fett	16%	26%	25%
	100%	100%	100%

jedoch nicht gleichmäßig. Im männlichen Geschlecht ist im Vergleich zum weiblichen bereits in früher Kindheit ein im Verhältnis zur *Fettmenge* deutlich größerer *Knochenanteil* zu beobachten. Dieser Unterschied wird im Verlauf der weiteren Entwicklung immer stärker. Auch im *Muskelanteil* übertreffen in der Regel die Knaben immer stärker die Mädchen, was u.a. eine Ursache für die zunehmenden Geschlechtsunterschiede in der durchschnittlichen sportlichen Leistungsfähigkeit ist (s. S. 157). Im Erwachsenenalter beträgt der Muskelanteil am gesamten Körpergewebe bei (europäischen) Männern ca. 40%, bei (europäischen) Frauen nur ca. 36%, der Fettanteil dagegen ca. 20% (Männer) und ca. 30% (Frauen). Weitere Einzelheiten über die postnatale Veränderung von Körperproportionierung und -zusammensetzung finden sich bei v. Eickstedt (1944), Grimm (1966), Knussmann (1968a, 1968b) sowie Martin u. Saller (1957–1966).

Unter schulärztlichem Aspekt wurden die Veränderungen der Körperform besonders eingehend von Stratz (1922) und Zeller (1964) untersucht. Stratz (1922) unterschied Perioden der *Streckung* (mit überwiegender Zunahme der Körperhöhe) und der *Fülle* (mit überwiegender Zunahme des Körpergewichts). Die *erste Streckung* erfolgt zwischen dem 6.–7. Lebensjahr, die *zweite Streckung* zwischen dem 12.–15. Der ersten Streckung geht eine *Fülleperiode* voraus. Eine zweite *Fülleperiode* liegt zwischen den beiden Streckungsphasen, also zwischen dem 7.–12. Lebensjahr. Nicht altersgerechtes Einsetzen dieser Perioden kann nach Stratz (1922) auf Störungen im postnatalen Entwicklungsablauf hinweisen.

Zeller (1964) bezeichnet solche Lebensabschnitte, in denen die körperliche Entwicklung besondere Veränderungen erkennen läßt, als Zeiten des Gestaltwandels. Der *erste Gestaltwandel* findet nach ihm zwischen dem 5. und 7. Lebensjahr statt und ist durch den Übergang

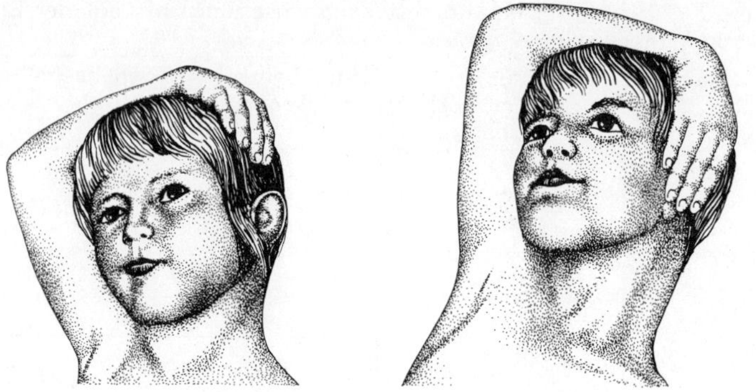

a b

Abb.39a u. b a) Mädchen vor dem 1. Gestaltwandel erreicht mit der Hand nicht das Ohr der anderen Kopfseite, b) Mädchen nach dem 1. Gestaltwandel erreicht das Ohr (Philippiner-Maß) (nach Grimm)

von der rundlichen Kleinkindform in die schlanke Schulkindform gekennzeichnet (Abb. 38). In dieser Zeit sind auch deutliche Proportionsveränderungen zu beobachten, z.B. im Verhältnis der *Armlänge* zur Körperhöhe. Nach Grimm (1966) läßt sich das Erreichen des ersten Gestaltwandels durch ein einfach zu bestimmendes Maß (Philippiner-Maß) feststellen. Man geht dabei so vor, daß man den rechten Arm des Kindes bei völlig senkrechter Kopfhaltung quer über die Scheitelmitte legen läßt. Dabei werden die Finger zur linken Ohrenmuschel hin gestreckt. Wird diese von den Fingerspitzen erreicht, ist das Philippiner-Maß positiv, wird sie noch nicht erreicht, negativ (Abb. 39). Im ersteren Fall ist das Kind bereits in den Gestaltwandel eingetreten, im letzteren noch nicht.

Der *zweite Gestaltwandel* setzt bei Knaben am Ende des 12. Lebensjahres ein, bei Mädchen schon im 11. Lebensjahr. Er dauert erheblich länger als der erste und ist vor allem durch den Beginn der *sexuellen Reifung* (s.S. 174) gekennzeichnet. Am Ende dieses zweiten Gestaltwandels sind die verschiedenen Körpermerkmale einschließlich der Geschlechtsorgane voll ausgeprägt (Abb. 40). Der menschliche Organismus befindet sich dann in seiner *Maturitätsform* (Erwachsenenform). Vielfach wird die Phase des zweiten Gestaltwandels in zwei Abschnitte unterteilt, deren Trennung voneinander durch das Einsetzen der *Keimdrüsenfunktionen* charakterisiert ist. In der *ersten puberalen Periode* nehmen die Zuwachsraten der Körpermaße, vor allem der Längenmaße, wie z.B. der Körperhöhe, erheblich zu und die physiologische Geschlechtsreifung setzt allmählich ein. Die *zweite puberale*

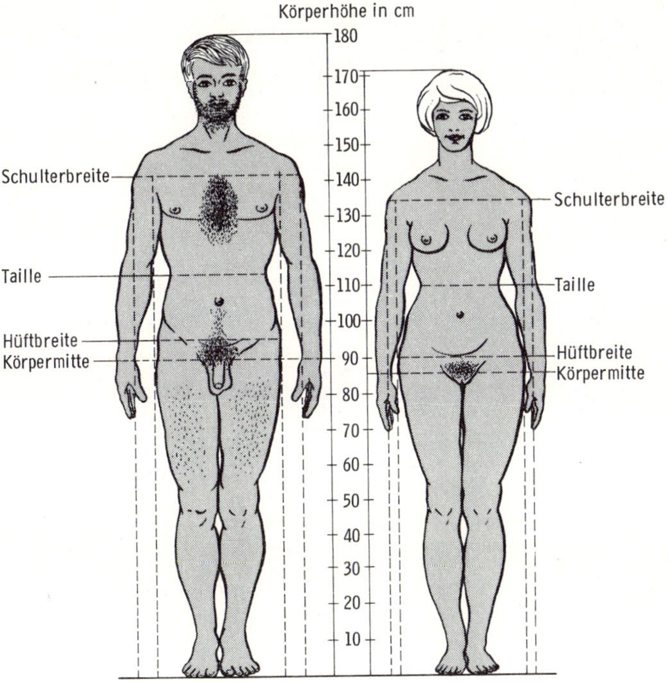

Abb. 40 Charakteristische Körperbauform erwachsener Männer und Frauen europider Abstammung (nach Stratz)

Periode zeigt eine Verlangsamung der körperlichen Wachstumsvorgänge; sie findet mit der vollen körperlichen und sexuellen Reife ihren Abschluß (im männlichen Geschlecht zwischen dem 18.–20. Lebensjahr, im weiblichen zwischen dem 16.–18. Lebensjahr.

Vielfach ist untersucht worden, ob zwischen der körperlichen und der psychischen Entwicklung Zusammenhänge vorhanden sind (v. Brakken 1969, Grimm 1966, Undeutsch 1959). Dabei konnte eine allgemeine Entwicklungsparallelität festgestellt werden. Für die *Schulleistungen* ergab sich das deutlich aus den Untersuchungen von Paschlau u. Paschlau (1963) an 612 männlichen und 613 weiblichen Volksschülern aus Stuttgart, deren körperliche und schulische Entwicklung über acht Jahre verfolgt werden konnte. Es zeigte sich dabei vor allem bei den Knaben, weniger dagegen bei den Mädchen, das körperliche Entwicklungsverzögerungen häufiger mit schlechten

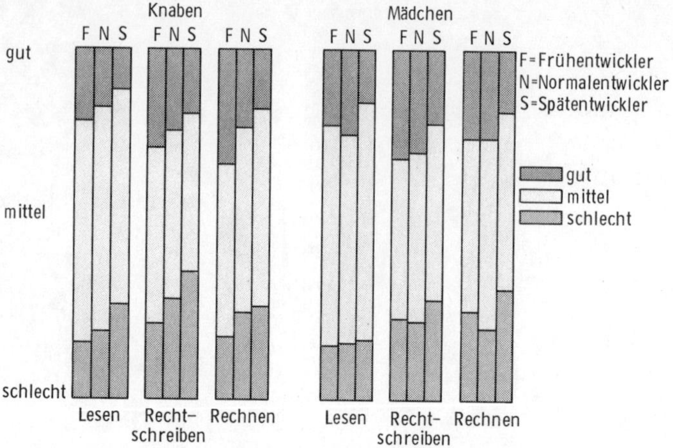

Abb. 41 Zusammenhang zwischen körperlicher Entwicklung und Schulleistung (nach Paschlau)

Schulleistungen, körperliche Entwicklungsbeschleunigungen dagegen mit besseren verbunden sind (Abb. 41). Für die schulärztliche Entwicklungsbeurteilung haben diese »psychophysischen« Zusammenhänge eine gewisse Bedeutung (s. S. 210).

5.2.2. Der morphoplastische Reifungswandel

In die Zeit des zweiten Gestaltwandels fallen auch charakteristische Veränderungen in der Ausprägung von Kopf- und Gesichtsform sowie vieler physiognomischer Merkmale, wie z. B. die Kinnform, die Nasenform, die Form und Dicke der Schleimhautlippen, die Form und Dichte der Augenbrauen usw. Diese Veränderungen werden als *morphoplastischer Reifungswandel* bezeichnet und sind in zahlreichen Quer- und auch Längsschnittuntersuchungen eingehend erforscht worden (Gerhardt 1954). So konnten an Zwillingen, die im Alter von 10–12 Jahren erstmals und nach 15–20 Jahren erneut untersucht worden sind, folgende »Wandlungshäufigkeiten« physiognomischer Merkmale beobachtet werden:

	gleich geblieben	verändert
Nasenrückenprofil	17%	83%
Nasenkuppenform	65%	35%
Nasen-Lippen-Winkel	64%	36%
Kinnform	89%	11%
Gesichtsumrißform	7%	93%

a

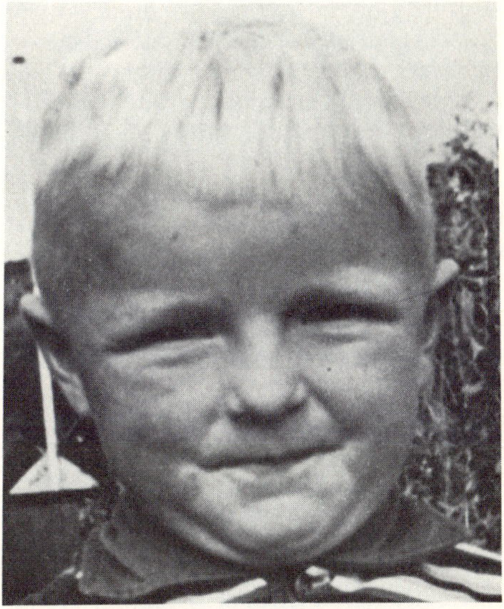

b

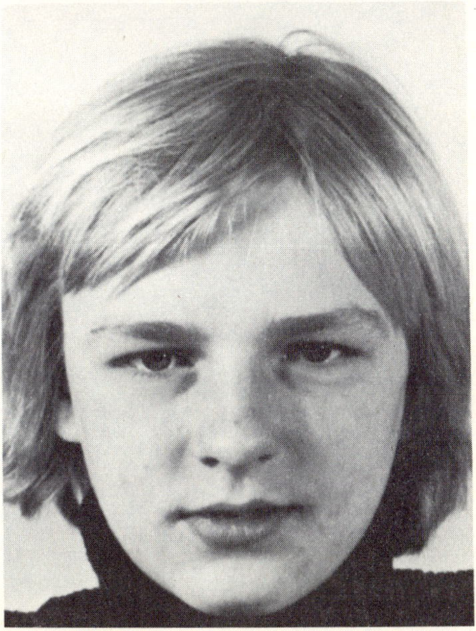

Abb. 42a u. b Morphoplastischer Reifungswandel der Gesichtsumrißform und der physiognomischen Gesichtsmerkmale.
a) Knabe im Alter von $3^1/_2$ Jahren, b) derselbe im Alter von 16 Jahren

Abb. 42 gibt ein Beispiel für die morphoplastische Veränderung der Gesichtsumrißform und der verschiedenen physiognomischen Gesichtsmerkmale. Die genaue Kenntnis dieser entwicklungsbedingten Merkmalswandlungen sowie der möglichen Endausprägungen der betroffenen Körpermerkmale ist für die *Vaterschaftsbegutachtung* von erheblicher Bedeutung (s. S. 214).

5.3. Anthropometrie der körperlichen Entwicklung

5.3.1. Körperhöhe und Körperproportionen

Zu den auffälligsten Merkmalen der postnatalen Entwicklung gehört ohne Zweifel die ständige Zunahme der *Körperhöhe* (Abb. 43). Dabei liegen verschiedene Gesetzmäßigkeiten vor, die nach zahlreichen Untersuchungen für alle Rassen gelten. Zunächst kann festgestellt werden, daß von Geburt an die Knaben durchschnittlich hochwüchsiger sind als die Mädchen. Etwa um das 11. Lebensjahr setzt bei diesen eine beschleunigte Körperhöhenzunahme ein, so daß sie dann die Knaben im Durchschnitt in der Längenentwicklung vorübergehend übertreffen. Bei den Knaben findet ein Wachstumsspurt vom 14. Lebensjahr an statt, der dazu führt, daß sich der ursprüngliche Geschlechtsunterschied in der Körpergröße bald wieder einstellt. Außerdem ist – ebenfalls in allen Rassen – zu beobachten, daß im männlichen Geschlecht das Wachstum der Körperhöhe länger andauert als

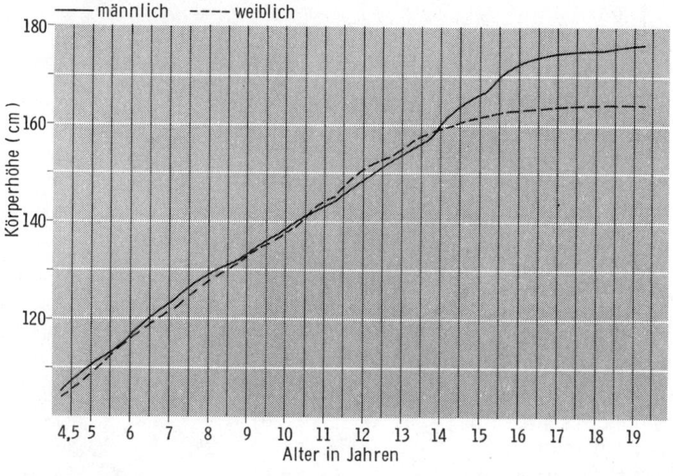

Abb. 43 Zunahme der Körperhöhe vom 4.–19. Lebensjahr (nach Zahlen von Kaufmann u. Mitarb.)

im weiblichen. Bei europäischen Bevölkerungen ist dieses bei Männern um das 20. Lebensjahr abgeschlossen, bei Frauen dagegen schon zwischen dem 17. und 18. Lj. Diese geschlechtsunterschiedlichen Wachstumsabschlüsse, die mit den zeitlichen Unterschieden in Beginn und Ende der sexuellen Reifung bei Knaben und Mädchen zusammenhängen (s. S. 174), führen dazu, daß von der Mitte des 2. Lebensjahrzehnts an der *Sexualdimorphismus* in der Körperhöhe immer stärker hervortritt. Im Erwachsenenalter macht der Unterschied zwischen der durchschnittlichen Körperhöhe von Männern und Frauen ca. 10 cm aus; in Europa betragen die entsprechenden Mittelwerte derzeit 175 cm bzw. 165 cm.

Übermäßiges Längenwachstum in der postnatalen Entwicklung führt zu *Riesenwuchs,* der sowohl durch erbliche Faktoren als auch durch nichterbliche krankhafte Veränderungen im wachstumssteuernden Hormonsystem (s. S. 169) bedingt sein kann (KNUSSMANN 1968 a). Bei erwachsenen Männern spricht man von Riesenwuchs, wenn die Körperhöhe 200 cm überschreitet, bei erwachsenen Frauen bei einer Körperhöhe von mehr als 190 cm. Der größte bisher bekannt gewordene Riese stammt aus Finnland und hatte eine Körperhöhe von 283 cm (v. EICKSTEDT 1944).

Das Gegenstück zum Riesenwuchs ist der *Zwergwuchs,* der ebenfalls sowohl erblicher als auch nichterblicher Art sein kann und vielfach auch mit Proportionsstörungen verbunden ist (KNUSSMANN 1968 a). Zwergwuchs liegt dann vor, wenn bei erwachsenen Männern die Körperhöhe unter 130 cm bleibt, im weiblichen unter 120 cm. Im Gegensatz zum Riesenwuchs tritt Zwergwuchs als populationstypisches Merkmal auf (Zwergwuchsrassen in Afrika und Südostasien – Pygmäen, Buschmänner; Semang, Aëta). Die Hypothesen über die möglichen Ursachen hierfür werden im einzelnen bei v. EICKSTEDT (1944), KNUSSMANN (1968 a) sowie MARTIN u. SALLER (1957–1966) diskutiert.

Von gewissem Interesse ist die Frage, ob man von der Körperhöhe eines Kindes auf die im Erwachsenenalter schließen kann. Methoden hierfür, die selbstverständlich auch die Körperhöhe der Eltern berücksichtigen, wurden u. a. von ROCHE u. Mitarb. (1975) entwickelt. Derartige Vorhersagen sind jedoch nur mit Vorbehalt möglich, zumal ungünstige Veränderungen der äußeren Wachstumsbedingungen während der Entwicklungszeit die volle Ausschöpfung des genetischen Wachstumspotentials u. U. stark einschränken können. Längsschnittuntersuchungen an Kieler Schülern zeigten, daß Kinder, welche im Alter von 7 Jahren extrem hoch- bzw. extrem kleinwüchsig waren, sich auch nach acht Jahren noch in den Extrembereichen befanden. Dagegen konnten zahlreiche Kinder, die zu Beginn der Untersuchung weniger stark in positiver oder negativer Richtung vom Mittelwert abwichen, nach acht Jahren den jeweils entgegengesetzten Abweichungsbereichen zugeordnet werden. Aus untermittelgroßen Kindern sind in diesem Zeitraum also übermittelgroße geworden und umgekehrt (WALTER 1959).

Im Zusammenhang mit der Körperhöhenzunahme findet in der postnatalen Entwicklungsphase auch eine Zunahme der absoluten Längen-, Breiten- und Umfangmaße der verschiedenen Körperteile (Kopf, Hals, Gesicht, Rumpf, Arme, Hände, Beine, Füße usw.) statt. Hierüber liegen außerordentlich zahlreiche Untersuchungen an Kindern und Jugendlichen vieler europäischer und außereuropäischer Länder vor. Es ist nicht möglich, diese hier im einzelnen zu erörtern; ausführliche tabellarische Zusammenstellungen dieser Daten finden sich bei MARTIN u. SALLER (1957–1966) sowie bei SALLER (1964). Hervorgehoben seien jedoch einige allgemeine Merkmale in der Entwicklung absoluter Körpermaße: 1. Alle diese Maße sind in der Regel positiv mit der Körperhöhe korreliert, d.h. je stärker deren Zunahme im Verlauf der postnatalen Entwicklung ist, um so größer sind auch die Zunahmen der Körperteilmaße wie z.B. Beinlänge oder Armlänge. 2. Im allgemeinen sind alle Körpermaße im männlichen Geschlecht größer als im weiblichen; es liegt also ein Sexualdimorphismus vor. 3. Wie bei der Körperhöhe hält auch das Wachstum der Körperteilmaße im männlichen Geschlecht länger an als im weiblichen, so daß die primär bereits vorhandenen Geschlechtsunterschiede von der Mitte des zweiten Lebensjahrzehnts an immer ausgeprägter werden, der Sexualdimorphismus wird mit zunehmendem Alter somit immer größer.

Noch wichtiger für die allmähliche Herausdifferenzierung der Erwachsenengestalt ist die Tatsache des unterschiedlich schnellen Wachstums der verschiedenen Körperteilmaße, wodurch es zu deutlichen *Proportionsveränderungen* des Körpers kommt (s. auch S. 129). Auch hierüber liegt ein außerordentlich umfangreiches Beobachtungsmaterial aus allen Rassen vor, das bei MARTIN u. SALLER (1957–1966) in zahlreichen Tabellen niedergelegt ist. Die am stärksten auffallenden Veränderungen betreffen das abnehmende Verhältnis von Kopfhöhe zur gesamten Körperhöhe sowie die relative Zunahme der Extremitätenlänge, vor allem der Beine (Abb. 38). Auf die Veränderungen in der Relation von Schulterbreite zur Hüftbreite wurde bereits hingewiesen (s. S. 129).

Neben den hier beschriebenen Proportionsänderungen sind auch solche im Bereich von *Händen* und *Füßen* zu beobachten, welche im Entwicklungsverlauf relativ schmaler werden. Deutliche Veränderungen lassen ebenfalls die Proportionsverhältnisse des *Kopfes* erkennen (WALTER 1968). So kann man bezüglich der Kopfformveränderung drei Hauptperioden unterscheiden, die sich u. a. in der Änderung des sog. *Längen-Breiten-Index* $= \frac{\text{Kopfbreite} \times 100}{\text{Kopflänge}}$ äußern. Die erste Periode reicht von der Geburt bis zum 6. Lebensmonat und ist durch eine ausgeprägte Kurzköpfigkeit gekennzeichnet. Die zweite Periode reicht vom 6. bis zum 18. Lebensmonat und läßt eine Verschmälerung des Kopfes erkennen. Die dritte Periode schließlich umfaßt die Zeit vom 18. Lebensmonat bis zum 20. Lebensjahr und ist durch die sich zwar fortsetzende, jedoch immer langsamer werdende Verschmälerung der Kopfform charakterisiert (DOKLADAL 1959). Allerdings sind bei diesem Änderungsprozeß beträchtliche individuelle und rassische Unterschiede zu beobachten, die teilweise genetisch bedingt sind. In welchem Ausmaß sich die Gesichtsproportionen ändern können, zeigt Abb. 42. Hingewiesen sei noch darauf, daß sich im Verlauf der postnatalen Entwicklung sowohl im männlichen als auch im weiblichen Geschlecht das Verhältnis von Gesichtsschädel zu Gehirnschädel insofern ändert, als letzterer einen immer größeren Anteil am Gesamtschädel ausmacht.

5.3.2. Körperbautypen

Im Zusammenhang mit den postnatalen Proportionsveränderungen des Körpers ist auch die Herausbildung der verschiedenen Körperbau- oder Konstitutionstypen zu sehen, die nach Abschluß des zweiten Gestaltwandels in beiden Geschlechtern immer deutlicher in Erscheinung treten. Versuche, die individuelle Variabilität der Körperbauformen typologisch zu ordnen, reichen weit zurück. So unterschied schon Hippokrates einen schlankwüchsigen »Habitus phthisicus« und einen rundwüchsigen »Habitus apoplecticus«. Diese beiden Haupttypen ziehen sich durch alle Körperbautypologien, die je aufgestellt worden sind: ein schlanker, *leptosomer* (KRETSCHMER) oder *leptomorpher* (CONRAD) Typ und ein rundlicher, *pyknischer* oder *pyknomorpher* Typ. Die wichtigsten Merkmale dieser beiden Typen gehen aus Tab. 15 hervor. KRETSCHMER (1961) hat außerdem noch einen dritten Körperbautypen unterschieden, den sog. *Athletiker*. Dieser ist nach ihm durch kräftige Entwicklung des Skeletts und der Muskulatur, also des gesamten Bewegungsapparates, gekennzeichnet. Er ist ferner relativ breitschultrig und schmalhüftig, hat einen groben Knochenbau und ein ausgeprägtes Muskelrelief. Nach neueren Untersuchungen wird die Existenz eines eigenständigen Athletikertypen jedoch bestritten (KNUSSMANN 1968b).

Tabelle 15 Kennzeichnung der Körperbau-Grundtypen (nach Knussmann 1968 b)

	Leptomorph	Pyknomorph
Gesamthabitus	sehnig-schlank	rundlich (-fett)
Rumpf	flacher, hoher Brustkorb, spitzer unterer Rippenwinkel	gewölbter (tiefer), niedriger Brustkorb, stumpfer unterer Rippenwinkel
Extremitäten	lang, dünn; schmale Hände und Füße	kurz, weich abgerundet; breite Hände und Füße
Hals	lang, dünn	kurz, massig
Kopf	relativ klein; schmales, nicht gerötetes Gesicht mit markantem Relief und vorspringender Profillinie; starke Neigung der Unterkieferbasis	relativ groß; breites, gerötetes Gesicht mit weich-plastischem Relief und schwacher Profillinie; geringe Neigung der Unterkieferbasis
Haut und Haar	trockene, rauhe Haut; derbes, dichtes Kopfhaar	talgige, weiche Haut; zartes, relativ lichtes Kopfhaar

Conrad (1963) sieht in den beiden Hauptkörperbautypen – Leptomorphe und Pyknomorphe – Pole einer Variationsreihe typologischer *Primärvarianten,* in die sich alle Individuen einordnen lassen. Zwar findet sich nur selten eine klare Ausbildung eines dieser beiden Typen, aber jeder Mensch neigt in seiner körperbaulichen Beschaffenheit doch mehr oder weniger deutlich einem von ihnen zu. Diesen Primärvarianten werden als *Sekundärvarianten* der *asthenische* und *athletische* Habitus gegenübergestellt, ebenfalls als Pole einer Variationsreihe. Die menschlichen Körperbautypen werden also auf zwei Variationsreihen zurückgeführt, die bei jedem Individuum in bestimmter Weise kombiniert sind. So findet sich in jeder Bevölkerung ein vielfältiges Spektrum von Körperbauformen. Conrad (1963) nimmt an, daß die Pyknomorphen wegen ihrer charakteristischen Merkmalskombination (Tab. 15) einem ontogenetisch früheren Entwicklungsstadium entsprechen, die Leptomorphen einem späteren. Die Ursachen hierfür werden in Unterschieden von Entwicklungstempo und -abschluß beider Wuchsformen gesehen.

Von erheblicher wissenschaftlicher Bedeutung hat sich die im angelsächsischen Raum entwickelte Körperbautypologie erwiesen (Sheldon 1940, 1942). Diese unterscheidet drei Haupttypen: einen *ektomorphen (schlankwüchsigen),* einen *mesomorphen* (mittelwüchsigen) und einen *endomorphen* (breitwüchsigen) Typ (Abb. 44). Mit Hilfe bestimmter Methoden kann für jeden Menschen genau ermittelt werden, welchem Typ er zugeordnet werden kann.

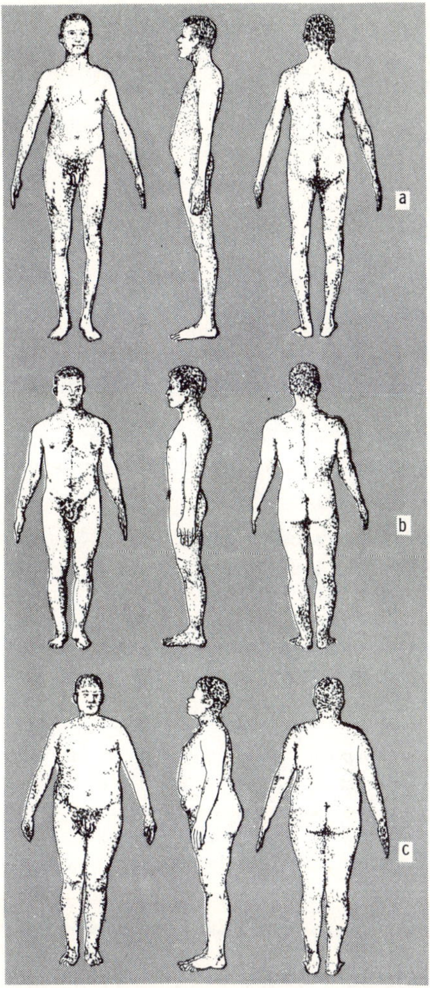

Abb. 44 a–c Körperbautypen nach Sheldon. a) Ektomorphie, b) Mesomorphie, c) Endomorphie (aus SCHWIDETZKY, I., in Handbuch der Biologie, Bd. 9, hrsg. von L. v. Bertalanffy u. F. Gessner. Akademische Verlagsgesellschaft Athenaion. Konstanz 1965)

Unter Einbeziehung moderner mathematisch-statistischer Verfahren ist in den letzten Jahren wiederholt versucht worden, die körperbautypologische Variabilität bei Kindern, Jugendlichen und Erwachsenen exakt zu analysieren und unter Ausschluß aller subjektiven Beurteilungsfaktoren zu erfassen (KNUSSMANN 1961, 1968b, LINDEGAARD u. NYMAN 1956, SCHICK 1953, v. ZERSSEN 1964). Diese Untersuchungen haben die älteren Annahmen bezüglich der Existenz und zeitlichen Konstanz von Körperbautypen bestätigen können. Allerdings wird auf die großen Schwierigkeiten einer genauen Körperbaudiagnose bei Heranwachsenden hingewiesen.

Offen blieb bisher die Frage, ob wirklich den verschiedenen Körperbautypen unterschiedliche psychische Verhaltensweisen zugeordnet werden können, wie das von CONRAD (1963), KRETSCHMER (1961) und auch SHELDON (1940, 1942) angenommen worden ist. Dagegen dürfte die Beziehung zwischen Körperbau und bestimmten *Geisteskrankheiten* (Schizophrene sind überwiegend leptosom, Manisch-Depressive vorwiegend pyknisch) als gesichert gelten, wenn auch die möglichen Ursachen für diese Zusammenhänge noch unbekannt sind.

Von praktischem Interesse sind die schon länger bekannten (BACH 1930), neuerdings insbesondere von EIBEN (1972) eingehend untersuchten Beziehungen zwischen Körperbautyp bzw. Körperproportionierung und der Eignung für bestimmte Sportarten. So sind schlankwüchsige, langbeinige Männer und Frauen besonders häufig unter erfolgreichen Läufern anzutreffen, Männer und Frauen mit starker Ausprägung von Schultergürtel sowie Arm- und Schultermuskulatur unter Wurfsportlern und solche mit relativ kurzem Rumpf, aber langen Beinen unter erfolgreichen Hochspringern. Die Kenntnisse derartiger Beziehungen sind insofern für den Leistungssport von Bedeutung, als man bei der Nachwuchsförderung entsprechende Vorauswahlen treffen kann. Nähere Angaben hierzu sowie zahlreiche einschlägige Literaturhinweise finden sich bei EIBEN (1972) und GRIMM (1966).

5.3.3. Die Skelettentwicklung

Die Zunahme der Körperhöhe sowie auch die Veränderung der Körperproportionen im Verlauf der postnatalen Entwicklung ist eng mit den Wachstumsprozessen des Skeletts verbunden, insbesondere mit dem Wachstum der Längsknochen von Beinen und Armen. Verständlicherweise liegen hierüber allerdings nicht so umfangreiche Untersuchungsergebnisse vor wie für die Veränderung der äußerlich festzustellenden Maßmerkmale.

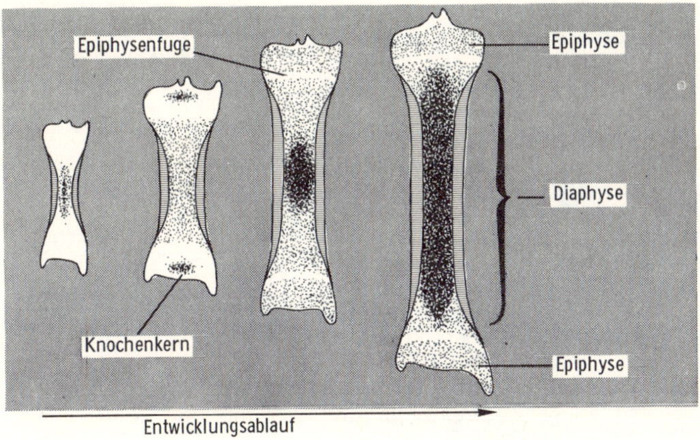

punktiert : innerhalb des Knorpels entstehendes Knochengewebe
schraffiert : außerhalb des Knorpels entstehendes Knochengewebe
weiß : Knorpel
schwarz : Markhöhle

Abb. 45 Ossifikation der Längsknochen (nach Corning)

Die verschiedenen, in der frühen Pränatalphase angelegten Knochen des Skeletts (s. Tab. 8) sind zunächst knorpelig. Teilweise bereits vor der Geburt, überwiegend aber erst danach treten die sog. *Knochenkerne* auf, von denen die *Ossifikation* (Verknöcherung) ausgeht. Hierunter versteht man die zunehmende Anreicherung des Knochengewebes mit *Kalksalzen,* welche dem reifen Knochen seine Festigkeit verleihen. Das Auftreten dieser Knochenkerne erfolgt nicht bei allen Knochen gleichzeitig, sondern ist zeitverschieden. Es wurde bereits darauf hingewiesen, daß man diesen röntgenologisch erfaßbaren Vorgang zur Bestimmung des biologischen Alters eines Menschen heranziehen kann (s. S. 127).

Bei den Langknochen spielt sich das eigentliche Längenwachstum in den *Epiphysenfugen* ab, den knorpeligen Zonen zwischen Knochenschaft und Knochenende (Abb. 45). Solange diese Fugen vorhanden sind, können die Knochen in die Länge wachsen. Dadurch nimmt sowohl die Länge der Extremitäten (einschließlich ihrer Hand- und Fußabschnitte) als letztlich ebenfalls die Gesamtkörperlänge zu. In bestimmten Zeiten der postnatalen Entwicklung verknöchern auch die Epiphysenfugen und das Längswachstum hört auf. Dabei liegen zwischen den einzelnen Epiphysenfugen der oberen und unteren Extremitäten zeitliche Unterschiede vor. Darüber hinaus bestehen im

Tabelle 16 Durchschnittliches Alter des Verstreichens der Epiphysenfugen an den Längsknochen (nach Paterson)

Knochen	Epiphysenfuge	männlich (Jahre)	weiblich (Jahre)
Humerus (Oberarm)	obere Ep.fuge	21	18
	untere Ep.fuge	19	14–15
Radius (Speiche)	obere Ep.fuge	18–19	14–15
	untere Ep.fuge	21	19–20
Ulna (Elle)	untere Ep.fuge	21	19–20
Femur	obere Ep.fuge	18	17
(Oberschenkel)	untere Ep.fuge	18	16–17
	Trochanter major	18	16–17
Tibia (Schienbein)	obere Ep.fuge	18–19	16–17
	untere Ep.fuge	18	16
Fibula (Wadenbein)	obere Ep.fuge	18	16
	untere Ep.fuge	18	16

Tempo der Ossifikation auch Geschlechtsunterschiede (Tab. 16). Für die Verknöcherungsvorgänge am Skelett gilt allgemein, daß diese im weiblichen Geschlecht im Durchschnitt 2–3 Jahre eher abgeschlossen sind als im männlichen.

Die einzelnen Knochen des *Hirnschädels* sind bei der Geburt noch nicht fest miteinander verbunden, sondern durch die sog. *Fontanellen* (breite, membranausgefüllte Lücken) getrennt (Abb. 46a). Diese schließen sich im Verlauf der ersten Lebensjahre. Die Verbindung der Schädelknochen geschieht dann durch bindegewebige *Nähte* (Abb. 46b), welche in bestimmter Reihenfolge verknöchern. Dieser Prozeß ist erst im hohen Alter (nach dem 75. Lebensjahr) völlig abgeschlossen; bei Greisenschädeln sind diese Nähte in der Regel gar nicht mehr zu sehen.

Die am Skelett und insbesondere am Schädel sowie an den Langknochen stattfindenden Veränderungen im Verlauf des Lebens bieten die Möglichkeit, bei Skelettfunden auf das Todesalter zu schließen. Das ist einmal für die Gerichtsmedizin von Bedeutung, zum anderen aber auch für die Anthropologie. Diese kann durch entsprechende *Altersbestimmungen an Skelettserien* wichtige Aussagen über die Alterszusammensetzung und Lebenserwartung in prä- und frühhistorischen Bevölkerungen machen. Methodische Einzelheiten und Ergebnisse solcher Untersuchungen finden sich bei Acsadi u. Nemeskeri (1970), Breul (1974) und Schwidetzky (1971). – Erwähnt sei in diesem Zusammenhang noch, daß infolge der an Erwachsenenskeletten z.T. deutlich ausgeprägten *Geschlechtsunterschiede* (Schädel, Becken) auch Aussagen über die Sexualproportionen in solchen Bevölkerungen möglich sind.

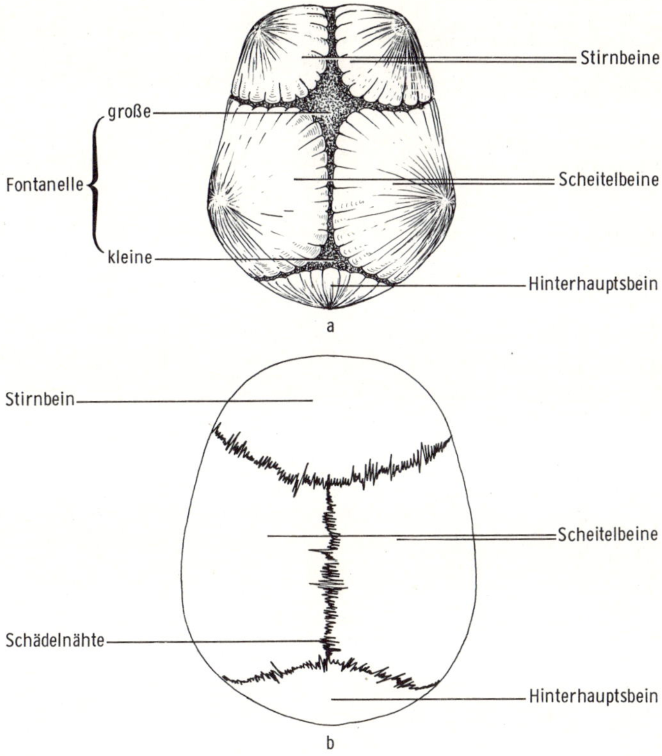

Abb. 46a u. b Schädelnähte und -knochen in verschiedenen Entwicklungsphasen. a) Neugeborener, b) Erwachsener

5.3.4. Körpergewicht

Wie die Körperhöhe läßt auch das Körpergewicht eine charakteristische postnatale Entwicklungskurve erkennen (Abb. 47). Es beträgt bei der Geburt ca. 3400 g (wobei Knaben in der Regel etwas schwerer sind als Mädchen) und nimmt während der ersten 4–5 Lebenstage zunächst ab, und zwar um 6–8%. Diese Gewichtsabnahme beruht im wesentlichen auf einem Wasserverlust; sie ist in der Regel etwa zwei Wochen nach der Geburt wieder ausgeglichen.

Bis zum 9. Lebensjahr ist das durchschnittliche Körpergewicht im männlichen Geschlecht größer als im weiblichen. Dann gleicht sich dieser Geschlechtsunterschied vorübergehend aus. Zwischen dem 11.

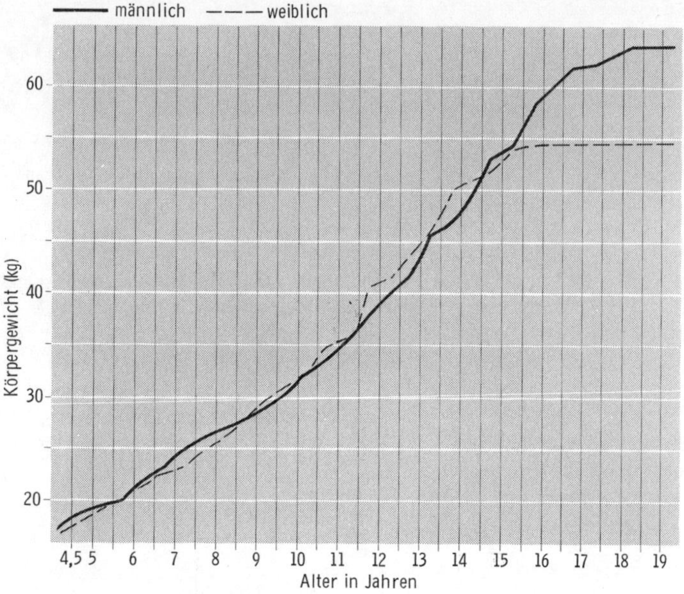

Abb. 47 Zunahme des Körpergewichts vom 4.–19. Lebensjahr (nach Zahlen von Kaufmann u. Mitarb.)

und 12. Lebensjahr setzt bei Mädchen im Vergleich zu Knaben eine beschleunigte Gewichtszunahme ein, die dazu führt, daß bis zum 13.–14. Lebensjahr Mädchen durchschnittlich schwerer sind als Knaben. Bei diesen beginnt ein verstärktes Gewichtswachstum um das 12.–13. Lebensjahr. Während im weiblichen Geschlecht die Gewichtszunahme nach dem 15.–16. Lebensjahr nur noch gering ist, hält sie im männlichen bis zum 18.–19. Lebensjahr an. Auch in bezug auf das Körpergewicht bildet sich somit ein immer stärkerer Sexualdimorphismus aus. Im Gegensatz zur Körperhöhe und anderen Körpermaßen zeigt das Körpergewicht auch im Erwachsenenalter teilweise noch starke Veränderungen, meistens im Sinne einer Zunahme (s. S. 219).

In der gesamten postnatalen Entwicklungsphase besteht ein enger positiver Zusammenhang zwischen dem Körperhöhen- und Körpergewichtswachstum. Je größer ein heranwachsendes Kind ist, um so schwerer ist es im allgemeinen auch und umgekehrt. Gegen Ende der Wachstumsphase lockert sich dieser Zusammenhang allerdings. Zur Abschätzung dieser Beziehung zwischen Körperhöhe und -gewicht ist

ein einfach zu bestimmender Index aufgestellt worden, der sog. Rohrer-Index. Dieser ergibt sich aus dem Quotienten $\frac{\text{Körpergewicht}}{\text{Körperhöhe}^3}$.
Je größer dieser Index, um so größer ist die *Körperfülle,* also das Körpergewicht im Verhältnis zur Körperhöhe. Bei der Geburt liegt dieser Index bei 2,4. Er fällt bis zum 6.–7. Lebensjahr auf ca. 1,2 ab und steigt dann langsam wieder auf 1,4 (gegen Ende der Wachstumsphase) an. Die Erwachsenenwerte dieses Index hängen stark von der Gewichtsentwicklung ab.

Eine große Schwierigkeit für die Beurteilung des Körpergewichts ergibt sich daraus, daß es sich aus verschiedenen Komponenten – Knochen, Muskeln, Fett, Wassergehalt – zusammensetzt, die bei Gewichtsmessungen nicht voneinander getrennt werden können. Allerdings kommt nach Untersuchungen an Sektionsmaterial (Leichenöffnungen zur Feststellung der Todesursache) dem größtenteil subkutan (unter der Haut) gelagerten Fettanteil eine besondere Bedeutung zu. Seine übermäßige Steigerung konnte als Hauptursache für ein überdurchschnittliches Körpergewicht erkannt werden.

Das *Körperfett* wird in besonderen Zellen, den *weißen Fettzellen,* gespeichert. Diese werden im ersten Lebensjahr angelegt und bleiben zahlenmäßig im Verlauf des weiteren Lebens konstant. Dabei liegt ein enger Zusammenhang mit den Ernährungsverhältnissen insofern vor, als um so mehr Fettzellen gebildet werden, je reichhaltiger das Nahrungsangebot ist. Überfütterung im Säuglingsalter ist somit in vielen Fällen die eigentliche Ursache für Übergewichtigkeit im späteren Leben, da durch Diätmaßnahmen eine Verminderung der Fettzellenzahl nicht mehr herbeigeführt werden kann (Craddock 1973, Rakow 1974). Nach Untersuchungen von Salans u. Mitarb. (1968) in den USA hatten 12 Monate alte, übergewichtige Säuglinge wesentlich mehr Fettzellen als gleichalte normalgewichtige und behielten diese erhöhten Fettzellzahlen trotz intensiver diätischer Maßnahmen bis ins Erwachsenenalter. Die vor allem in Europa und Nordamerika zu beobachtende Zunahme der Übergewichtigkeit (s. S. 219) ist nicht nur durch übermäßige Zufuhr fettbildender kalorienreicher Nahrung bedingt, sondern geht auch auf Ernährungsfehler in den ersten Lebensmonaten zurück.

5.3.5. Gehirn und innere Organe

Über das Wachstum von Gehirn und anderen inneren Organen wie Herz, Leber, Nieren, Hormondrüsen und inneren Geschlechtsorganen liegen erst verhältnismäßig wenige Untersuchungen vor. Das erklärt sich daraus, daß an Lebenden entsprechende Messungen nicht

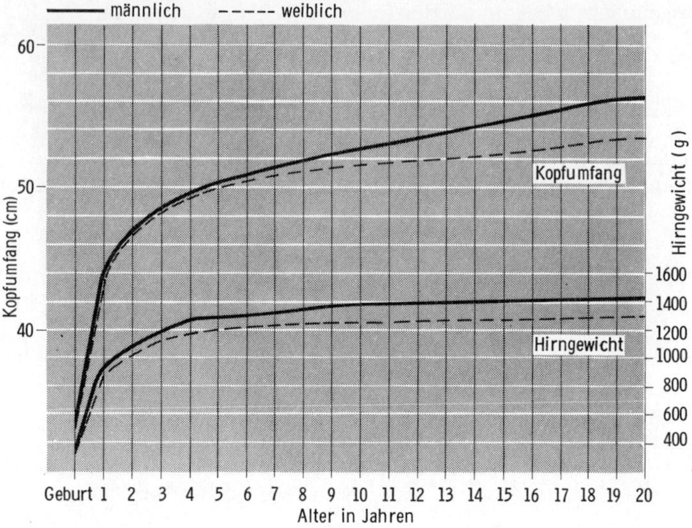

Abb. 48 Zusammenhang der Entwicklung von Kopfumfang und Hirngewicht (aus STOCH, M. B. u. P. M. SMYTHE: Arch. Dis. Childh. 38 [1963] 546)

möglich sind, sondern nur an sezierten Kindern, Jugendlichen und Erwachsenen.

Das *Gehirngewicht* nimmt am stärksten in den ersten beiden Lebensjahren zu (Abb. 48); am Ende des ersten ist das spätere Erwachsenenhirngewicht bereits zu ca. 70% erreicht (STOCH u. SMYTHE 1963). In den folgenden Lebensjahren verlangsamen sich die Zuwachsraten deutlich. Das Endgewicht liegt in beiden Geschlechtern zwischen dem 19.–20. Lebensjahr vor und beträgt bei Männern im Durchschnitt ca. 1400 g, bei Frauen ca. 1300 g (MARTIN u. SALLER 1957–1966). Aus diesem Geschlechtsunterschied kann allerdings nicht auf eine durchschnittlich geringere Intelligenz des weiblichen Geschlechts geschlossen werden, da diese – abgesehen von pathologisch hohen (über 1800 g) oder kleinen (unter 1100 g) Werten – vom Hirngewicht unabhängig ist. Von gewisser diagnostischer Bedeutung ist die Tatsache, daß zwischen den Entwicklungen von Hirngewicht und Kopfumfang ein Zusammenhang besteht (Abb. 48). Aus Kopfumfangwerten, die unter den jeweiligen Altersnormen liegen, kann man daher auf Störungen in der Entwicklung des Hirngewichts und damit auch auf solche seiner Funktionen schließen (STOCH u. SMYTHE 1963). In Ländern mit chronischer Unterernährung der Heranwachsenden konnte in

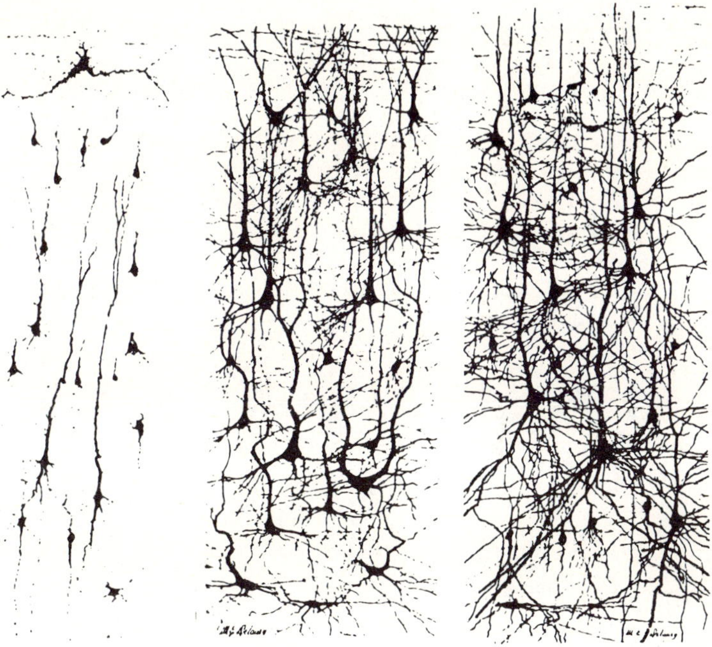

Abb. 49a–c Die zunehmende Komplexität des Dendritennetzwerkes im menschlichen Gehirn. a) bei der Geburt, b) im Alter von 15 Monaten, c) im Alter von 2 Jahren (aus DOBBING, J., in The Biology of Human Fetal Growth. ed. by D. F. Roberts, and A. M. Thomson. Tylor & Francis, London 1976)

Verbindung mit deutlich geringeren Kopfumfängen u.a. auch ein deutliches Defizit in der Intelligenzentwicklung festgestellt werden (s.S. 195).

Mit der Gewichtszunahme des Gehirns eng korreliert ist die Vermehrung und Differenzierung der verschiedenen Hirnzellen. Insbesondere nimmt – ebenfalls in den beiden ersten Lebensjahren – die Zahl der *Dendriten* (Fortsätze der Nervenzellen) und *Synapsen* (Verbindungen zwischen den Nervenzellen) immer stärker zu, so daß sich ein engmaschiges Netzwerk dieser Strukturelemente in der Hirnrinde entwickelt (Abb. 49). Dieser Prozeß ist am Ende des zweiten Lebensjahres weitgehend abgeschlossen (DOBBING 1976). Aufgrund zahlreicher Untersuchungen ist bekannt, daß das Gehirn in dieser Entwicklungsphase außerordentlich empfindlich ist und u. a. ein ausreichendes Eiweißan-

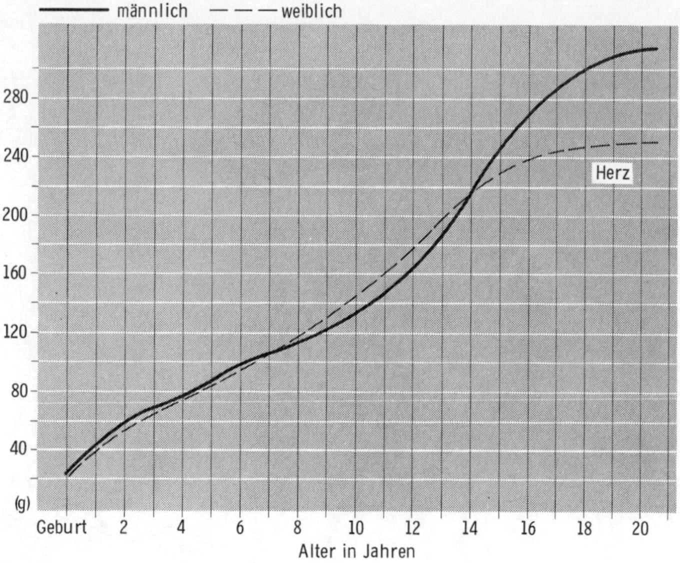

Abb. 50 Gewichtswachstum des Herzens (nach Zahlen aus Documenta Geigy)

gebot für den normalen Ablauf der zellulären Differenzierungsprozesse benötigt. Defizite in der Eiweißversorgung können zu irreparablen Zuständen führen, da nach Abschluß dieser Prozesse keine Möglichkeit mehr besteht, Hirngewebe zu bilden.

Wie das Gehirn, so nehmen auch alle anderen inneren Organe im Verlauf der postnatalen Entwicklung an Größe zu. Die Abb. 50–52 veranschaulichen das am Beispiel der Gewichtszunahme von *Herz, Nieren, Milz, Leber* und *Lunge.* Dabei zeigt sich zunächst, daß diese Zunahmen nicht gleichmäßig erfolgen, sondern deutliche Wachstumsschübe zu bestimmten Zeiten vorhanden sind. Weiterhin ist zu erkennen, daß das Wachstumstempo dieser Organe in den beiden Geschlechtern verschieden ist. Bis zum 6.–7. Lebensjahr sind die Gewichtszuwachsraten bei Knaben im Durchschnitt stärker als bei Mädchen, die Organgewichte sind bei ersteren also größer. Vom 6.–7. Lebensjahr bis zum 14.–15. (Herz, Milz, Lungen), 15.–16. (Nieren) bzw. 16.–17. (Leber) lassen die Mädchen die größeren Organgewichte erkennen. Bei den Knaben setzen die zweiten Wachstumsschübe jeweils später ein. Überdies hält das Wachstum der genannten Organe bei ihnen länger an, so daß sich von der Pubertät ab in immer stärkerem Maße auch be-

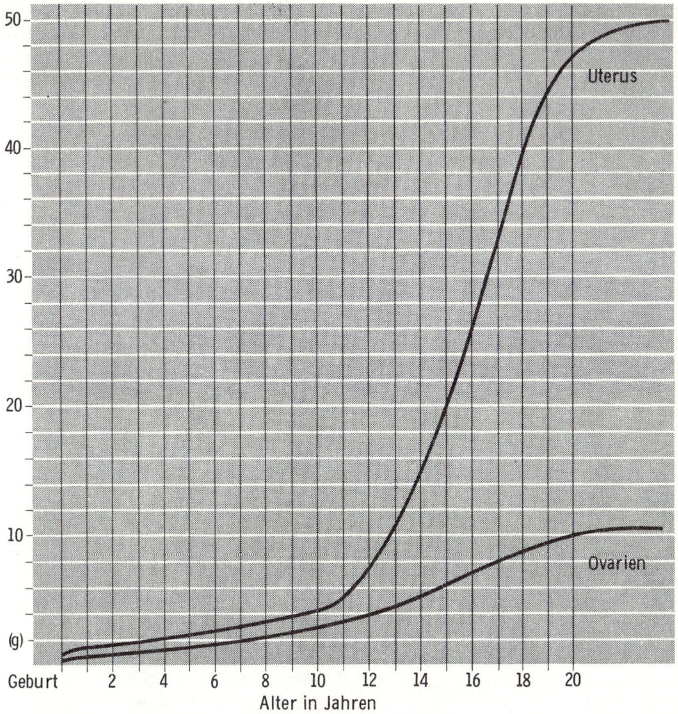

Abb. 54 Gewichtswachstum von Uterus und Ovarien (nach Zahlen aus Documenta Geigy)

mende Wirksamkeit hormoneller Einflüsse, die ihrerseits an die morphologische Entwicklung der hormonbildenden Organe gebunden sind (s. S. 168).

5.3.6. Augen- und Haarfarbe

Die *Augenfarbe,* welche vor allem durch die Einlagerung von Pigment (brauner Farbstoff) in die Iris (Regenbogenhaut) bedingt ist, läßt sowohl eine *Geschlechts-* als auch eine *Altersvariabilität* erkennen. Das ist jedoch nur in Bevölkerungen mit verschiedenen Augenfarben nachzuweisen, etwa mittel- und nordeuropäischen. In diesen zeigen Frauen häufiger als Männer stärker pigmentierte Augen. Das wird mit der Annahme X-Chromosomgebundener Erbfaktoren für die Augenfarbe erklärt. Bei Geburt besitzen die meisten Kinder europider Rassenzugehörigkeit »blaue« Augen. Bis zur Pubertät findet ein allmähliches Nachdunkeln statt, sofern ein Kind von einem oder beiden Eltern die entsprechenden genetischen Informationen geerbt hat. Ausführlich sind die Altersveränderungen der Augenfarbe von Böshaar (1954) beschrieben worden. Bezüglich der komplizierten Vererbungsweise sei auf Oepen (1969) verwiesen.

Auch für die *Haarfarbe* werden Geschlechtsunterschiede angenommen. So ist nach Jürgens (1968) und Ziegelmayer (1958) bei Frauen sowohl der Anteil Dunkelhaariger als auch Rothaariger größer. Für beide Geschlechter ist erwiesen, daß die Haarfarbe während der postnatalen Entwicklung deutlichen Veränderungen unterliegt. Unabhängig von der Haarfarbe der Eltern sind die Kinder bei der Geburt vielfach dunkelhaarig. Sie hellen danach auf und dunkeln später wieder nach, sofern die entsprechenden genetischen Informationen vorhanden sind (zur Vererbung der Haarfarbe s. Jürgens 1968). Es wird vermutet, daß die dunkle Haarfarbe der Neugeborenen auf mütterlichen Hormoneinfluß zurückgeht. Dies ist allerdings noch nicht näher bekannt. Der Prozeß des postnatalen Nachdunkelns der Haarfarbe verläuft nach Längsschnittuntersuchungen von Tillner u. Böshaar (1960) und anderen Autoren in Vor- und Nachpubertät gleichmäßig, steht also nicht in engerem Zusammenhang mit der geschlechtlichen Reifung. Bei dunkelhaarigen, weniger bei blonden Menschen, ist in der Regel mit steigendem Lebensalter ein *Ergrauen* oder gar *Weißwerden* des Kopfhaares (bei Männern auch des Barthaares) zu beobachten, was auf einer Pigmentabnahme beruht. Nach Jürgens (1968) spielen hierbei genetische Faktoren eine Rolle, wobei »aber die die Manifestation des Ergrauens auslösenden Faktoren oft im pathologischen Bereich liegen.« Bisher ungeklärt sind die Beobachtungen, wonach durch psychische Schockerlebnisse ein Ergrauen der Haare in wenigen Tagen eintreten kann.

In der Vaterschaftsbegutachtung spielt die Kenntnis der Altersvariabilität von Augen- und vor allem Haarfarbe eine wichtige Rolle (s. S. 214).

5.3.7. Dentition

Im Verlauf der postnatalen Entwicklung bildet sich in bestimmten zeitlichen Abständen die Dentition (Bezahnung) heraus. Dabei muß zwischen dem vorübergehenden Milchgebiß und dem Dauergebiß unterschieden werden.

Die Anlagen für die *Milchzähne* entstehen in der 6. Entwicklungswoche, und zwar je 10 im Ober- und Unterkiefer. Ganz selten sind sie bei

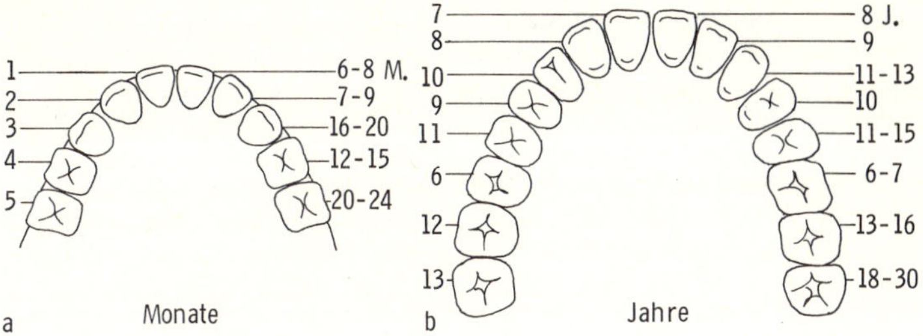

Abb. 55a u. b Schema des Zahndurchbruches bei Europäern. a) Milchgebiß, b) Dauergebiß (nach v. Eickstedt)

der Geburt schon so weit entwickelt, daß sie zum Durchbruch gekommen sind und ein Kind also bereits mit Zähnen geboren wird. Wenn das der Fall ist, handelt es sich zumeist um die beiden mittleren Schneidezähne des Unterkiefers. In der Regel brechen die Milchzähne aber erst nach der Geburt durch. Die dabei vorhandene Reihenfolge ergibt sich aus Abb. 55a. Das komplette Milchgebiß besteht aus acht Schneidezähnen (Incisivi), vier Eckzähnen (Canini) und acht Backenzähnen (Molaren).

Die Anlagen für die *Dauerzähne* bilden sich im 3. Entwicklungsmonat und bleiben bis etwa zum 6. Lebensjahr im Kiefer liegen. Sie beginnen dann zu wachsen und brechen in bestimmter Reihenfolge durch (Abb. 55b). Dabei werden gleichzeitig die Wurzeln der Milchzähne abgebaut. Das komplette Dauergebiß umfaßt 32 Zähne: acht Schneidezähne, vier Eckzähne, acht Vormahlzähne (Prämolaren) und zwölf Backenzähne. Allerdings ist zu beobachten, daß die vier hintersten Backenzähne (Weisheitszähne) bei vielen Menschen gar nicht mehr zum Durchbruch kommen bzw. überhaupt nicht angelegt sind. Diese Reduktion der Zahnzahl hat im Verlauf der menschlichen Stammesgeschichte zugenommen und ist außerdem mit einer Verkleinerung der Zähne verbunden. Von anthropologischem Interesse sind die erblich bedingten individuellen und rassischen Variationen in Zahnform und -größe (v. Eickstedt 1944, Martin u. Saller 1957–1966, Schulze 1964). Darüber hinaus können Zahnabnutzungsgrad und der Verlust von Dauerzähnen dem Anthropologen wichtige Aufschlüsse über Altersstruktur und Lebensumstände (z. B. Zusammensetzung und Art der Ernährung in prä- und frühhistorischen Bevölkerungen) geben (Brothwell 1963, Martin u. Saller 1957–1966).

In der Gegenwart sind bei allen hochzivilisierten Bevölkerungen Zahnkrankheiten weit verbreitet, insbesondere die Zerstörung von

Tabelle 17 Die Zunahme der Zahnkaries in Mitteleuropa (nach Wannemacher)

Jungsteinzeit (2000 v. d. Ztr.) Illyrerzeit (850–600 v. d. Ztr.) Germanenzeit (200–400 n. d. Ztr.) Slawenzeit (900–1200 n. d. Ztr.)	Höchstens bis 4% Kariesbefall bei der Gesamtzahl der untersuchten Zähne; etwa 27% Karieskranke unter den berücksichtigten Individuen dieser Zeiträume
16.–17. Jahrhundert	13% kariöse Zähne 52% karieskranke Individuen
Gegenwart	50–85% kariöse Zähne 90% und mehr karieskranke Individuen

Dauer- und selbst schon Milchzähnen durch die *Karies* (Zahnfäule). Dabei handelt es sich um einen durch Bakterien oder deren Ausscheidungsprodukte bewirkten Abbau des Zahnschmelzes, dessen anorganische Hartsubstanzen aufgelöst und vom Speichel fortgespült werden. Durch diesen Abbauvorgang entstehen mehr oder weniger große Löcher in den Zähnen, durch die weitere Bakterien eindringen und die Zahnzerstörung fortsetzen. Verantwortlich für diesen Prozeß, der unter Umständen schon im frühen Erwachsenenalter zum teilweisen oder auch völligen Verlust des Gebisses führen kann, sind verschiedene Faktoren. Unter ihnen spielen mangelnde Zahnpflege, ungenügende Kautätigkeit und insbesondere die moderne Ernährung mit ihren zahlreichen Feinmehl- und Zuckerprodukten die entscheidende Rolle. Letztere verlangen den Zähnen nur noch wenig Kautätigkeit ab und bleiben daher oft als Speisereste zwischen den Zähnen liegen. Durch ihren Übergang in Gärung unterstützen sie den bakteriellen Vernichtungsprozeß der Zähne.

Die in Europa seit der Jungsteinzeit (vor ca. 5000 Jahren) zu beobachtende Veränderung in Ernährungsweise und -zusammensetzung ist mit einer deutlichen Zunahme der Karieshäufigkeit verbunden (Tab. 17); vgl. hierzu auch SAUERWEIN (1974).

Die Bedeutung der Ernährungsveränderungen für die Karieszunahme zeigt sich schließlich auch an Bevölkerungen, die unter europäischen Einfluß ihre Nahrungszusammensetzung geändert haben. So betrug die Karieshäufigkeit bei grönländischen Eskimos vor der dänischen Kolonisation, als noch überwiegend Fisch und Fischprodukte verzehrt wurden, weniger als 1%. Dagegen zeigen um 1938 die »modern« ernährten Eskimos schon Karieshäufigkeiten bis zu 35% (PEDERSEN 1939). Seither hat diese Häufigkeit noch zugenommen.

5.4. Physiologie der körperlichen Entwicklung

5.4.1. Muskulatur und Motorik

5.4.1.1. Muskulatur

Exakte Messungen über das postnatale Wachstum der Muskulatur liegen bisher nicht vor. Die Gewinnung solcher Daten ist zudem auch aus methodischen Gründen außerordentlich schwierig. Nach GRIMM (1966) könnten sie nur durch die Auswertung von Röntgenaufnahmen etwa des Oberarmes oder Oberschenkels erhalten werden, indem die Muskelschichtbreiten gemessen würden. Derartige Untersuchungen wurden allerdings noch nicht veröffentlicht. Vorläufig kann das Muskelwachstum daher nur indirekt erschlossen werden, z.B. durch Messungen von Arm- und Beinumfängen. Hierüber liegen eine Anzahl von Querschnitt- als auch Längsschnittuntersuchungen vor. Nach TANNER (1962) läßt sich vermuten, daß das Entwicklungsmaximum der Muskulatur mit dem Höhepunkt der Gewichtszunahme zusammenfällt oder sich sogar noch vorher einstellt.

Wesentlich besser sind die Kenntnisse über die postnatale Entwicklung der *Muskelkraft,* die mit einfachen Methoden und Apparaten gemessen werden kann (MARTIN u. SALLER 1957–1966). Abb. 56 zeigt die Veränderung der Greif-, Zug- und Druckkraft bei Knaben und Mädchen im Alter zwischen 11 und 17 Jahren. Dabei werden zwei wichtige Tatsachen deutlich. Mit Ausnahme der Armdruckkraft sind die Knaben in allen Altersklassen den Mädchen durchschnittlich überlegen, was auf eine allgemein stärkere Ausbildung der Muskulatur im männlichen Geschlecht schließen läßt. Weiterhin ist festzustellen, daß die Zunahme der Muskelkraft bei den Mädchen eher aufhört bzw. nur noch langsamer erfolgt als bei den Knaben. Bei diesen ist dagegen zur gleichen Zeit – um das 13. Lebensjahr – ein ausgeprägter Schub der Muskelkraftzunahme zu beobachten. Diese Geschlechtsunterschiede hängen ohne Zweifel damit zusammen, daß im weiblichen Geschlecht infolge der früher einsetzenden sexuellen Reifung das körperliche Wachstum eher verlangsamt wird und aufhört (s. S. 174).

Ein ähnliches Verlaufsbild zeigt auch die Entwicklung der durchschnittlichen *Sportleistung* in beiden Geschlechtern. So sind im Weitsprung (Abb. 57), im Hochsprung, in allen Laufdisziplinen, im Wurfsport und im Schwimmsport die Knaben durchschnittlich den Mädchen überlegen. Diese Unterschiede vergrößern sich von der Pubertät an immer mehr, so daß sich auch im Bereich der auf Muskelkraft basierenden körperlichen und sportlichen Leistungsfähigkeit ein zunehmender Sexualdimorphismus ergibt. Allgemein kann festgestellt werden, daß erwachsene Frauen nur etwa 80% der männlichen Sportlei-

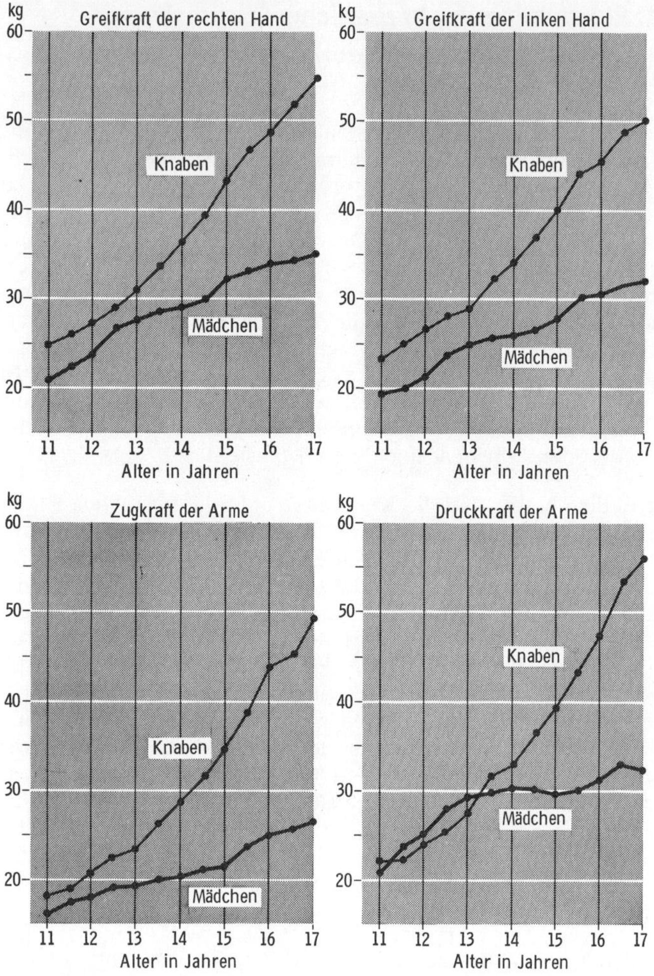

Abb. 56 Die Entwicklung der Greifkraft der Hände sowie der Zug- und Druckkraft der Arme zwischen dem 11.–17. Lebensjahr (aus TANNER, J. M.: Wachstum und Reifung des Menschen. Thieme, Stuttgart 1962)

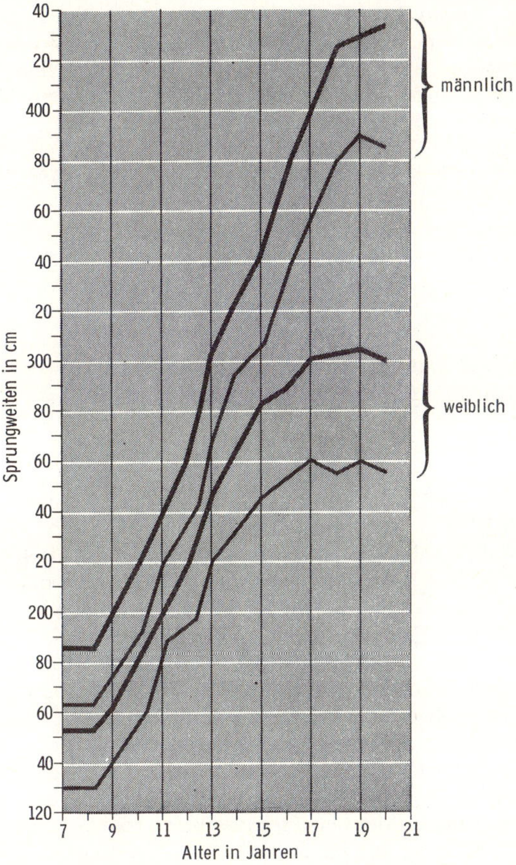

Abb. 57 Durchschnittliche Weitsprungleistungen bulgarischer Kinder und Jugendlicher (nach Mangrof)

stungen erreichen. Im Alter von 12 Jahren liegen diese Leistungen am nächsten beieinander, indem die Mädchen im Durchschnitt 95 % der Knabenleistungen erbringen. Auch bei hochtrainierten Spitzensportlern sind Geschlechtsunterschiede in der körperlichen Leistungsfähigkeit vorhanden, so daß man in ihnen echte, biologisch bedingte Unterschiede sehen kann.

Sowohl für Knaben als auch für Mädchen gilt, daß die körperliche Leistungsfähigkeit in enger Beziehung zum allgemeinen Entwicklungsstand steht, worauf bereits 1960 Hellbrügge u. Mitarb. anhand eingehender Untersuchungen hingewiesen haben. Daraus ergibt sich für den Sportunterricht in den Schulen, daß man bei der Beurteilung von Turn-, Leichtathletik- und ähnlichen Leistungen den körperlichen Entwicklungsstand eines Kindes bzw. Jugendlichen unbedingt berücksichtigen und nicht schematisch nach Leistungsnormen vorgehen sollte, deren Kriterien unter entwicklungsbiologischem Aspekt oft fragwürdig sind. Für Jugendliche im Beruf ergibt sich aus den Untersuchungen von Hellbrügge u. Mitarb. (1960), daß bei ihrem Einsatz in Bereichen, die mit schwerer körperlicher Arbeit verbunden sind, ebenfalls der körperliche Entwicklungsstand zu berücksichtigen ist. Anderenfalls können sich Schäden ergeben, die vielfach erst im späteren Leben zur vollen Auswirkung kommen. Durch geeignete arbeitsrechtliche Maßnahmen ist der noch begrenzten Belastbarkeit des heranwachsenden Organismus Rechnung zu tragen.

5.4.1.2. Motorik

Die Motorik, worunter man die Fähigkeit versteht, aktive Bewegungsvorgänge ökonomisch und koordiniert zu steuern, entwickelt sich in zeitlicher und individueller Variabilität (Hassenstein 1974). Ihre Messung erfolgt mit Hilfe besonderer psychologischer Testverfahren. Während beim Säugling die Bewegungen noch spontan, reflexartig und unkoordiniert ablaufen, können beim Kleinkind bereits willkürliche Einzelbewegungen festgestellt werden. Diese sind zunächst allerdings noch ungeschickt und erfolgen mit übergroßem Kraftaufwand. Nach und nach nehmen die Körperbewegungen an Ökonomie und Koordination zu; im Schulalter sind sie »sparsam und ausgeglichen« (Grimm 1966). Bei Mädchen verläuft der Prozeß der motorischen Entwicklung im allgemeinen schneller ab als bei Knaben. Nicht altersgerechtes motorisches Verhalten eines Kindes kann durch organische Defekte oder auch Schäden der sozialen Umwelt bedingt sein und bedarf rechtzeitiger ärztlicher bzw. psychologischer Behandlung. In der Pubertät ist eine vorübergehende Veränderung in der Motorik festzustellen, indem die Bewegungsabläufe wieder »verzerrt und ungeschickt, womöglich plump und unbeherrscht« werden (Grimm 1966). Im weiblichen Geschlecht stellt sich die dann bis zum Greisenalter bleibende neuerliche Fähigkeit, »Bewegungen ohne übermäßigen Kraftaufwand zweckmäßig zu gestalten« eher ein als im männlichen, und zwar um das 13. Lebensjahr. Männliche Jugendliche bieten nicht selten bis zum 15.–16. Lebensjahr das Bild von »linkischen Jünglingen«, die durch mangelhafte Koordination der Bewegungsabläufe auffallen. Ohne Zweifel hängt diese Verzögerung in der Wiedererlangung der motorischen Kontrolle mit dem späteren Beginn und daher späteren Abschluß der gesamten puberalen Entwicklung bei Knaben zusammen. In beiden Geschlechtern ist der Grad der motorischen Differenzierung eng mit dem Stand der allgemeinen körperlichen Entwicklung korreliert.

5.4.2. Kreislauf und Vitalkapazität

Wie im Vorhergehenden ausgeführt, verändert sich während der postnatalen Entwicklung auch die Größe der inneren Organe, wie z.B. Herz und Lungen. In engem Zusammenhang damit findet eine zunehmende Funktionssteigerung dieser Organe statt.

So nehmen von der Geburt bis zum Erwachsenenalter sowohl *Pulsdruck* als auch *arterieller Blutdruck* (Abb. 58) zu.

Die *Herzschlagfrequenz* pro Minute nimmt dagegen im gleichen Zeitraum ab, und zwar von ca. 105 bei der Geburt auf 60 (Knaben) bzw. 65 (Mädchen) im 18. Lebensjahr (Tanner 1962). Dieser Geschlechtsunterschied beginnt sich vom 9. Lebensjahr an auszuprägen.

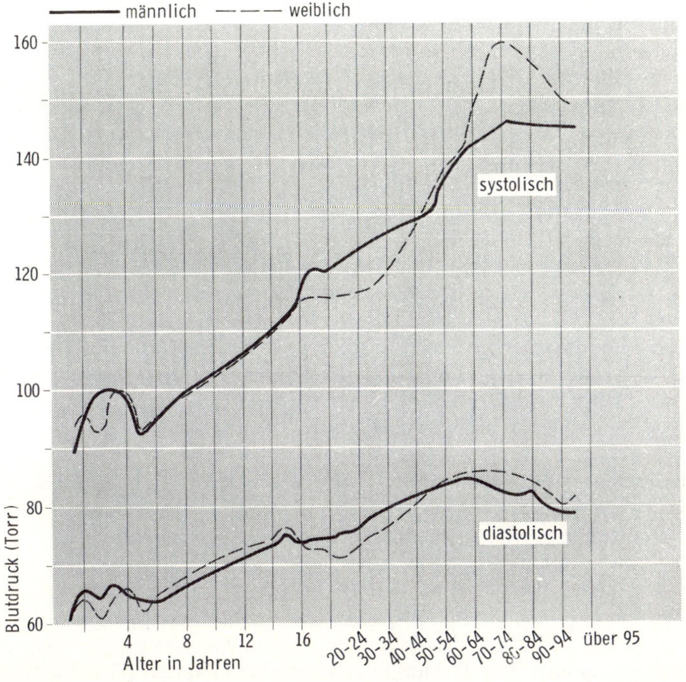

Abb. 58 Altersveränderungen des systolischen und diastolischen Blutdrucks (nach Zahlen aus Documenta Geigy)

Der *systolische Blutdruck* (bedingt durch das Zusammenziehen des Herzmuskels) steigt in beiden Geschlechtern zunächst an und fällt dann bis zum 5. Lebensjahr wieder ab. Anschließend ist ein erneuter Anstieg zu beobachten. Während dieser Anstieg im männlichen Geschlecht bis ins Erwachsenenalter anhält, ist im weiblichen Geschlecht vom 16. Lebensjahr ab ein Konstantbleiben des dann erreichten systolischen Blutdrucks zu beobachten, und zwar bis um das 19.–20. Lebensjahr. Erst von diesem Alter ab steigt er auch im weiblichen Geschlecht weiter an. Über die Veränderungen des systolischen Blutdrucks im Verlauf des weiteren Lebens ist in anderem Zusammenhang einzugehen (s. S. 224). – Auch der *diastolische Blutdruck* (durch die Erweiterung des Herzmuskels bedingt) läßt charakteristische Veränderungen in der postnatalen Entwicklungsphase erkennen (Abb. 58). Er steigt in beiden Geschlechtern vom 5.–6. Lebensjahr an, wobei die jeweiligen Alterswerte bei Mädchen im Durchschnitt etwas höher sind als bei Knaben. Um das 15. Lebensjahr sinken die diastolischen Blutdruckwerte. Während diese Abnahmen bei Mädchen bis zum 19. Lebensjahr andauert, wird sie bei Knaben schon zwischen dem 15. und 17. Lebensjahr von einem erneuten Anstieg des diastolischen Blutdrucks abgelöst. Wie beim systolischen liegt auch beim diastolischen Blutdruck vom ca. 16. Lebensjahr ab ein deutlicher Sexualdimorphismus vor, der durch durchschnittlich höhere Werte im männlichen Geschlecht charakterisiert ist und weit ins Erwachsenenalter reicht. Die zwischen dem 40.–50. Lebensjahr zu beobachtenden Umkehrungen dieser Unterschiede werden später diskutiert (s. S. 225).

Die Ursache des sich postnatal entwickelnden Geschlechtsunterschiedes im arteriellen Blutdruck kann mit darin gesehen werden, daß sich im männlichen Organismus mit der Vergrößerung des Herzens auch ein größeres *Schlagvolumen* ausbildet (Blutmenge, die das Herz bei jeder Zusammenziehung auswirft). Dieses ist durch das allgemein größere Blutvolumen bei Männern (ca. 70 ml pro kg Körpergewicht) im Vergleich zu Frauen (ca. 65 ml/kg) bedingt.

Im Zusammenhang mit der Größenzunahme der Lungen (Abb. 52) nehmen auch deren funktionelle Fähigkeiten zu, was sich u. a. deutlich im Anstieg des *Atemvolumens* (Luftmenge, die bei ruhiger Atmung ein- bzw. ausgeatmet wird) oder der *Vitalkapazität* (das größtmögliche Luftvolumen, welches ein Mensch ein- bzw. ausatmen kann) zeigt. Das Atemvolumen steigt von 17,5 ml bei Säuglingen über 344 ml bzw. 282 ml bei 16jährigen Knaben bzw. Mädchen auf 630 ml bei erwachsenen Männern und 390 ml bei erwachsenen Frauen. Die Veränderung der Vitalkapazität ergibt sich aus Abb. 59. Auch hier zeigen sich Geschlechtsunterschiede, welche sich vom ca. 14. Lebensjahr an inso-

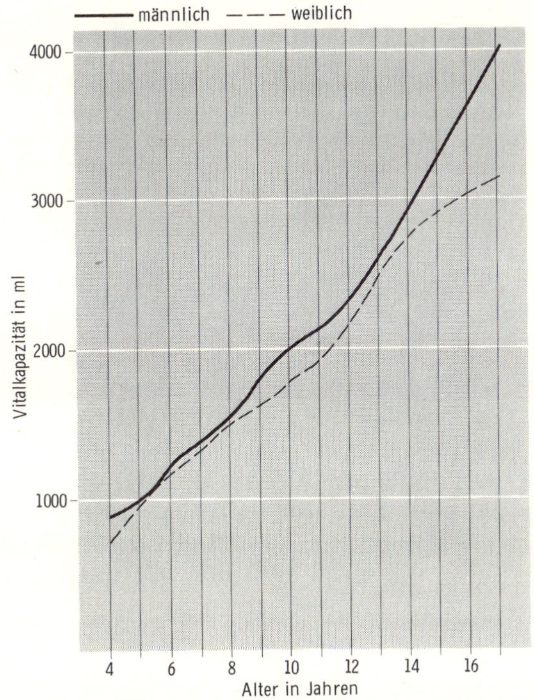

Abb. 59 Altersveränderungen der Vitalkapazität (nach Zahlen aus Documenta Geigy)

fern noch verstärken, als die weitere Zunahme der Vitalkapazität von diesem Alter an im weiblichen Geschlecht deutlich langsamer erfolgt. Es ist offensichtlich, daß diese funktionellen Geschlechtsunterschiede in engem Zusammenhang mit denen in der Größenentwicklung der Lungen zu sehen sind.

5.4.3. Körpertemperatur und Grundumsatz

Die Körpertemperatur nimmt nach den Messungen verschiedener Autoren (Tanner 1962) in beiden Geschlechtern von der Geburt an ab. Sie beträgt bei Knaben wie bei Mädchen im Alter von 4 Jahren im Durchschnitt 37,1° C, im Alter von 12 Jahren nur noch durchschnittlich 36,6° C. Während im männlichen Geschlecht diese Temperaturabnahmen (auf ca. 36,2° C) bis um das 18. Lebensjahr anhält, ist im weiblichen nach dem 12. Lebensjahr kein weiterer Abfall der mittle-

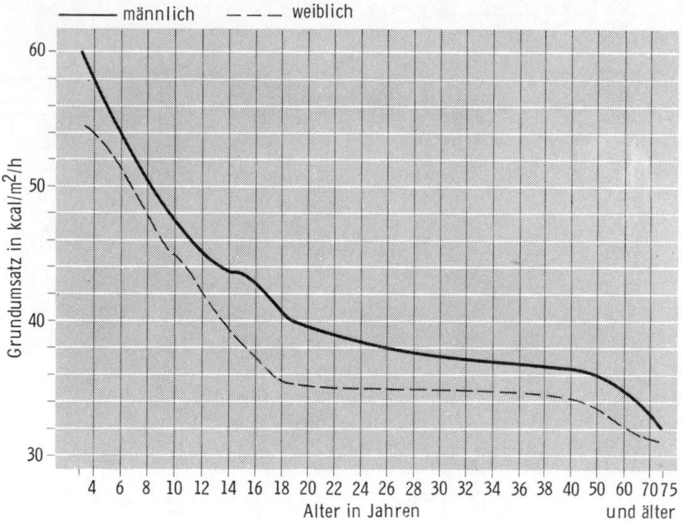

Abb. 60 Altersveränderungen des Grundumsatzes (nach Zahlen aus Documenta Geigy)

ren Körpertemperatur zu beobachten. Die Ursachen dieser postnatalen Veränderungen sind noch unbekannt.

Ausgeprägte Abnahmen während des Lebensverlaufs zeigt auch der *Grundumsatz* (Abb. 60). Hierunter versteht man die mit Wärmebildung einhergehende Energieproduktion des Körpers im absoluten Ruhezustand. In beiden Geschlechtern fallen die Grundumsatzwerte von der Geburt an deutlich ab, wobei allerdings während des gesamten Lebens Männer durchschnittlich höhere Werte aufweisen als Frauen. Am größten sind diese Geschlechtsunterschiede in der Pubertät sowie im frühen Erwachsenenalter. Während bei Knaben der Rückgang der Grundumsatzintensität zwischen dem 13.–15. Lebensjahr eine gewisse Unterbrechung erfährt, ist eine solche bei Mädchen schon zwischen dem 10.–11. Lebensjahr zu erkennen, allerdings in wesentlich schwächerem Ausmaß. Nach Tanner (1962) sind diese Unterbrechungen Ausdruck gesteigerter physiologischer Aktivität bzw. intensiver Vermehrung der Körpergewebe im Zusammenhang mit der puberalen Wachstumssteigerung.

5.4.4. Hämatologische Veränderungen

Bemerkenswert sind die postnatalen Veränderungen in den verschiedenen *Komponenten des Blutes*. Auf die Strukturunterschiede des postnatalen gegenüber dem pränatalen *Hämoglobin* (roter Blutfarbstoff) ist bereits früher hingewiesen worden (s. S. 86). Der *Hämoglobingehalt* im Gesamtblut beträgt bei der Geburt im Durchschnitt 212 g/l. Er fällt bis zum 2. Lebensjahr auf ca. 117 g/l, um dann wieder langsam anzusteigen. Bis zum 10. Lebensjahr liegen keine wesentlichen Geschlechtsunterschiede im Hb-Gehalt vor, der jetzt ca. 130 g/l beträgt. Von diesem Alter ab findet die weitere Hb-Zunahme im weiblichen Geschlecht gegenüber dem männlichen verlangsamt statt. Die Endwerte werden bis zum 20. Lebensjahr erreicht und betragen bei Frauen ca. 139 g/l, bei Männern dagegen 158 g/l.

Die Zahl der *Erythrozyten* (rote Blutkörperchen) ist bei der Geburt mit 5,6 Millionen pro mm^3 am höchsten. Sie sinkt bis zum Ende des 1. Lebensjahres auf etwa 4,6 Millionen ab und steigt danach langsam wieder an. Um das 12. Lebensjahr ist sowohl bei Knaben als auch bei Mädchen ein Wert von ca. 4,8 Millionen erreicht. Dieser bleibt im weiblichen Geschlecht im Verlauf des weiteren Lebens konstant. Im männlichen Geschlecht findet dagegen ein weiterer Anstieg der Erythrozytenzahl bis um das 20. Lebensjahr statt, und zwar auf den nun ebenfalls konstant bleibenden Wert von ca. 5,1 Millionen.

Der durchschnittlich höhere Hämoglobingehalt wie auch die größere Erythrozytenzahl im männlichen Geschlecht kann gewissermaßen als eine funktionelle Adaptation (Anpassung) an die Besonderheiten des männlichen Organismus gesehen werden. Dieser ist im allgemeinen größer und massiger als der weibliche und hat daher einen stärkeren Sauerstoffbedarf, welcher überwiegend von oben genannten physiologischen Merkmalen gedeckt wird.

Eine interessante postnatale Entwicklung läßt die Zahl der *Leukozyten* (weiße Blutkörperchen) – von erheblicher Bedeutung bei der Abwehr von Krankheitserregern – erkennen. Diese beträgt bei der Geburt ca. 18.100 pro mm^3 Blut. Im Verlauf der weiteren Entwicklung fällt die Leukozytenzahl kontinuierlich ab. Um das 20. Lebensjahr ist ein Wert von ca. 7.000 pro mm^3 Blut erreicht, welcher über das gesamte weitere Leben konstant bleibt (sofern nicht durch krankhafte Prozesse vorübergehende oder dauernde Erhöhungen bzw. Verminderungen der Leukozytenzahl bewirkt wird). Im Gegensatz zum Hämoglobingehalt oder zur Erythrozytenzahl ist bezüglich der Leukozytenzahl in keinem Lebensabschnitt ein biologisch bedingter Geschlechtsunterschied zu beobachten.

Infolge der postnatalen Veränderungen in den Erythrozyten- und Leukozytenzahlen ist zu vermuten, daß auch im Verhältnis der zellulären zu den nicht zellulären Bestandteilen (Plasma) des Blutes eine Verschiebung eintritt. In der Tat zeigt auch der *Hämatokritwert,* der dieses Verhältnis wiedergibt, Altersvariationen. Er beträgt bei der Geburt ca. 56,0, d.h. der Anteil der zellulären Bestandteile des Blutes macht etwa 56% aus. Bis zum Beginn des 2. Lebensjahres fällt der Hämatokrit zunächst ab (auf ca. 35,5) und steigt dann wieder an. Dabei bilden sich deutlich Geschlechtsunterschiede heraus. Im Alter von 10–20 Jahren beträgt der Hämatokritwert im männlichen Geschlecht ca. 46,0, im weiblichen ca. 44,0. Während er bei Frauen im Verlauf des weiteren Lebens annähernd konstant bleibt, ist bei Männern zwischen dem 20.–40. Lebensjahr eine Erhöhung auf ca. 48,0 zu beobachten. Nach dem 40. Lebensjahr geht er auf 46,0 zurück.

Das oben erwähnte *Blutplasma* besteht aus Wasser, Salzen und Eiweißen, welche in eine Anzahl von verschiedenen Fraktionen unterteilt werden: Albumin, α_1-Globulin, α_2-Globulin, β-Globulin und Immunglobulin (γ-Globulin). Bezüglich der physiko-chemischen Eigenschaften und physiologischen Funktionen der Plasmaproteine sei auf BEGEMANN u. HARWERTH (1974), HITZIG (1963) sowie auf SCHULTZE u. HEREMANS (1967) verwiesen. Hier interessiert nur die Frage, ob Altersveränderungen vorliegen. Das ist sowohl für den Gesamteiweißgehalt im Plasma als auch für die Mengen der einzelnen Proteinfraktionen der Fall. Signifikante Geschlechtsunterschiede entwickeln sich bezüglich dieser Merkmale nicht.

Der *Gesamteiweißgehalt* beträgt bei der Geburt ca. 51 g/l und steigt im Verlauf der postnatalen Entwicklung kontinuierlich an. Zwischen dem 3.–7. Lebensjahr liegt er bei 67 g/l, zwischen dem 11.–16. Lebensjahr bei 69 g/l. Um das 20. Lebensjahr wird in beiden Geschlechtern der Endwert von 70 g/l erreicht. Der *Albuminspiegel* nimmt von ca. 30 g/l bei der Geburt auf etwa 36 g/l im 2. Lebensjahr zu und ändert sich von diesem Alter an praktisch nicht mehr. Auch die α_1-, α_2- *und β-Globuline* erreichen bereits in den ersten Lebensjahren ihre Endwerte (3,1 g/l; 6,8 g/l; 8,7 g/l) (nach HITZIG 1963). Größere Altersvariationen lassen nur die *Immunglobuline* erkennen. So beträgt z.B. der *Ig G-Spiegel* bei der Geburt ca. 10 g/l. Bis zum 6. Lebensmonat fällt er auf ca. 6 g/l ab und steigt dann kontinuierlich wieder an. Der Endwert von etwa 13 g/l wird zwischen dem 3.–7. Lebensjahr erreicht. In ähnlicher Weise variieren auch die Spiegel der übrigen Immunglobuline (Ig A, Ig M, Ig D und Ig E).

5.4.5. Andere physiologische Eigenschaften

Altersveränderungen sind auch für eine Reihe weiterer physiologischer Eigenschaften bekannt, ohne daß diese jedoch so intensiv untersucht worden sind wie die oben genannten. So ist nach TANNER (1962) zu vermuten, daß die Ausscheidung von *Kreatinin* (Ausscheidungsform des Kreatins, einem Zwischenprodukt des intermediären Stoffwechsels) von der Geburt an zunimmt, wobei die Ausscheidungsmenge im männlichen Geschlecht von Anfang an größer ist und sich von der Pubertät an noch verstärkt. Möglicherweise hängt dieser Geschlechtsunterschied mit der größeren Muskelmasse im männlichen Geschlecht zusammen. Auch der *Blutzuckerspiegel* scheint im Verlauf der postnatalen Entwicklung anzusteigen. Sicher sind Altersveränderungen im Gehalt an *freier Magensäure,* wobei auch Geschlechtsunterschiede vorliegen (TANNER 1962). Schließlich ändern sich auch die Spiegel zahlreicher *Enzyme* des Blutes und anderer Organe.

Altersabhängige Variationen sind auch für die *Sehschärfe* und die *Gehörschärfe* anzunehmen. So konnte in mehreren Untersuchungen festgestellt werden, daß die Häufigkeit der *Myopie* (Kurzsichtigkeit) in beiden Geschlechtern während der Pubertät zunimmt (GARDINER 1954, SLATAPER 1950). Die Ursachen werden in einem geringeren Wachstumsschub der Augapfellängsachse gesehen. – *Hohe Töne* werden im allgemeinen von Männern schlechter gehört als von Frauen. Dieser Geschlechtsunterschied soll bereits im Kindesalter vorhanden sein. Alle diese Vermutungen bedürfen jedoch einer Überprüfung.

Allgemein gilt für alle in diesem Kapitel erwähnten physiologischen Eigenschaften, daß ihre Ausprägungen sowohl individuell als z.T. auch rassisch stark variieren. Das ist teils durch (noch nicht im einzelnen bekannt) genetische Faktoren bedingt, teils durch verschiedenartige Umweltfaktoren. Außerdem können alle diese physiologischen Eigenschaften durch krankhafte Prozesse z.T. erheblich verändert werden. Für weiße Bevölkerungen liegen ausführliche Untersuchungen über die individuelle biologische Variabilität physiologischer Parameter vor (vgl. hierzu die Wissenschaftlichen Tabellen von Documenta Geigy, 1975). Dagegen sind die rassischen Unterschiede dieser Parameter noch kaum systematisch untersucht.

5.5. Endokrinologie der körperlichen Entwicklung

Der gesamte Wachstums- und Reifungsprozeß des menschlichen Organismus, also alle im vorhergehenden beschriebenen anthropometrischen und physiologischen Veränderungen im Verlauf der postnatalen Entwicklung, werden durch die Wirksamkeit von *Hormonen* ermöglicht. Hierunter versteht man in besonderen Drüsen gebildete Wirkstoffe, welche die Fähigkeit besitzen, auch in verhältnismäßig kleinen Mengen biologisch wirksame Effekte hervorzurufen, z.B. die Vermehrung und funktionelle Differenzierung von Zellen und Geweben (Verband gleichartig gebauter Zellen mit gleicher Funktion). Eine gute Einführung in das Gesamtgebiet der Endokrinologie (Lehre von der Wirkungsweise endokriner Drüsen mit hormonalen Effekten) gibt DECK (1976).

Die Bildung der verschiedenen Hormone erfolgt unter genetischer Kontrolle. Sie kann aber durch mangelhafte Entwicklung, Erkrankungen oder Verletzungen der jeweiligen Drüsen beeinträchtigt oder völlig unterbunden werden. Auch bei anatomisch intakten Drüsen ist eine Verminderung in der Hormonbildung möglich, z.B. durch Unter- und Mangelernährung. In der Regel bewirken Funktionsstörungen der wachstums- und reifungsspezifischen Hormondrüsen (Hypophyse, Schilddrüse, Thymus, Nebennieren) mehr oder weniger ausgeprägte und reparable Verzögerungen bzw. Dauerschäden in den Wachstums- und Reifungsabläufen. Bei rechtzeitiger Erkennung und entsprechender Behandlung solcher Störungen ist mit Hilfe der modernen Hormontherapie heute vielfach ein erfolgreicher Ausgleich möglich.

5.5.1. Entwicklung und Funktion der wachstums- und reifungswichtigen Hormondrüsen

Im Rahmen dieser Darstellung interessieren nur diejenigen endokrinen Hormondrüsen, welche von unmittelbarer Bedeutung für die körperliche Entwicklung sind. Dabei handelt es sich um die Hypophyse, die Schilddrüse, den Thymus und die Nebennieren.

5.5.1.1. Hypophyse

Bei der Hypophyse handelt es sich um eine an der Hirnbasis liegende, walzenförmige Drüse, die bei Erwachsenen zwischen 0,5 und 0,6 g schwer ist. Sie wird durch den sog. Hypophysenstiel mit dem Hypothalamus des Zwischenhirns verbunden und besteht aus zwei Komponenten, der *Neurohypophyse* und der *Adenohypophyse.* Letztere macht den eigentlichen Drüsenanteil der Hypophyse aus und liegt in deren Vorderlappen. Die Adenohypophyse entwickelt sich von der 3. Embryonalwoche an aus dem Ektoderm (äußeres Keimblatt, s. S. 78). Offenbar gewinnt sie erst nach der Geburt ihre wachstumswichtige Bedeutung, da nach STAIB u. REINAUER (1969) auch bei ihrem Fehlen ein uneingeschränktes Wachstum des Fetus möglich ist. Die postnatale Gewichtszunahme der Gesamtdrüse geht aus Abb. 61 hervor. Nach TANNER (1962) ist sie vom 4. Lebensjahr ab im weiblichen Geschlecht etwas schwerer als im männlichen. Bei Erwachsenen soll diese Gewichtsdifferenz 0,2 g betragen, was jedoch der Bestätigung durch weitere Untersuchungen bedarf.

Von den Zellen der Adenohypophyse werden die folgenden sechs Hormone gebildet:

1. das *Somatotropin* (STH, Wachstumshormon), welches hauptsächlich den Eiweißaufbau in den Körperzellen und das Längenwachstum durch spezifische Einwirkungen auf die Epiphysenfugen fördert. Bei mangelhafter Bildung dieses Hormons im Kindesalter kommt es zu Hemmungen im Körperwachstum *(hypophysärer Zwergwuchs)*. Übermäßige Somatotropinbildung bei noch nicht ausgewachsenen Kindern und Jugendlichen führt zu *hypophysärem Riesenwuchs*. Findet sie nach Abschluß des Körperwachstums statt, kann eine *Akromegalie* (Übergröße endständiger Körperteile wie Nase, Ohren, Finger, Zehen) resultieren. In der Regel liegt einer solchen Überproduktion ein Tumor (Geschwulst) der Hypophyse zugrunde.

2. das *follikelstimulierende Hormon* (FSH), welches im weiblichen Geschlecht das Follikelwachstum bewirkt, im männlichen die Samenbildung in den Hoden,

3. das *luetinisierende Hormon* (LH), welches bei Frauen zusammen mit dem FSH das Follikelwachstum fördert sowie für Ovulation, Gelbkörperbildung und die Synthese von Follikel- und Gelbkörperhormon verantwortlich ist; bei Männern bewirkt das LH die Androgenbildung in den Leydigschen Zellen des Hodens.

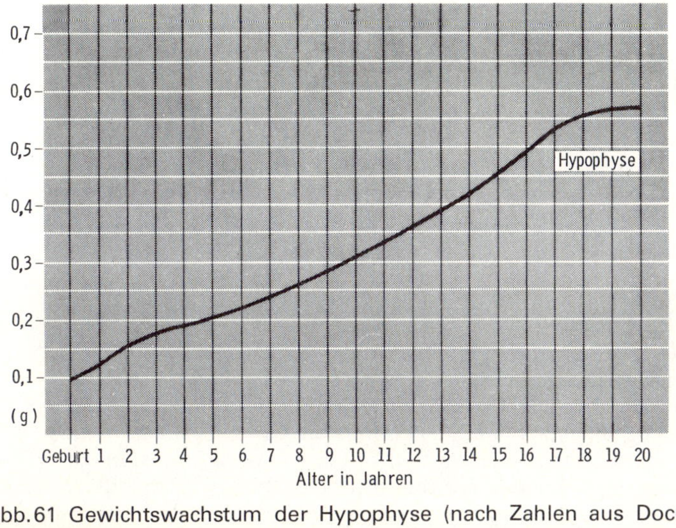

Abb. 61 Gewichtswachstum der Hypophyse (nach Zahlen aus Documenta Geigy)

4. das *Prolaktin* oder *laktotrope Hormon* (LTH), welches während der Schwangerschaft die Entwicklung des Brustdrüsengewebes fördert und die Milchbildung gewährleistet.

Diese drei Hypophysenhormone werden wegen ihrer Bedeutung für die Geschlechtsfunktion auch als *gonadotrope Hormone* oder *Gonadotropine* bezeichnet.

Weitere Hypophysenhormone sind

5. das *thyreotrope Hormon* (TSH), welches die Schilddrüsenfunktion steuert und

6. das *adrenokortikale Hormon* (ACTH), welches die Hormonbildung der Nebennierenrinde auslöst.

5.5.1.2. Schilddrüse

Die Schilddrüse liegt am oberen Ende der Luftröhre vor dem Kehlkopf. Beim Erwachsenen ist sie 20–30 g schwer; ausgeprägte Geschlechtsunterschiede sind in keiner Phase der Entwicklung des Schilddrüsengewichts bekannt (Abb. 62). Die Herausdifferenzierung (aus entodermalem Gewebe) der Schilddrüse beginnt in der 3. Embryonalwoche, und zwar am Rachenboden; in ihre spätere Lage wandert sie bis zur 7. Woche. Bereits vom Ende des 3. Entwicklungsmonats an ist sie aktiv.

Von den beiden Schilddrüsenhormonen *Thyreokalzitonin* und *Thyroxin* ist nur das letztere unmittelbar wachstums- und reifungswichtig. Dieses fördert Knochenwachstum, Hirnentwicklung und Reifung der Keimdrüsen. Zu seiner Bildung wird Jod benötigt. Bei mangelhafter Bildung dieses Hormons während der Wachstumsphase infolge Schilddrüsenerkrankungen oder Joddefiziten in der Nahrung kommt es zu Störungen der Knochenentwicklung, Zwergwuchs (Kretinismus) verbunden mit Intelligenzdefekten sowie Unterentwicklung der Geschlechtsorgane.

5.5.1.3. Thymus

Der Thymus ist eine hinter dem Brustbein liegende Drüse, welche allerdings nur bis zur Pubertät vorhanden ist; sie bildet sich dann in Fettgewebe um. Die Thymusentwicklung erfolgt von der 5. Embryonalwoche ab, und zwar aus entodermalem Gewebe. Die noch nicht völlig geklärte hormonelle Wirksamkeit des Thymus scheint in der Wachstumshemmung der Geschlechtsorgane bis zur Pubertät zu liegen. Durch die Bildung von Lymphozyten (T-Lymphozyten) spielt er außerdem eine wichtige Rolle im kindlichen Immunsystem.

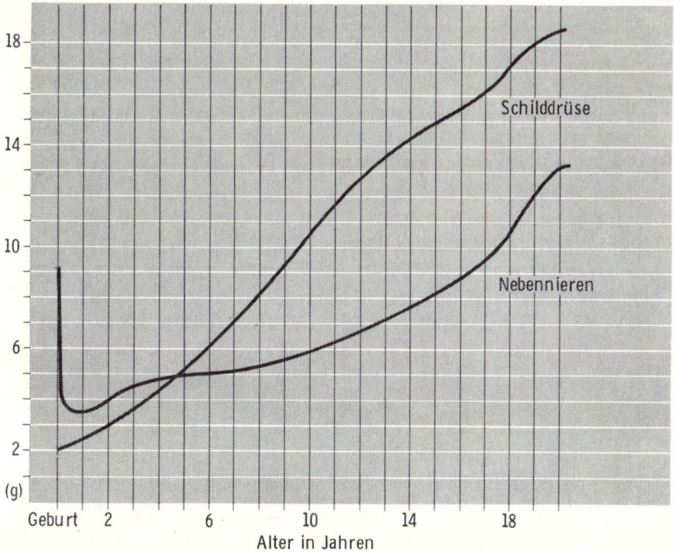

Abb. 62 Gewichtswachstum von Schilddrüse und Nebennieren (nach Zahlen aus Documenta Geigy)

5.5.1.4. Nebennieren

Die Nebennieren liegen paarig auf den Nieren und sind bei Erwachsenen je etwa 5–7 g schwer. Sie entwickeln sich von der 5. Embryonalwoche ab und differenzieren sich in zwei Komponenten: 1. in die aus dem Mesoderm hervorgehende *Nebennierenrinde* und 2. in das sich aus ektodermalem Gewebe ableitende *Nebennierenmark*.

Der postnatale Verlauf des Gewichtswachstums der Nebennieren ergibt sich aus Abb. 62. Nach den bisher vorliegenden, allerdings nicht sehr umfangreichen Untersuchungen ist ihr Gewicht von Geburt an im männlichen Geschlecht etwas größer als im weiblichen (TANNER 1962). Die in beiden Geschlechtern im 1. Lebensjahr zu beobachtende Gewichtsverminderung der Nebennieren ist wahrscheinlich durch die Atrophie (Abbau) von Zellen bedingt, welche in den fetalen Nebennieren vorhanden sind und in diesen eine bisher jedoch unbekannte Funktion ausüben.

Sowohl im Nebennierenmark (Adrenalin, Noradrenalin) als auch in der Nebennierenrinde (Kortikoide, Androgene, in geringem Ausmaß auch Östrogene) werden Hormone gebildet, welche für den Organismus außerordentlich wichtig sind. Von unmittelbarer Bedeutung für die Wachstums- und Reifungsvorgänge sind allerdings nur die Sexualhormone der Nebennierenrinde.

Alle diese Hormondrüsen wirken nicht unvermittelt nebeneinander, sondern stehen in einem engen funktionellen Zusammenhang. Dabei kommt dem im Zwischenhirn liegenden *Hypothalamus* (Regulationszentrum für vegetative Funktionen wie Temperatur, Atmung, Stoffwechsel und Kreislauf) eine entscheidende Steuerungsrolle zu, desgleichen den in ihm gebildeten sog. *Releasing Hormones*. Diese entstehen unter Einwirkung nervöser und hormoneller Reize und steuern die Hormonausschüttungen der Hypophyse. Es wird angenommen, daß die Releasing Hormones auf dem Blutweg in die Adenohypophyse gelangen und hier die Bildung der jeweils erforderlichen Mengen der verschiedenen Hormone bewirken. Sobald eine genügend hohe Hormonkonzentration vorliegt, wird die Produktion der Releasing Hormones eingestellt. Damit entfällt ihr stimulierender Effekt. Man kann davon ausgehen, daß zwischen den verschiedenen Hormondrüsen des Organismus und dem Hypothalamus eine *Rückkopplung* stattfindet. Da der Hypothalamus auch in funktionellem Zusammenhang mit den Zentren des Zentralnervensystems steht, z. B. dem Sehzentrum, können auch äußere Reize die Bildung von Releasing Hormones und damit von Hypophysenhormonen anregen. Bei der Interpretation der körperlichen Entwicklungsbeschleunigung in den vergangenen hundert Jahren ist an derartige Reizwirkungen als Auslösefaktor gedacht worden (s. S. 202).

5.5.2. Altersveränderungen in der Hormonproduktion

Die von den verschiedenen endokrinen Drüsen gebildeten Hormonmengen sind während der postnatalen Entwicklungszeit nicht konstant, sondern lassen charakteristische Veränderungen erkennen. Diese stehen in engem Zusammenhang mit dem morphologischen Reifungsgrad dieser Drüsen.

Das *Somatotropin*, welches neben seiner wachstumsspezifischen Funktion auch für Fett-, Kohlenhydrat-, Mineral- und Eiweißstoffwechsel von Bedeutung ist, erreicht in beiden Geschlechtern seine höchsten Werte in den Phasen intensivsten Längenwachstums. Nach Hunter u. Greenwood (1964) beträgt der Somatotropingehalt im Plasma bei Kindern unter 1 Jahr im Durchschnitt 18,6 µg/l, zwischen 9–10 Jahren 2,8 µg/l und zwischen 11–17 Jahren 14 µg/l. Dagegen liegt der Somatotropingehalt bei Erwachsenen um 0,6 µg/l. Inwieweit die individuellen Unterschiede im Wachstumsablauf mit der Somatotropinmenge korreliert sind, ist nicht bekannt. Wahrscheinlich spielen hier auch genetische Unterschiede bezüglich der Fähigkeit eine Rolle, dieses Hormon in den entsprechenden Erfolgsorganen (z.B. in den Epiphysenfugen) auszunutzen. So konnten RIMOIN u. Mitarb. (1969) bei Pygmäen und Bantus beobachten, daß trotz der beträchtlichen Unterschiede in der Körperhöhe praktisch keine in den Plasmakonzentrationen des Somatotropins vorhanden sind: 0,29±0,07 µg/l (Pygmäen) gegenüber 0,31±0,07 µg/l (Bantus). Allerdings sind jedoch erhebliche negative bzw. positive Abweichungen von den Somatotropinmittelwerten im Entwicklungsalter mit Zwerg- bzw. Riesenwuchs verbunden (s. S. 137).

Altersvariationen zeigt auch die Menge des Schilddrüsenhormons *Thyroxin*. Das gilt sowohl für das im Plasma vorhandene freie Thyroxin als auch für das an Proteine gebundene (BRAVERMAN u. Mitarb. 1966). Zwischen dem 2.–12. Lebensjahr beträgt der Spiegel des freien Thyroxins durchschnittlich 47,0 µg/l Plasma, im Alter von 16–20 ca. 36,0 µg/l. Er steigt im weiteren Lebensverlauf auf über 40 µg/l an. Abweichungen von diesen Normalwerten im Entwicklungsalter führen zu Wachstumsstörungen (s. S. 170).

Entscheidend für das Einsetzen der sexuellen Reifung mit all ihren morphologischen und physiologischen Kennzeichen (s. S. 174) ist die Bildung des hypophysären *Gonadotropins* und der von diesem stimulierten *Androgene* und *Östrogene*. Vor Beginn der Pubertät sind in beiden Geschlechtern Gonadotropine nur in sehr geringen Mengen vorhanden. Ihre Produktion steigt bei Knaben im Durchschnitt um das 13. Lebensjahr, bei Mädchen bereits zwei Jahre früher. Als Regel gilt: Je eher die vermehrte Gonadotropinbildung einsetzt, umso früher beginnt die sexuelle Reifung.

Androgene sind ebenfalls in beiden Geschlechtern zunächst nur in geringen Mengen vorhanden. Um das 8.–10. Lebensjahr nimmt ihre Produktion zu, wobei sich immer stärkere Unterschiede zwischen beiden Geschlechtern entwickeln. So beträgt die Ausscheidung des androgenen Hormons *Testosteron* (im männlichen Geschlecht in den Hoden und in der Nebennierenrinde gebildet, im weiblichen nur in letzterer) im Urin bei Knaben und Mädchen unter 10 Jahren 0,4 µg/24 h. Während der Testosteronspiegel im männlichen Geschlecht zwischen dem 16.–20. Lebensjahr auf ca. 40 µg/24 h ansteigt, bleibt er im weiblichen mit nur etwa 7 µg/24 h deutlich darunter. Erwachsene Männer lassen nach ISMAIL u. HARKNESS (1966) einen durchschnittlichen Testosteronspiegel im Urin von 51,7 µg/24 h erkennen, erwachsene Frauen dagegen einen von nur 6,5 µg/24 h. Die starke individuelle Variabilität der Testosteronausscheidung bei Männern sowie die mit zunehmendem Alter ständig geringer werdende Produktion dieses Hormons geht aus Abb. 63 hervor.

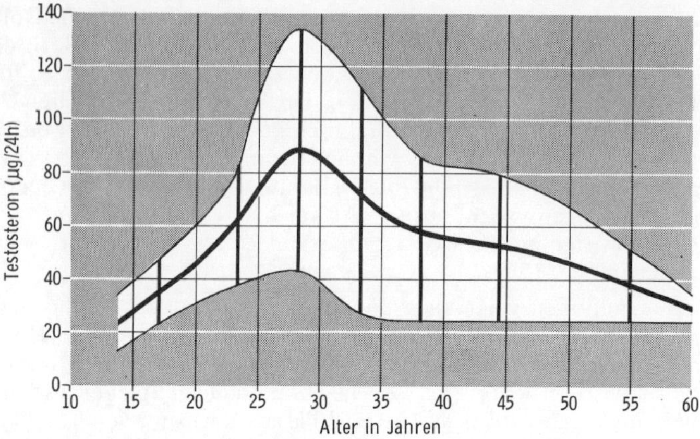

Abb. 63 Altersveränderung der Testosteronausscheidung im Harn von Männern (aus Documenta Geigy, 7. Ausgabe. Thieme, Stuttgart 1975)

Östrogene werden ebenfalls in beiden Geschlechtern gebildet, bei Frauen in den Ovarien sowie in kleineren Mengen auch in der Nebennierenrinde, bei Männern in dieser und in den Hoden. Bis zum 7. Lebensjahr ist die Östrogenausscheidung sowohl bei Knaben als auch bei Mädchen noch gering. Sie steigt dann langsam an. Bis zum 10. Lebensjahr liegen dabei noch keine ausgeprägten Geschlechtsunterschiede vor. Erst von diesem Alter ab wird die Differenz erheblich (Abb. 64). Im weiblichen Geschlecht stellt sich nach der Menarche ein monatlicher Zyklus ein, in welchem selbst der geringste Östrogenwert noch deutlich über dem höchsten männlichen liegt. Die im Urin ausgeschiedene Gesamtöstrogenmenge beträgt bei Männern im Alter zwischen 20–50 Jahren durchschnittlich 10,3 µg/24 h, bei Frauen im Alter von 18–41 Jahren dagegen 50–60 µg/24 h, und zwar in der Zyklusmitte. Während der Schwangerschaft steigt der Östrogenspiegel gewaltig an. Eine Woche nach der Geburt beträgt er immer noch ca. 31000 µg/24 h. Im Klimakterium (s. S. 226) sinkt er auf durchschnittlich 5,5 µg/24 h ab, wodurch im weiblichen Organismus eine Reihe von Veränderungen bewirkt werden.

5.6. Die sexuelle Reifung

Die Zeit, in der die hormonell bedingte, mit zahlreichen morphologischen und physiologischen Veränderungen verbundene Ausreifung der sexuellen Funktionsfähigkeit des Organismus erfolgt, wird *Pubertät* genannt. Sie dauert in der Regel 3–4 Jahre und setzt (in Europa) im

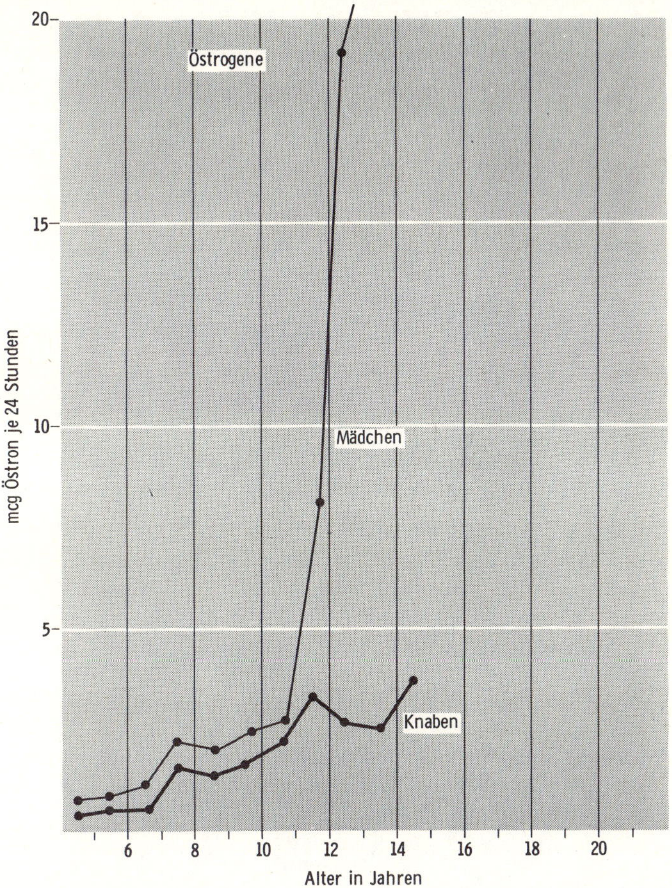

Abb. 64 Östrogenausscheidung im 24-Stunden-Harn von Knaben und Mädchen (nach Tanner)

männlichen Geschlecht durchschnittlich zwischen dem 13. und 14. Lebensjahr ein, im weiblichen dagegen schon zwei Jahre früher, also zwischen dem 11. und 12. Lebensjahr. In der Pubertät finden neben den körperlichen auch wesentliche Veränderungen im psychischen Bereich statt, welche jedoch nicht synchron (gleichzeitig) ablaufen müssen. Einzelheiten zu dieser Frage finden sich bei Grimm (1966) und Tanner (1962) sowie in der einschlägigen, umfangreichen psychologischen und pädagogischen Literatur.

5.6.1. Die sexuelle Reifung im männlichen Geschlecht

Ausgelöst durch eine vermehrte Produktion und Ausschüttung des Somatotropins beginnt um das 13.–14. Lebensjahr eine deutliche Beschleunigung der Körperhöhenzunahme, der sog. *puberale Wachstumsschub* (Abb. 43). In Verbindung hiermit nehmen auch eine Reihe von Längen- und Breitenmaßen deutlich zu (s. S. 138), z.B. die relative Beinlänge oder die Schulter- und Hüftbreite (Abb. 65). Mit zunehmender Gonadotropinproduktion und -ausschüttung setzt auch das Wachstum von *Hoden* und *Penis* (im 10.–11. Lebensjahr) ein, die

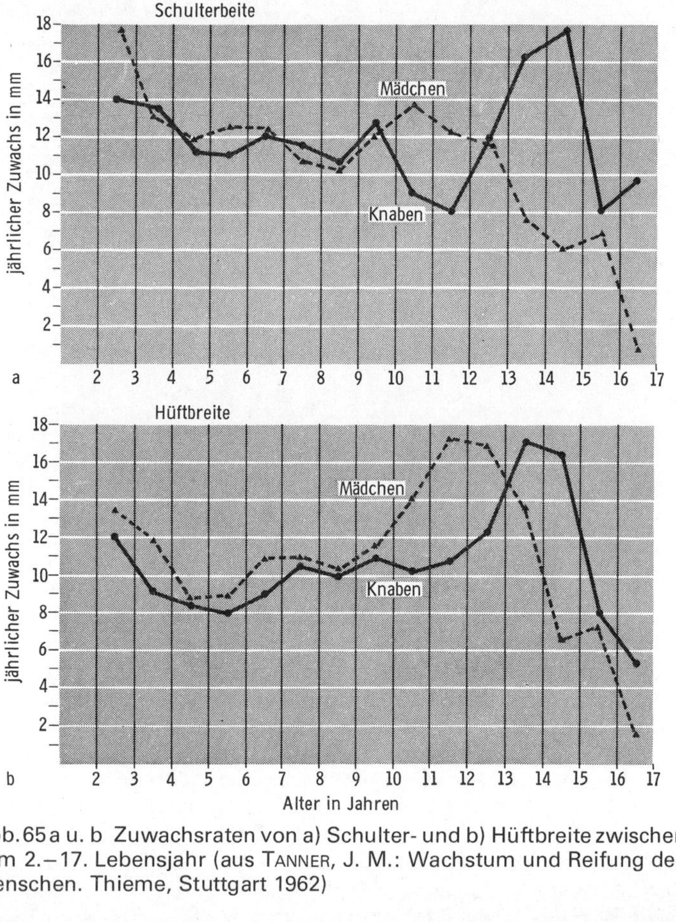

Abb. 65 a u. b Zuwachsraten von a) Schulter- und b) Hüftbreite zwischen dem 2.–17. Lebensjahr (aus Tanner, J. M.: Wachstum und Reifung des Menschen. Thieme, Stuttgart 1962)

Schambehaarung (im 12.–13. Lebensjahr) beginnt sich zu entwickeln, ein *Stimmwechsel* macht sich bemerkbar, die *Mamillen* (Brustwarzen) schwellen an (vom 13.–14. Lj. ab), der sog. *Adamsapfel* (Schildknorpel des Kehlkopfes) tritt hervor, die *Axillarbehaarung* tritt auf (zwischen dem 14.–15. Lj.) und schließlich finden auch – zwischen dem 15.–16. Lj. – die ersten *Pollutionen* (Samenergießungen im Schlaf) statt. *Bart-* und *Körperhaar* sind vom 16.–17. Lj. an vorhanden. Die genannten *Reifemerkmale* treten in der Regel in dieser Reihenfolge auf.

Für die Beurteilung des körperlichen Reifezustandes anhand des Ausprägungsgrades dieser Merkmale (noch kindlich, bereits puberal verändert, voll ausgeprägt) sind von verschiedenen Autoren (Grimm 1966, Schwidetzky 1950, Tanner 1962, Zeller 1939 u.a.) Normta-

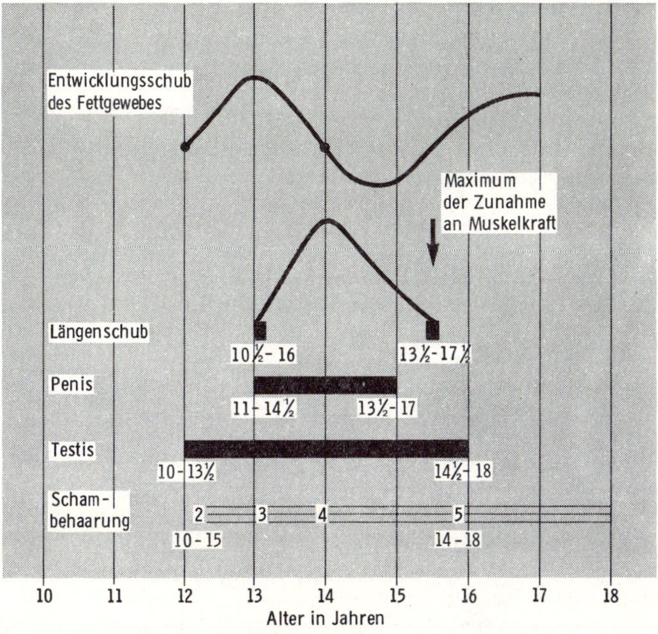

Abb. 66 Die durchschnittliche Reihenfolge der puberalen Reifungsvorgänge im männlichen Geschlecht. Die Altersangaben an Anfang und Ende der einzelnen Kurven und Symbole bezeichnen die Variationsbreiten für Beginn und Abschluß der jeweiligen Entwicklungsvorgänge (aus Tanner, J. M.: Wachstum und Reifung des Menschen. Thieme, Stuttgart 1962)

bellen aufgestellt worden. Mit deren Hilfe kann im Einzelfall festgestellt werden, ob altersgerechte, akzelerierte (beschleunigte) oder retardierte (verlangsamte) Entwicklung vorliegt. Abb. 66 läßt für einige wichtige Reifungsmerkmale Beginn und Ende des puberalen Entwicklungsschubes erkennen. Dabei ist eine beträchtliche individuelle Variationsbreite zu beobachten, welche ihre Ursache sowohl in genetischen als auch in nicht genetischen Faktoren hat.

Mit der verstärkten Ausschüttung des Gonadotropins nimmt offenbar die Produktion von Somatotropin ab, da im Verlauf der Pubertät das Längenwachstum immer langsamer wird und schließlich beinahe völlig aufhört (um das 20. Lebensjahr). Andererseits nimmt die Geschlechtsreife zu. Man kann daher vermuten, daß durch den in der Pubertät ansteigenden Androgenspiegel eine sukzessive Hemmung der Somatotropinbildung erfolgt, und zwar durch Rückkopplungsvorgänge über den Hypothalamus.

5.6.2. Die sexuelle Reifung im weiblichen Geschlecht

Auch im weiblichen Geschlecht beginnt die Pubertät mit einer schubartigen Beschleunigung des Längenwachstums, allerdings etwa zwei Jahre früher (Abb. 43). Das gleiche gilt für die anderen Maßmerkmale, z.B. für Schulter- und Hüftbreite (Abb. 65). Allerdings ist der Schulterbreitenzuwachs bei Mädchen geringer (s. auch S. 129).

Insbesondere beginnt infolge einer vermehrten Gonadotropinausscheidung ebenfalls ein verstärktes Wachstum der sekundären Geschlechtsmerkmale wie auch der Ovarien und des Uterus (Abb. 54). Im Alter von 9–10 Jahren setzt das Breitenwachstum des *knöchernen Beckens* ein (Abb. 67), welches um das 14. Lebensjahr bereits das für erwachsene Frauen charakteristische Längen-Breiten-Verhältnis erreicht. Zwischen dem 9.–10. Lebensjahr beginnt die Vergrößerung der Brustknospen. Das Schamhaar entwickelt sich vom 10.–11. Lj. an; gleichzeitig beginnt das verstärkte Wachstum der inneren und äußeren Geschlechtsorgane. Zwischen dem 12.–13. Lj. fängt die *Pigmentierung der Brustwarzen* an und die *Brust* nimmt an Größe zu. Die *Axilarbehaarung* entwickelt sich vom 13.–14. Lj. an. In die gleiche Zeit fällt auch vielfach die erste *Menstruation*, welche oft noch anovulatorisch, also ohne Eiausstoßung ist. Nach vorliegenden Beobachtungen ist die früheste normale Schwangerschaft (bei Europäerinnen) nicht vor dem 14. Lebensjahr möglich.

Für die Beurteilung der körperlichen Reifevorgänge im weiblichen Geschlecht liegen ebenfalls *Normtabellen* vor. Abb. 68 zeigt für einige wichtige Reifungsmerkmale Beginn und Ende der jeweiligen Entwicklung. Wie im männlichen so ist auch im weiblichen Geschlecht

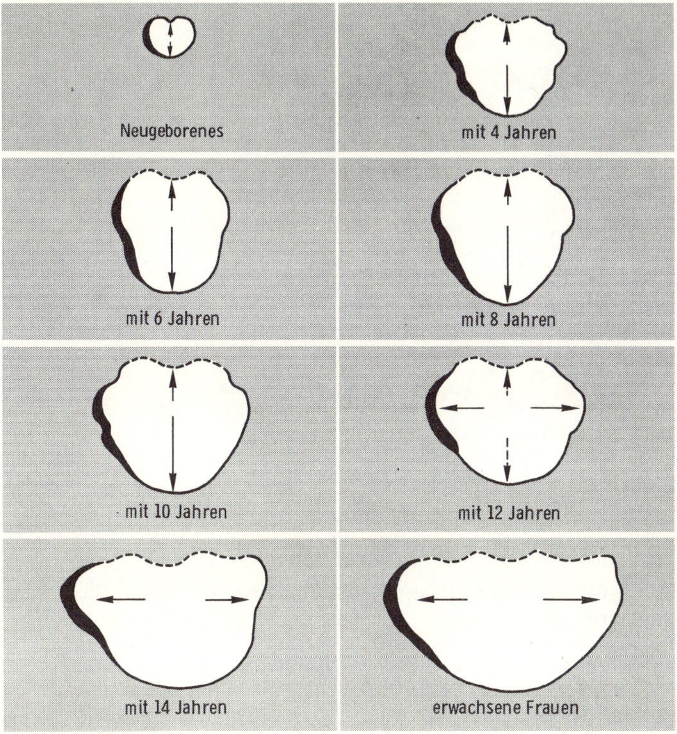

Abb. 67 Postnatale Veränderungen des weiblichen Beckeneinganges (nach Kirchhoff)

eine beträchtliche individuelle Variabilität in bezug auf Beginn und Tempo der körperlichen Reifungsabläufe zu beobachten, deren Ursachen teils in genetischen, teils in nichtgenetischen Faktoren zu sehen sind. Im Gegensatz zu Knaben ist bei Mädchen die genaue Feststellung des Eintritts der Geschlechtsreife möglich, und zwar durch die relativ einfache Bestimmung des *Menarchealters* (Menarche = erstes regelmäßiges Auftreten der Menstruation). Das ist vor allem bei zeitlichen oder rassischen Vergleichen der sexuellen Reifungsvorgänge von großem Vorteil.

Entsprechend dem früheren Einsetzen der Pubertät im weiblichen Geschlecht ist sie auch früher beendet. Mädchen erreichen im allgemeinen ihre volle körperliche Reife etwa zwei Jahre eher als Knaben.

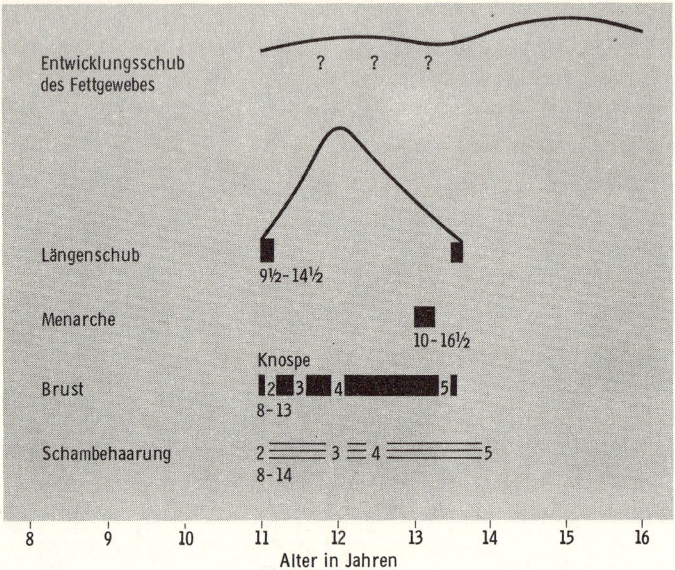

Abb. 68 Die durchschnittliche Reihenfolge der puberalen Reifungsvorgänge im weiblichen Geschlecht. Die Altersangaben an Anfang und Ende der einzelnen Kurven und Symbole bezeichnen die Variationsbreiten für Beginn und Abschluß der jeweiligen Entwicklungsvorgänge (aus TANNER, J. M.: Wachstum und Reifung des Menschen. Thieme, Stuttgart 1962)

5.6.3. Auslösung und biologische Bedeutung der Pubertät

Über die eigentlichen Vorgänge, die zur endokrinen Veränderung im heranwachsenden Organismus und damit zum Einsetzen der körperlichen Geschlechtsreifung führen, ist bislang erst wenig bekannt. Es wird vermutet, daß der Hypothalamus einen bestimmten Entwicklungsstand erreicht haben muß, bevor seine hormonelle Steuerungsfunktion einsetzen (s. S. 172) und die Pubertät beginnen kann (TANNER 1962). Exakte Untersuchungen über die morphologisch-funktionelle Entwicklung des Hypothalamus im Zusammenhang mit den pubertären Abläufen stehen noch aus.

Wie mehrfach erwähnt, kann in beiden Geschlechtern der Beginn der Pubertät zeitlich variieren. In seltenen Fällen kann die sexuelle Reifung auch schon in der Kindheit einsetzen; man spricht dann von *Pubertas praecox* (sexuelle Frühreife). Es sind Kinder beschrieben worden, die im Alter von 5–6 Jahren die gesamten Reifungsvorgänge bis hin zur Spermiogenese bzw. Ovulation durchlaufen haben. Die Ursache der Pubertas praecox können genetischer Art sein (LENZ 1976) oder in einer Erkrankung des Hypothalamus liegen.

Aus der Tatsache, daß beim Menschen im Gegensatz zu Tieren die sexuelle Reifung wesentlich später beginnt, die Kinder- und Jugendzeit somit länger währt, schließt TANNER (1962) auf einen *Evolutionsvorteil* dieser Entwicklungsverzögerung. Von stammesgeschichtlichem Interesse ist dabei, daß auch die Menschenaffen eine relativ lange Kindheit haben. So beträgt das Menarchealter beim Orang-Utan etwa 7 Jahre, bei Schimpansen und Gorrilas etwa 9 Jahre, dagegen nur 2 Jahre bei Rhesusaffen (CAMPBELL 1972, GAVAN 1953). Man kann vermuten, daß diese Verzögerung in der sexuellen Reifung stammesgeschichtlich alt ist und sich bei dem Primatenzweig verstärkt, aus dem heraus sich im Verlauf der letzten 20 Millionen Jahre nach und nach die heutige Spezies Homo sapiens entwickelt hat. TANNER (1962) sieht den biologischen Vorteil der Reifungsverzögerung zu Recht darin, daß sie durch eine Verlängerung der Zeit größter Lernbereitschaft und -fähigkeit eine optimale Ausnutzung der Fähigkeiten ermöglicht, die das hochentwickelte Menschengehirn bietet.

5.7. Steuernde Faktoren der postnatalen Entwicklung

Wie im vorhergehenden verschiedentlich betont worden ist, werden alle Wachstums- und Reifungsvorgänge im Organismus durch eine Interaktion (Zusammenwirken) von Hypothalamus und endokrinem System bewirkt. Diese Interaktion kann aber nur dann zu einem morphologisch wie physiologisch ausgereiften adulten (erwachsenen) Organismus mit seinen zahlreichen spezialisierten Organen führen, wenn zusätzlich eine Anzahl von endogenen (inneren) und exogenen (äußeren) Faktoren wirksam werden.

Unter den *endogenen* Faktoren sind dabei von den Eltern geerbte genetische Informationen zu verstehen. Diese sind nicht nur von entscheidender Bedeutung für die morphologisch-funktionelle Entwicklung des Hypothalamus und der von ihm gesteuerten endokrinen Drüsen. Vielmehr spielen genetische Informationen auch für die Entwicklung und Differenzierung der verschiedenen Körperorgane und -merkmale eine wichtige Rolle. Störungen in der genetischen Informationsbasis durch Genmutationen oder Chromosomenaberrationen, die sich teilweise auch schon pränatal auswirken können (s. S. 96), bewirken überwiegend krankhafte Veränderungen, welche sich in verschiedenen Phasen der postnatalen Entwicklung zu manifestieren vermögen. Individuelle Unterschiede im genetischen Informationsprogramm sind schließlich auch eine wichtige Ursache für die Variabilität im Wachstums- und Reifungsverlauf sowie in der Ausprägung der verschiedenen Körpermerkmale.

Zu ihrer maximalen Realisierung benötigen die genetischen Wachstumsfaktoren verschiedene *exogene* Bedingungen, unter denen Menge und Zusammensetzung der Ernährung eine besondere Rolle spielen. Ernährungsmängel können ebenso wie bestimmte Krankheiten auch bei intakter genetischer Informationsbasis Wachstum und Reifung nicht nur verzögern, sondern auch dauerhaft schädigen. Allerdings ist es momentan noch nicht möglich, die Wirksamkeit genetischer und nichtgenetischer Faktoren scharf voneinander abzugrenzen.

5.7.1. Genetische Faktoren

Sichere genetische Bedingtheit kann für eine Reihe solcher körperlichen Entwicklungsstörungen angenommen werden, welche auf morphologischen und funktionellen Defekten der endokrinen Drüsen beruhen.

So führt eine erblich bedingte Unterfunktion des Hypophysenvorderlappens zum sog. *hypophysären Zwergwuchs*, der folgendermaßen beschrieben werden kann: Bei der Geburt normale Körperlänge und normales Körpergewicht; Hemmung der Wachstumsvorgänge im 2.–3. Lebensjahr; die Körperhöhe erwachsener Zwerge variiert zwischen 100–140 cm; gestörte Körperproportionen; verspäteter Zahndurchbruch; verzögerte Entwicklung der Knochenkerne; Unterentwicklung der sekundären Geschlechtsmerkmale; Verzögerung oder Ausbleiben der Pubertät. Nach vorliegenden Familienuntersuchungen wird Wachstumsstörung autosomal rezessiv vererbt (LEHMANN 1964). Auch erblich bedingte Funktionsverminderungen anderer wachstums- und reifungswichtiger Hormondrüsen wie solche der Schilddrüse oder der Nebennierenrinde wirken sich ungünstig auf die postnatale körperliche Entwicklung aus. Das ist im einzelnen ausführlich von LEHMANN (1964) dargestellt worden.

Auch bei genetisch intakter Drüsenfunktion kann die körperliche Entwicklung durch die Wirksamkeit genetischer Faktoren »entgleisen«. Das ist dann der Fall, wenn die Ausbildung einzelner Organe oder Körperteile durch das Vorhandensein spezifischer pathologischer Gene beeinträchtigt wird. Eine auch nur annähernd erschöpfende Darstellung dieser genetischen Entwicklungsstörungen ist hier nicht möglich. Es wird auf die Spezialliteratur verwiesen. So finden sich detaillierte Ausführungen über erbliche Anomalien des Wachstums und der Körperform bei LENZ (1964), des Skelettsystems bei COCCHI (1964), des Kopfes und der Wirbelsäule bei DEGENHARDT (1964), der Gliedmaßen bei GREBE (1964), der Zähne einschließlich des Mund- und Kieferbereichs bei SCHULZE (1964) sowie des Urogenitalsystems einschließlich der Fortpflanzungsorgane bei LENZ (1964b).

Auch an der normalen körperlichen Entwicklung sind nach zahlreichen Zwillings- und Familienuntersuchungen genetische Faktoren beteiligt. Das gilt nicht nur für Körperhöhe, Körpergewicht und Körperproportionierung (KNUSSMANN 1968a, 1968b), sondern auch für die Ausprägung von Kopf und Gesicht (WALTER 1968), der Augenregion (RITTER 1969), der Nase sowie der Mund- und Kinnregion (ZIEGELMAYER 1969), der Ohren (SCHWARZFISCHER 1969), der Hände und Füße (SCHAEUBLE 1969) und auch der Haut und ihrer Anhangsgebilde wie Haare und Nägel (JÜRGENS 1968). Auf die komplexen Erblichkeitsverhältnisse und die teilweise vorhandene Interaktion zwischen genetischen und Umweltfaktoren kann hier nur hingewiesen werden.

Daß an den individuellen Unterschieden in der *Körperhöhe* genetische Faktoren mitwirken, konnte wiederholt durch Untersuchungen an ein- und zweieiigen Zwillingen (Abb. 69) sowie Familienstudien bewiesen werden. Dabei ergab sich auch, daß die Vererbung der Kör-

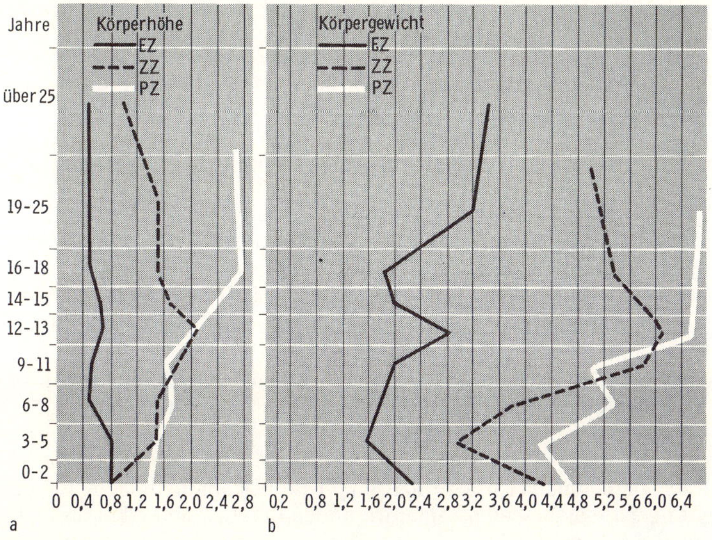

Abb. 69a u. b Veränderungen der mittleren prozentualen Abweichungen bei eineiigen (EZ) und zweieiigen (ZZ, PZ) Zwillingen von der Geburt bis ins Erwachsenenalter. a) Körperhöhe, b) Körpergewicht (aus v. VERSCHUER, O.: Z. Morph. Anthrop. 34 [1934] 398)

perhöhe *polygen* erfolgt, also durch das Zusammenwirken verschiedener Gene bedingt ist. Weiterhin ließ sich ein *dominantes* Verhalten der »Hochwuchsgene« erkennen. Endlich konnte auch nachgewiesen werden, daß sowohl *Wachstumstempo* als auch *Wachstumsrhythmik* genetischer Steuerung unterliegen (KNUSSMANN 1968b).

Weniger ausgeprägt ist die Bedeutung genetischer Faktoren für die Entwicklung des *Körpergewichts,* was durch Beobachtungen an Zwillingen (Abb. 69) sowie durch Familienuntersuchungen aufgezeigt werden konnte. Zwar haben nach CRADDOCK (1973) Eltern mit großem Körpergewicht häufiger Kinder mit ebenfalls beträchtlichem Gewicht (73%, wenn beide Eltern übergewichtig sind, 41% wenn nur einer von ihnen in positiver Richtung vom Normgewicht abweicht) als Eltern mit einem Normgewicht (9% übergewichtige Kinder), doch ist das kein überzeugender Beweis für eine erbliche Bedingtheit der Gewichtsentwicklung. Inwieweit bei der Bildung der Fettzellenzahl im 1. Lebensjahr (s. S. 147) genetische Faktoren eine Rolle spielen, ist nicht bekannt.

5.7.2. Nicht genetische Faktoren

5.7.2.1. Krankheiten

Zu den Krankheiten, welche nachweisbar die postnatalen Wachstums- und Reifungsvorgänge beeinflussen können, gehört aufgrund vieler Untersuchungen das *chronische Asthma bronchiale.* Diese Krankheit ist durch folgende Symptome gekennzeichnet: Anfälle starker Atemnot mit erschwerter Ausatmung infolge krampfartiger Zusammenziehungen der feinen Bronchialäste sowie Schleimhautschwellungen mit Absonderungen von zähem Schleim. HAUSPIE u. SUSANNE (1975) und HAUSPIE u. Mitarb. (1976) konnten indes an belgischen Kindern und Jugendlichen zeigen, daß Asthmatiker gegenüber gesunden Kontrollen zwar gewisse Verzögerungen in der Skelettreifung sowie der Körperhöhen- und Körpergewichtsentwicklung erkennen lassen, die jedoch postnatal durch ein gesteigertes *Aufholwachstum* wieder ausgeglichen werden können. Das heißt also, Dauereffekte durch chronisches Asthma müssen nicht eintreten. Allerdings ist es empfehlenswert, die körperliche Entwicklung asthmatischer Kinder ständig ärztlich überwachen zu lassen, um gegebenenfalls rechtzeitig therapeutische Maßnahmen (Zusatzernährung, Kuraufenthalte in Gebieten mit geringer Belastung an asthmafördernden Stauben und Abgasen) einleiten zu können.

Verzögerungen in der körperlichen Entwicklung sind auch durch kindliche *Infektionskrankheiten* wie Masern, Mumps, Windpocken oder Darminfektionen möglich. In der Regel werden auch derartig

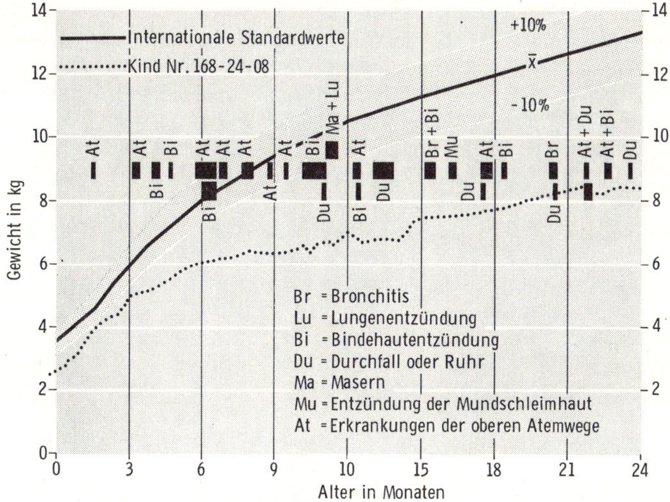

Abb. 70 Die Bedeutung von Infektionskrankheiten für die Entwicklung des Körpergewichts bei Kleinkindern (nach Behar)

bedingte Entwicklungsverzögerungen wieder ausgeglichen, wenn nicht zusätzliche Störfaktoren hinzukommen, wie z. B. chronische Unter- und Mangelernährung. Das ist häufig in den Ländern der sog. Dritten Welt der Fall, so daß die hier oft chronischen Infektionen der Kinder durch Bakterien, Viren, Protozoen und Würmer ausgeprägte und z. T. auch bleibende Wachstumsschäden verursachen können (Scrimshaw u. Mitarb. 1968, Thomson 1977). Ein Beispiel dafür, wie durch eine ständige Belastung durch akute Infektionskrankheiten die Gewichtsentwicklung ungünstig beeinflußt werden kann, gibt Abb. 70. Auffallend daran ist, daß die Verlangsamung der Gewichtszunahme erst nach dem 3. Lebensmonat erfolgt. Wahrscheinlich liegt bis dahin eine Immunisierung durch die Muttermilch vor. Wird ein Kind abgestillt, ohne daß die körpereigene Immunkompetenz entwikkelt werden bzw. deren Fehlen durch wirkungsvolle hygienische und therapeutische Maßnahmen gegen infektiöse Erkrankungen ausgeglichen werden konnte, ist mit einer ungenügenden Resistenz gegen die Erreger solcher Krankheiten zu rechnen. Die dadurch möglichen dauerhaften Folgeschäden für die gesamte körperliche Entwicklung lassen sich durch rechtzeitige Verbesserung der gesamten Umweltsituation der betroffenen Kinder vermeiden.

Eine nicht zu unterschätzende, in ihren Spätfolgen jedoch noch kaum systematisch untersuchte Gefahr für die Wachstums- und Reifungsprozesse des Organismus liegt in der Umweltbelastung mit *Blei.* Es ist zu befürchten, daß diese Gefährdung vor allem in den industriereichen Gebieten immer stärker zunimmt. Blei gehört zu den Metallen, welche vom Organismus nicht abgebaut werden können, so daß Ansammlungen in verschiedenen Organen wie Leber, Herz, Nieren und Blut möglich sind. In hohen Konzentrationen wirkt Blei als Nervengift. Außerdem kann es die Bildung von Hämoglobin verhindern, was die Sauerstoffversorgung des Organismus beeinträchtigt. Zu erwähnen sind hier auch die ungünstigen Auswirkungen von *Kobalt* und *Kadmium.* Hohe Kobaltkonzentrationen im Körper können zu Erkrankungen des Herzmuskels führen, hohe Kadmiumkonzentrationen (durch Verunreinigung des Trinkwassers möglich) zu Störungen in der Knochenentwicklung (EHRLICH u. Mitarb. 1975).

5.7.2.2. Ernährung

Für einen optimalen Ablauf der körperlichen Wachstums- und Reifungsprozesse, aber auch für die Aufrechterhaltung der gesamten körperlichen Funktionsfähigkeit in allen Lebensabschnitten benötigt der Organismus eine Reihe verschiedener Nährstoffe. Diese müssen in bestimmten, von Körperhöhe, Körpergewicht, Alter und Geschlecht abhängigen Mengen regelmäßig zugeführt werden. Nach ihrer Art, Funktion und Herkunft lassen sich die benötigten Nährstoffe in fünf Gruppen gliedern: 1. Proteine (Eiweiße), 2. Kohlenhydrate, 3. Fette, 4. Vitamine, 5. Mineralien einschließlich Spurenelementen.

1. Proteine: Sie liefern dem Organismus den lebensnotwendigen Stickstoff sowie die essentiellen Aminosäuren, welche zum Aufbau körpereigener Proteine benötigt werden. Da der menschliche Organismus diese Aminosäuren (Valin, Leuzin, Isoleuzin, Methionin, Threonin, Phenylalanin, Tryptophan, Lysin) nicht selbst synthetisieren kann, müssen sie mit der Nahrung zugeführt werden. Von Bedeutung ist, daß die Aminosäurenzusammensetzung der verschiedenen eiweißliefernden Fleisch-, Milch- und Getreideprodukte stark variiert. Ihr Wert für die menschliche Proteinversorgung ist daher ungleich. Allgemein kann festgestellt werden, daß der Proteingehalt pflanzlicher Nahrungsmittel geringer ist als der tierischer. Einzelheiten hierzu finden sich in den wissenschaftlichen Tabellen von Documenta Geigy (1975).

2. Kohlenhydrate: Sie werden als Energielieferanten und Speicherstoffe benötigt. Die wichtigsten Kohlenhydrate sind Stärke und Zukker. Da der menschliche Kohlenhydratbedarf in erster Linie über die pflanzlichen Nahrungsbestandteile gedeckt wird, sind diese auch in hohem Maße für die Kalorienzufuhr verantwortlich. Dabei ist der kalorische Wert von Kohlenhydraten nicht größer als der von Protein: 1 g Kohlenhydrat liefert 4,1 kcal, 1 g Protein desgleichen, 1 g Fett dagegen 9,1 kcal (1 kcal = Kilokalorie = diejenige Wärmemenge, welche nötig ist, um 1 l Wasser von 14,5°C auf 15,5°C zu erwärmen). Wichtig ist in diesem Zusammenhang der Hinweis, daß der menschliche Organismus Kohlenhydrate zu Fett umzuwandeln vermag, dagegen Proteine nicht. Werden mit der Nahrung also mehr Kohlenhydrate aufgenommen als zur Energieerzeugung erforderlich, werden die nicht benötigten Kohlenhydrate in Fett umgewandelt und in den Fettzellen deponiert. Dabei können aus 2,2 g Kohlenhydraten ca. 1 g Fett gebildet werden. Die übermäßige Zufuhr kohlenhydratreicher Nahrungsmittel (z.B. Süßwaren der verschiedensten Art) in den westlichen Ländern ist eine wesentliche Ursache für das häufige Übergewicht sowohl bei Kindern als auch bei Erwachsenen (s.S. 219).

3. Fette: Diese werden als Reserve- und Aufbaustoffe sowie als Energielieferanten benötigt. Außerdem kommt ihnen als Wärmeisolator eine biologische Bedeutung zu, z.B. im Winter oder in dauerhaft kalten Gebieten (Arktis). Fette werden im menschlichen Organismus aus tierischen oder pflanzlichen (Pflanzenöle) Produkten gebildet und in Fettzellen deponiert, zumal vielfach mehr Fett als gebraucht synthetisiert wird. Fettdepots liegen unter der Haut, in den Muskeln, aber auch in der Umgebung innerer Organe wie Herz oder Nieren. Außerdem sind Fettansammlungen in der Leber möglich, insbesondere dann, wenn die Fähigkeiten der Leberzellen zum Fettabbau vermindert sind. Das kann z.B. bei chronischem Alkoholismus der Fall sein. Fette, die in den Blutkreislauf gelangen, können krankhafte Verengungen der Blutgefäße (Arteriosklerose) bewirken. Auch Kinder und Jugendliche können hiervon bereits betroffen sein (CRADDOCK 1973).

4. Vitamine: Dabei handelt es sich um Wirkstoffe, welche für den Wachstums- und Reifungsprozeß sowie für zahlreiche physiologische Funktionen benötigt werden. Da sie vom Organismus nicht selbst aufgebaut werden können, ist ihre regelmäßige Zufuhr mit der Nahrung erforderlich. Einige wichtige Vitamine sind:

Vitamin A: u.a. vorhanden im Fischlebertran, in der Leber von Säugetieren, in der Milch, in Eiern, als Vorstufe Karotin auch in Obst und Gemüse; notwendig für Aufbau und Funktion der Haut, Bildung des Sehpurpurs in der Netzhaut, Wachstum, Leber- und Schilddrüsenstoffwechsel

Vitamin B_1: u.a. vorhanden in Getreide, Gemüse, Obst, Milch, Eier, Hefe; notwendig für den Eiweiß-, Kohlenhydrat- und Fettstoffwechsel sowie die Funktionen von Nervengewebe und Sinnesorganen

Vitamin B_2 (Laktoflavin oder Riboflavin): u.a. vorhanden in Obst, Spinat, Milch, Eiern und Leber; wichtig für Wachstumsvorgänge und den Zellstoffwechsel

Vitamin C (Askorbinsäure): u.a. in Obst und Gemüse vorhanden; notwendig für den Zellstoffwechsel sowie Aufbau und Funktion von Haut und Blutgefäßen

Vitamin D: u.a. in Milch, Fischlebertran und Säugetierleber vorhanden; von erheblicher Bedeutung für die Entwicklung von Knochen und Zähnen. Als Provitamin *Ergosterol* auch in der menschlichen Haut vorhanden; es kann unter Einwirkung von ultraviolettem Licht in Vitamin D umgewandelt werden.

Vitamin E: in Pflanzen und tierischen Produkten wie Milch, Eiern und Fleisch vorhanden; notwendig für die Entwicklung von Muskulatur und Bindegewebe, desgleichen für die Geschlechtsfunktionen

Vitamin K: u.a. in Gemüse, Eiern und Schweineleber vorhanden; wichtig für den Vorgang der Blutgerinnung

5. Mineralien und Spurenelemente: Auch diese haben eine entscheidende Bedeutung für die Aufrechterhaltung zahlreicher körperlicher Funktionen. Die wichtigsten Mineralien und Spurenelemente sind:

Kalzium: u.a. in Milch- und Milchprodukten, Gemüse, Fisch und hartem Wasser vorhanden; notwendig für den Aufbau von Knochen und Zähnen, für die Blutgerinnung sowie die Muskel- und Nervenfunktionen

Phosphor: u.a. in Eiern und Fleischprodukten vorhanden; wichtig für die Knochenentwicklung sowie die Regulation der Muskel- und Nerventätigkeit

Natrium: Zufuhr über Salz (Kochsalz), erforderlich für die Steuerung des Wasserhaushalts, desgleichen für Nerven- und Muskelfunktionen

Eisen: u.a. in Gemüse, Leber, Eiern und Fleischprodukten vorhanden; notwendig für die Bildung des Hämoglobins in den Erythrozyten

Schwefel: in Fleisch- und Fischprodukten vorhanden; erforderlich für die Proteinbildung im Körper

Jod: u.a. in pflanzlichen Nahrungsmitteln vorhanden, die auf jodreichen Böden gewachsen sind; notwendig für die Bildung der Schilddrüsenhormone

Zink: u.a. in Gemüse vorhanden; wichtig für den Aufbau des Insulins

Fluor: Aufnahme mit dem Trinkwasser; notwendig für den Aufbau des Zahnschmelzes, Kariesschutz. Tab. 18 gibt für eine Anzahl dieser

Tabelle 18 Empfohlene tägliche Zufuhr von Nährstoffen. Werte für gesunde, in der gemäßigten Klimazone lebende Personen bei mäßiger körperlicher Betätigung (nach National Academy of Sciences – National Research Council, USA, aus Documenta Geigy 1975)

	Alter in Jahren	Körperhöhe in cm	Körpergewicht in kg	Kalorien kcal	Protein g	Kalzium g	Eisen mg	Vitamine A IE[1]	Vitamine B_1 mg	Vitamine B_2 mg	Vitamine Nikotinsäure mg	Vitamine C mg	Vitamine D IE[1]
Säuglinge	0– 1		8	kg × 115 ±15	kg × 25 ±0,5	0,7	kg × 1,0	1500	0,4	0,6	6	30	400
Kinder	1– 3	87	13	1300	32	0,8	8	2000	0,5	0,8	9	40	400
	3– 6	107	18	1600	40	0,8	10	2500	0,6	1,0	11	50	400
	6– 9	124	24	2100	52	0,8	12	3500	0,8	1,3	14	60	400
Knaben	9–12	140	33	2400	60	1,1	15	4500	1,0	1,4	16	70	400
	12–15	156	45	3000	75	1,4	15	5000	1,2	1,8	20	80	400
	15–18	172	61	3400	85	1,4	15	5000	1,4	2,0	22	80	400
Mädchen	9–12	140	33	2200	55	1,1	15	4500	0,9	1,3	15	80	400
	12–15	158	47	2500	62	1,3	15	5000	1,0	1,5	17	80	400
	15–18	163	53	2300	58	1,3	15	5000	0,9	1,3	15	70	400
Männer	18–35	175	70	2900	70	0,8	10	5000	1,2	1,7	19	70	–
	35–55	175	70	2600	70	0,8	10	5000	1,0	1,6	17	70	–
	55–75	175	70	2200	70	0,8	10	5000	0,9	1,3	15	70	–
Frauen	18–35	163	58	2100	58	0,8	15	5000	0,8	1,3	14	70	–
	35–55	163	58	1900	58	0,8	15	5000	0,8	1,2	13	70	–
	55–75	163	58	1600	58	0,8	15	5000	0,8	1,2	13	70	–
Schwangere im 2. und 3. Monat				+ 200	+20	+0,5	+5	+1000	+0,2	+0,3	+3	+30	400
Stillende Frauen				+1100	+40	+0,5	+5	+3000	+0,4	+0,6	+7	+30	400

[1] IE = internationale Einheiten

verschiedenen Nährstoffe die notwendigen täglichen Zufuhrmengen an. Abweichungen von diesen Normwerten führen zu *Fehlernährung* (ungleichmäßige Zusammensetzung der Ernährung, meistens durch übermäßige Zufuhr kalorienreicher Lebensmittel), *Mangelernährung* (Defizit an einzelnen lebensnotwendigen Nahrungsbestandteilen, z.B. Proteinen oder Vitaminen) oder Unterernährung (Defizit an allen lebenswichtigen Nahrungskomponenten).

Auf die biologischen Folgen der *Fehlernährung* im Entwicklungsalter (übermäßige Fettbildung und -ablagerung im Organismus) wurde bereits hingewiesen (s.S. 147). Ihre Konsequenzen für den Erwachsenenorganismus werden an anderer Stelle zu erörtern sein.

Mangelernährung kann je nach Art des Defizits die körperliche (und auch die geistige) Entwicklung in sehr verschiedener Weise beeinflussen. Als Regel gilt, daß sie sich um so schwerer auswirkt, je größer die Defizite an einzelnen Nahrungskomponenten sind und je länger diese Defizite andauern. Kurzfristige Nahrungsmängel können meistens wieder ausgeglichen werden und bewirken keine irreparable Entwicklungsschäden.

Mängel in der Vitaminzufuhr (Avitaminosen) beeinträchtigen je nach fehlendem Vitamin ganz verschiedene Bereiche der körperlichen Entwicklung.

Vitamin A-Mangel bewirkt zunächst Nachtblindheit und führt bei längerem Andauern zur Hornhauterweiterung, auch zu Störungen in der Entwicklung von Knochengewebe und Zahnschmelz. Diese Avitaminose ist in Südostasien weitverbreitet.

Vitamin B_1-Mangel ist eine Hauptursache der sog. Beri-Beri-Krankheit. Dieser Mangel ist vor allem in solchen Ländern häufig, in denen polierter (geschälter) Reis ein Hauptnahrungsmittel ist. Kennzeichen dieses Vitaminmangels sind Störungen im Verdauungstrakt, in der Herzfunktion sowie Ausfälle im Zentralnervensystem.

Vitamin B_2-Mangel führt zu krankhaften Veränderungen von Haut und Nägeln sowie zu Wachstumsstörungen.

Vitamin C-Mangel bewirkt Skorbut. Diese ist durch Schleimhaut- und Hautblutungen z.B. im äußeren und inneren Mundbereich, Zahnfleischschwund verbunden mit Zahnausfall, Muskelschwund, Herzmuskelveränderungen und Anämie (Blutarmut) gekennzeichnet.

Vitamin D-Mangel bewirkt bei Heranwachsenden schwere Störungen in der Knochenentwicklung, insbesondere eine mangelhafte Verkalkung der Knochen. Diese sind dadurch nicht belastungsfähig und neigen zu dauerhaften Verbiegungen. Das kann z.B. die Ober- und Unterschenkelknochen betreffen (Rachitis, Englische Krankheit). Bei Erwachsenen kann dieser Vitaminmangel ebenfalls zu Knochenveränderungen (Knochenerweichung infolge fortschreitender Entkalkung) führen.

Die besondere Gefahr dieser Avitaminosen liegt in den Ländern der Dritten Welt vor allem darin, daß sie vielfach nicht isoliert, sondern kombiniert auftreten. In diesen werden die Folgen von Vitaminmangel nicht selten noch durch weitere Ernährungsmängel verstärkt. Die Überwindung der Avitaminosen stößt in einer Reihe von Ländern der Dritten Welt insofern auf Schwierigkeiten, als Nahrungsmitteltabus, bestimmte Gewohnheiten in der Speisenzubereitung oder Unkenntnis über Ernährungsfragen nicht kurzfristig beseitigt werden können.

Auch Mängel in der Versorgung des Organismus mit Mineralien und Spurenelementen können sich bei längerem Anhalten auf die gesamte körperliche Entwicklung ungünstig auswirken. So führt z.B. *Eisenmangel* zu Störungen in der Hämoglobinbildung, was wiederum Beeinträchtigungen in der Sauerstoffversorgung des Organismus zur Folge hat. Da gerade in den Wachstumsphasen ein erhöhter Sauerstoffbedarf vorliegt, ist es klar, daß sich Eisenmangel ungünstig auf die körperlichen Entwicklungsvorgänge auswirken muß.

Von besonders schwerwiegender Bedeutung für den heranwachsenden Organismus ist der *Proteinmangel* in der Ernährung. Erhebliche und andauernde Defizite in den notwendigen Proteinzufuhren führen zu dem als *Kwashiorkor* bezeichneten Krankheitsbild, das sich in besonderer Häufigkeit in zahlreichen Ländern der Dritten Welt findet. Es ist durch folgende Symptome gekennzeichnet: Dystrophie (allgemeine körperliche Unterentwicklung), erhebliche Verzögerungen aller Wachstums- und Reifungsvorgänge, Anorexie (Verlust von Appetit und Hungergefühl), Ödeme (Wasseransammlungen in den Geweben, z.B. aufgetriebene Bäuche), Apathie, Hautveränderungen (z.B. Depigmentation von Haut und Haar, Entzündungen), Leberschäden, Muskelschwund, Osteoporose (Knochenschwund durch Abnahme des Kalksalzgehaltes auf $^1/_3$ der Normwerte; Folge: Zunahme der Knochenbrüchigkeit schon bei geringen Belastungen). Nach Schätzungen der WHO ist die Verbreitung chronischer Proteindefizite vor allem in den tropischen Ländern außerordentlich stark. So leiden z.B. in Westindien 3–16% aller Kinder im Alter von 1–3 Jahren an den Folgen dieses Ernährungsmangels, in Malaysia ca. 6%, in Indien 5–16%. In Afrika machen nach WHO-Beobachtungen fast 50% aller Kinder zwischen 6 Monaten und 3 Jahren eine Proteinmangelphase durch.

Da in den Hungergebieten der Erde in der Regel sowohl ein Protein- als auch ein Kaloriendefizit vorhanden ist, kann sich in diesen häufig das Krankheitsbild des *Marasmus* entwickeln. Darunter versteht man die völlige körperliche und geistige Entkräftung des Organismus, verbunden mit schwersten, oft irreparablen Störungen und Schäden in allen Wachstums- und Reifungsprozessen. Die biologischen Auswirkungen von Mangel- und Unterernährung sind in den letzten Jahrzehnten sehr eingehend untersucht worden. Sie können hier nur an einigen Beispielen beleuchtet werden. Mit ausführlichen und zahlreichen Fakten aus allen Teilen der Erde belegte Darstellungen dieses noch weitgehend ungelösten Problems der gegenwärtigen Menschheit finden sich bei CANOSA u. Mitarb. (1975), JELLIFFE (1966), GYÖRGY u. KLINE (1970), SCRIMSHAW u. GORDON (1968), SCRIMSHAW u. Mitarb. (1968), SOMOGYI (1970, 1973), SOMOGYI u. FIDANZA (1972) und SOMOGYI u. KODICEK (1969).

Eine Folge chronischer Mangel- und Unterernährung ist die erhöhte *Kindersterblichkeit* (Tab. 19). Sie hat ihre Ursache darin, daß bei unzureichender Proteinzufuhr das körpereigene Immunsystem nur mangelhaft ausgebildet werden kann und so eine verminderte Widerstandsfähigkeit gegenüber den vor allem in tropischen Ländern häufigen Erregern von infektiösen Erkrankungen besteht. Von Bedeutung ist in diesem Zusammenhang, daß die Sterblichkeitsraten von dem Augenblick an erheblich ansteigen, in dem die Kinder nicht mehr von der Mutter gestillt werden. Das ist durch die sowohl qualitativ als auch quantitativ unzulängliche Ersatznahrung bedingt. Bei Verwendung an sich hochwertiger Kleinkindernahrung aus Europa oder den USA ist vielfach eine nicht einwandfreie hygienische Handhabung zu beobachten. Die durch diese Nahrung mögliche Eindämmung der Kindersterblichkeit wirkt sich daher nur teilweise aus.

Eine andere Auswirkung hochgradiger Mangel- und Unterernährung ist in Verzögerungen und – bei längerem Anhalten der defizitären Ernährung – Dauerschäden der körperlichen Entwicklung zu sehen. Das betrifft sowohl die Zunahmen von Körperhöhe und -gewicht als auch die aller anderen Körpermaße wie z. B. des Kopfumfanges. Auch die Reifungsvorgänge von Gehirn- und anderen inneren Organfunktionen werden durch Mangel- und Unterernährung beeinträchtigt. Wegen ihrer einfachen Feststellung können die Körpermaße als Indikatoren für den Entwicklungsstand der physiologischen Reifungsprozesse verwendet werden. Die Abhängigkeit der Körperhöhen- und -gewichtsentwicklung von Ernährungsfaktoren ergibt sich deutlich aus Abb. 71. Die größten Maßwerte zeigen die Kinder einer sozial gutgestellten Gruppe aus Ibadan (Nigeria), deren Ernährung qualitativ und quantitativ den von der WHO aufgestellten Normwerten entspricht (vgl. Tab. 18). Die jeweils geringsten Werte finden sich bei Kindern aus Ilesha (West-Nigeria), deren Ernährung langfristig sowohl hin-

Tabelle 19 Der Zusammenhang zwischen Kindersterblichkeit und den ökonomischen Lebensbedingungen (nach Mönckeberg)

Länder	Kindersterblichkeit 1.–4. Jahr in %	Anteil der städt. Bevölkerung in %	Analphabeten über 10 Jahre in %	Einkommen pro Kopf und Jahr in US-Dollar	Anschluß an öffentl. Wasserversorgung % der Bevölk.	Anschluß an öffentl. Abwasserbeseitigung % der Bevölk.	Täglicher Pro-Kopf-Verbrauch an tierischem Eiweiß in g	Durchschnittl. Lebensbedingungen im Vergleich zu den USA (= 100)
USA[1]	1,0	70	3	2707	70	53	66	100
Argentinien[1]	3,7	68	14	686	56	51	54	69
Chile[2]	4,8	67	16	451	47	19	28	59
Costa Rica[1]	7,5	38	21	338	38	8	20	41
Paraguay[1]	9,0	34	35	175	6	14	24	29
Peru[1]	12,6	36	53	186	24	36	12	32
Kolumbien[1]	13,7	47	38	197	55	50	20	45
Mexico[1]	12,7	54	38	410	58	65	24	47
Ecuador[1]	20,2	35	35	174	35	32	16	35
Salvador[3]	16,0	33	60	235	31	22	15	28
Guatemala[3]	26,9	31	71	248	20	15	14	23

[1] 1964 [2] 1966 [3] 1962

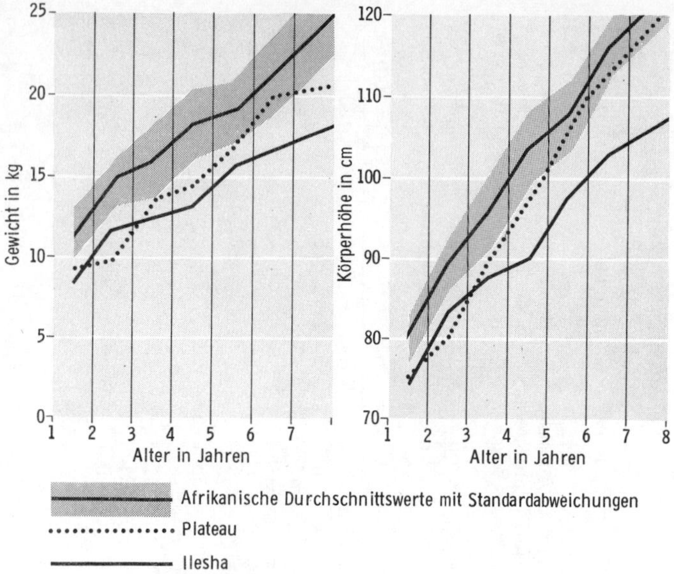

Abb. 71 Die Abhängigkeit der kindlichen Körperhöhen- und -gewichtsentwicklung von der Ernährungssituation (nach Collis u. Mitarb.)

sichtlich der Protein- als auch der Kalorienzufuhr unter den WHO-Werten blieb. Mittlere Körperhöhen und -gewicht dieser Kinder bleiben in allen Altersklassen noch unterhalb des unteren Variationsbereiches der Ibadan-Kinder. Eine gewisse Mittelstellung nimmt eine Kindergruppe aus Nord-Nigeria ein. Ihre Ernährung entsprach den WHO-Werten, sie waren jedoch über längere Zeit massiven Belastungen durch eine Vielzahl von Infektionserkrankungen ausgesetzt. Nach deren Ausschaltung stiegen die mittleren Körperhöhen- und -gewichtswerte deutlich an (Aufholwachstum) und näherten sich denen der Ibadankinder. Ähnliche Zusammenhänge zwischen körperlicher Entwicklung und Ernährungsbedingungen sind auch aus zahlreichen anderen Ländern bekannt, etwa aus Lateinamerika oder Indien. Es ist durchaus denkbar, daß die hier (Abb. 72) und in anderen Teilen der Erde an Erwachsenen beobachteten Zusammenhänge zwischen der geographischen Verteilung der mittleren Körperhöhe und derjenigen der durchschnittlichen Protein- und Kalorienzufuhr pro Tag Dauereffekte unterschiedlicher Ernährungsbedingungen während der Wachstumsperiode widerspiegeln (Walter 1976).

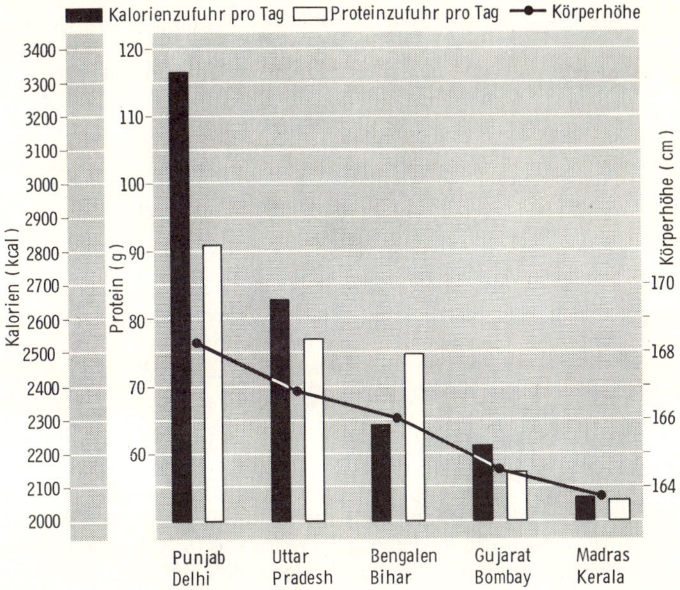

Abb. 72 Der Zusammenhang zwischen der regionalen Ausprägung der mittleren Körperhöhe und der täglichen Kalorien- und Proteinzufuhr (nach Zahlen von Malhotra)

Wie bereits mehrfach erwähnt, bewirken hochgradige und langandauernde Mangel- und Unterernährung während der postnatalen Entwicklung auch Beeinträchtigungen der Gehirnentwicklung. Auch hierüber liegen umfangreiche Untersuchungen vor, welche bei Scrimshaw u. Gordon (1968) ausführlich dargestellt worden sind. Danach ist sicher, daß insbesondere eine mangelhafte Proteinversorgung in den beiden ersten Lebensjahren, in welchen das Hirngewicht noch stark zunimmt (Abb. 48), zu ernsten Störungen führt. So ist die Teilungsrate der Zellen in allen Hirnbereichen vermindert; bei längerem Anhalten der Ernährungsdefizite wird auch eine dauerhafte, irreparable Verminderung der Gesamtzahl der Hirnzellen beobachtet (Winick 1973, 1976). Eng verbunden mit diesen quantitativen Hungereffekten sind auch solche in bezug auf die funktionelle Ausreifung der Hirnzellen. Als Folge dieser morphologisch-funktionellen Entwicklungsschäden treten häufig Verhaltensstörungen und Intelligenzverminderungen auf. Eichenwald (1970) weist auf eine allgemeine Apathie solcher Kinder hin, die zudem im Vergleich mit ausreichend ernährten Gleichaltrigen auf Umweltreize nur träge oder gar nicht reagieren und jegliche Aktivität und Neugier vermissen lassen. An unterernährten deutschen Schulkindern (aus Trier) wurden schon nach dem 1. Weltkrieg ähnliche Beobachtungen gemacht; darüber hinaus war bei ihnen ein starkes Absinken der Schulleistungen festzustellen (Blanton 1919). In neuerer Zeit wurden Intelligenzverminderungen als direkte Hungerfolge wiederholt beschrieben. So beobachteten Stoch u. Smythe (1963) an unterernährten Cape Coloured-Kindern aus Südafrika einen durchschnittlichen IQ von 70,9 gegenüber 93,5 in einer Kontrollgruppe. Mönckeberg (1968) stellte bei unterernährten chilenischen Kindern einen mittleren IQ von 62,0 fest. In Serbien ermittelten Cabak u. Najdanvic (1965) bei chronisch unterernährten sechsjährigen Schulanfängern einen mittleren IQ von 88,0 gegenüber 101,0 in einer gleichalten, ausreichend ernährten Kontrollgruppe.

Quantitative und qualitative Verbesserungen in der Ernährung von Kindern, die unter langdauerndem Mangel an protein- und kalorienreicher Nahrung gelitten hatten, ließen erkennen, daß zwar das Wachstum von Körperhöhe und -gewicht eine rasche Steigerung erfuhr, die intellektuellen Fähigkeiten jedoch eindeutig unter denen von gleichaltrigen Kontrollen blieben (Eichenwald 1970). Man muß nach allen bisher vorliegenden Untersuchungen schließen, daß nicht behobene Ernährungsschäden in den ersten Lebensjahren zu nicht reparablen Schäden in der geistigen Entwicklung führen. Hiervon sind insbesondere die intellektuellen Fähigkeiten und das Lernpotential betroffen. Wenn man bedenkt, daß auf der Erde annähernd 350 Millionen Kinder, das sind etwa 70% aller Kinder unter 6 Jahren, von chronischem Hunger betroffen sind, wird der Umfang dieses Problems und seine politische Brisanz klar (Keppel 1968).

Alle genannten Auswirkungen von Mangel- und Unterernährung betreffen insbesondere die Kinder der einkommensschwachen Sozialschichten in der Dritten Welt. Das haben u.a. Edozien (1970) und Collis u. Janes (1968) für Nigeria und Hansen u. Mitarb. (1968) für Südafrika deutlich herausstellen können. Man kann daher vermuten, daß die in Europa früher weitverbreiteten und teilweise auch noch heute vorhandenen sozialen Unterschiede in der körperlichen und geistigen Entwicklung der Kinder in Zusammenhang mit ökonomisch bedingten Ernährungsunterschieden zu sehen sind. So konnte Bernis (1977) in Spanien beobachten, daß Oberschichtkinder in allen Altersklassen körperlich stärker entwickelt waren als Unterschichtkinder. Auch in Deutschland sind derartige soziale Unterschiede wiederholt festgestellt worden, was bei Straass (1976) ausführlich dargestellt und diskutiert wird. Es scheint jedoch, als ob in den ökonomisch am weitesten entwickelten Ländern Europas die sozialen Unterschiede in

Ablauf und Tempo der körperlichen Entwicklung weitgehend ausgeglichen sind, wie das in verschiedenen Untersuchungen gezeigt werden konnte (WALTER u. Mitarb. 1975, WALTER 1977). Die möglichen Ursachen hierfür sind im Zusammenhang mit der Darstellung der säkularen Akzeleration der gesamten körperlichen Entwicklung zu diskutieren.

5.8. Die säkulare Akzeleration der körperlichen Entwicklung

Im Jahre 1935 veröffentlichte der Leipziger Stadtschularzt E. W. KOCH ein Buch mit dem Titel: »Über die Veränderungen des menschlichen Wachstums im ersten Drittel des 20. Jahrhunderts.« Hierin wurde nachgewiesen, daß Kinder und Jugendliche aller Altersklassen größer waren als die Gleichaltrigen früherer Jahrzehnte. KOCH nahm an, daß diese durch ein beschleunigtes Wachstum infolge verbesserter Umweltbedingungen (s. S. 201) bedingt sei und nannte dieses Phänomen daher Akzeleration (Entwicklungsbeschleunigung). Seither ist eine kaum noch zu übersehende Zahl von Untersuchungen zu dieser Frage durchgeführt worden. Diese konnten nicht nur die Gültigkeit der Kochschen Beobachtungen auch für andere europäische und z.T. auch außereuropäischen Bevölkerungen nachweisen, sondern darüber hinaus zeigen, daß diese Akzeleration die gesamte körperliche Entwicklung einschließlich der sexuellen Reifungsvorgänge betrifft. Aus der gleichzeitigen Erforschung der Akzelerationsursache ergaben sich eine Reihe von Einsichten, die auch für das Verständnis von rassischen und sozialen Unterschieden in Ablauf und Tempo der körperlichen Wachstums- und Reifungsprozesse von erheblicher Bedeutung sind.

5.8.1. Beweise für die säkulare Akzeleration

Im folgenden seien zunächst einige wichtige Belege für die Veränderung der gesamten körperlichen Wachstums- und Reifungsprozesse angeführt. Die wiedergegebenen Zahlenwerte beziehen sich im allgemeinen auf die Verhältnisse in Deutschland. Sie gelten prinzipiell auch für andere europäische Bevölkerungen bzw. für die weißen Bevölkerungsteile Nordamerikas, Südafrikas, Australiens und Neuseelands.

5.8.1.1. Zunahme von Geburtslänge und -gewicht

In der ersten Hälfte des 20. Jahrhunderts stieg die durchschnittliche Körperlänge Neugeborener von 50 auf 53 cm, das Gewicht von 3150 g auf 3300 g (vgl. Abb. 75). Das bedeutet, daß die Akzelerationsursachen bereits pränatal wirken.

5.8.1.2. Schnelleres Körperhöhen- und -gewichtswachstum in der Kindheit

Von der Geburt an bis zum 6. Lebensjahr ist das Wachstumstempo heute stärker als z. B. noch um die Jahrhundertwende. Untersuchungen von Vogt (1966) haben ergeben, daß in München 1964 im Vergleich zu 1907–1914 sowohl bei Knaben als auch bei Mädchen in allen Altersklassen zwischen dem 1.–6. Lebensjahr die Körperhöhe um durchschnittlich jeweils 5 cm, das Körpergewicht um jeweils 2–3 kg zugenommen haben. Fünfjährige weisen gegenwärtig die gleichen Körperhöhen- und -gewichtswerte auf wie um die Jahrhundertwende die Sechsjährigen. Während des Schulalters hält diese beschleunigte körperliche Entwicklung nicht an. Dagegen setzt der puberale Wachstumsschub nun etwa ein Jahr früher ein als um 1900. Er ist heute zudem ausgeprägter. Diese gesteigerte Wachstumsintensität in der Pubertät ist eine der Hauptursachen für die säkulare Körperhöhenzunahme.

5.8.1.3. Früherer Durchbruch von Milch- und Dauerzähnen

Der erste Milchzahn ist gegenwärtig bei 51% der Kinder bereits im 6. Lebensmonat vorhanden. Bei den Müttern dieser Kinder betrug die entsprechende Häufigkeit nur 47%. Allerdings sind diese Unterschiede insofern problematisch, als ihnen keine objektiven Untersuchungen zugrundeliegen; sie basieren vielmehr auf den Ergebnissen von Befragungen. Sicherer ist dagegen der frühere Durchbruch der Dauerzähne. Die Vorverlegung beträgt 4–12 Monate. Der erste Molar, der noch um die Jahrhundertwende regelmäßig erst im 6. Lebensjahr durchbrach, ist heute bei den meisten Kindern schon 6–9 Monate früher vorhanden.

5.8.1.4. Steigerung der mittleren Körperhöhe von Wehrpflichtigen

Das umfangreichste Datenmaterial bezüglich der säkularen Akzeleration in den vergangenen 100 Jahren liegt in allen europäischen Ländern für Wehrpflichtige vor, da bei den Musterungsuntersuchungen auch die Körperhöhe bestimmt wird. Eine Zusammenstellung dieser Körperhöhenmessungen an deutschen Wehrpflichtigen, die bei den Musterungen jeweils 18 Jahre alt waren, hat Harbeck (1960) vorgenommen. Danach betrug die durchschnittliche Körperhöhe der jungen Männer in Preußen 1894/1898: 166,4 cm, 1899/1903: 166,7 cm und 1904/1907: 166,9 cm. 1936 (im damaligen Reichsgebiet) betrug die mittlere Körperhöhe der Wehrpflichtigen 169,6 cm, 1957 (erste Musterung im Gebiet der Bundesrepublik Deutschland) 173,2 cm. In etwa 60 Jahren bedeutet das einen Körperhöhenanstieg von ca. 7 cm. Dieser Wert entspricht dem in anderen europäischen Ländern beob-

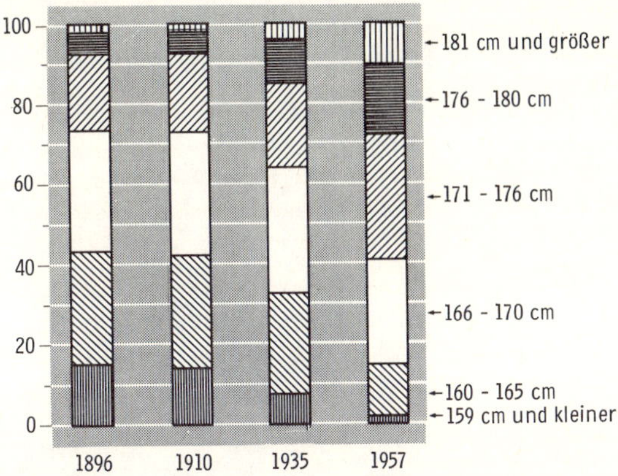

Abb. 73 Zeitliche Veränderungen in der Häufigkeit der verschiedenen Körperhöhenklassen bei bayerischen Rekruten (nach Harbeck)

achteten. Aufschlußreich sind auch die unterschiedlichen Anteile der verschiedenen Körperhöhenklassen in den einzelnen Musterungsjahren, wie das Abb. 73 am Beispiel bayerischer Wehrpflichtiger zeigt. Danach hat von 1896 bis 1957 der Anteil Kleinwüchsiger deutlich abgenommen, während der Anteil Hochwüchsiger im gleichen Zeitraum ebenso deutlich anstieg.

Vergleichende Untersuchungen an den Wehrpflichtigen aller europäischen Länder konnten zeigen, daß in den vergangenen 100 Jahren 18jährige Männer um durchschnittlich 10 cm größer geworden sind. Dieser Anstieg erfolgte allerdings nicht zeitlich gleichmäßig und weist auch erhebliche soziale wie regionale Unterschiede auf (s. S. 206).

Erwähnt sei in diesem Zusammenhang, daß mit der Steigerung der Körperhöhe auch eine Zunahme der mit dieser positiv korrelierten Maße wie Hand- und Fußlänge, Kopfumfang, Brustumfang verbunden war.

5.8.1.5. Vorverlegung der sexuellen Reifung

Sowohl im männlichen als auch im weiblichen Geschlecht konnte festgestellt werden, daß die sexuellen Reifungsmerkmale (s. S. 174) heute im Vergleich zu früher immer eher auftreten. Am sichersten war das allerdings nur für das weibliche Geschlecht zu belegen, und zwar durch den Vergleich des Menarchealters. Wie Abb. 74 zeigt, liegt dieses 1960 deutlich niedriger als in den früheren Jahrzehnten. Diese Vorverlegung gilt für alle europäischen Bevölkerungen, und man kann

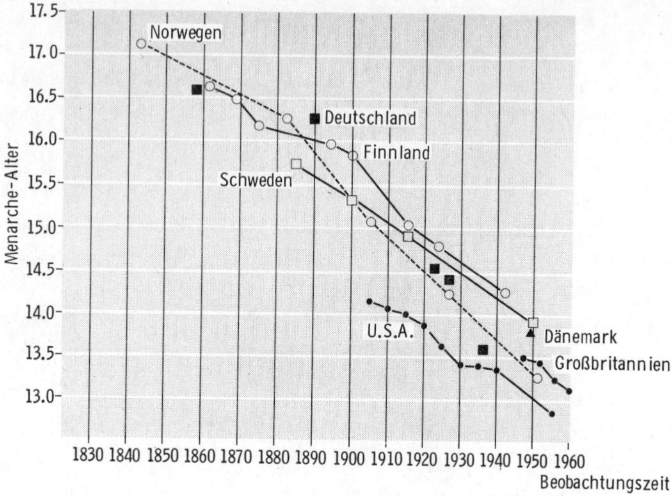

Abb.74 Die zeitliche Vorverlegung der Menarche in einigen europäischen Ländern und in den USA (aus TANNER, J. M.: Wachstum und Reifung des Menschen. Thieme, Stuttgart 1962)

nach den zahlreichen Untersuchungen zu dieser Frage feststellen, daß »die Vorverlegung der Menarche in Europa seit der Jahrhundertwende durchschnittlich mindestens 2 Jahre beträgt bzw. bei den Töchtern im Vergleich zu ihren Müttern mindestens 1 Jahr« (KNUSSMANN 1968b).

5.8.1.6. Früheres Auftreten bestimmter Krankheiten

Nach verschiedenen Untersuchungen kann man annehmen, daß Krankheiten, deren Ausbruch erst von einem bestimmten Lebensalter ab möglich ist, heute früher als in vergangenen Jahrzehnten auftreten. So konnte für die *Chorea minor* (überwiegend zwischen dem 6.–13. Lebensjahr auftretende Nervenkrankheit mit Zuckungen der Extremitäten, Grimmassieren, Muskelschwäche und psychischen Veränderungen wie Antriebsschwäche, Unaufmerksamkeit, Reizbarkeit) beobachtet werden, daß das durchschnittliche Erkrankungsalter von 11 (1900) auf 8 (1925–1940) Jahre vorverlegt ist (BENNHOLD-THOMSEN 1941). Auch für *rheumatische Erkrankungen,* die *Tuberkulose* sowie für *Magen-* und *Darmgeschwüre* wurde ein früheres Auftreten festgestellt. Man kann vermuten, daß infolge der allgemeinen Beschleunigung der körperlichen Entwicklung die organischen Voraussetzungen für das Ausbrechen dieser Krankheiten früher erreicht werden. Allerdings bedarf es hier noch weiterer Untersuchungen.

Umstritten und bislang noch ungelöst ist die Frage, ob in ursächlichem Zusammenhang mit der körperlichen auch eine psychische Akzeleration stattgefunden hat. Da psychische Verhaltensweisen und Eigenschaften in hohem Maße von der gesamten sozialen Umwelt geprägt werden, ist es jedoch wahrscheinlicher, daß psychische Akzelerationen – sofern sie überhaupt exakt nachgewiesen werden können – eher auf Veränderungen der für die psychische Entwicklung relevanten Umweltfaktoren zurückzuführen wären.

Ebenso ist auch die Frage offen, ob die körperliche Akzeleration noch anhält oder bereits abgeschlossen ist. Für die letztere Annahme sprechen sich Bakwin u. McLaughlin (1964) aufgrund von Beobachtungen in den USA aus. Dagegen konnten Kurth u. May (1977) nach Längsschnittuntersuchungen in Braunschweig ein unvermindertes Anhalten der Akzeleration feststellen. Abgesehen davon, daß für eine endgültige Klärung dieser Frage noch zu wenige Untersuchungen vorliegen, ist anzunehmen, daß die säkulare Akzeleration sicherlich in den verschiedenen Bevölkerungen nicht gleichzeitig beendet sein wird, zumal sie auch nicht überall gleichzeitig begonnen hat.

5.8.2. Hypothesen zur Erklärung der säkularen Akzeleration

Für die Ursachen der körperlichen Entwicklungsbeschleunigung sind eine Vielzahl von Faktoren verantwortlich gemacht worden, die im einzelnen bei Knussmann (1968b) und Straass (1976) kritisch diskutiert worden sind. Anspruch auf wissenschaftliche Ernsthaftigkeit haben nur die nachfolgend wiedergegebenen Hypothesen.

5.8.2.1. Helioexpositionshypothese

Zur Erklärung der von ihm erstmals beschriebenen Körperhöhensteigerung nahm Koch (1935) an, daß Kinder und Jugendliche in diesem Jahrhundert durch Sport und Baden in wesentlich höherem Maße der Sonnenwirkung ausgesetzt seien als früher. Dadurch sei unter der Einwirkung der solaren UV-Strahlung das in der Haut vorhandene Provitamin Ergosterin vermehrt in das wachstumswichtige Vitamin D umgewandelt worden. Allerdings gibt es keine stichhaltigen Beweise für die Richtigkeit dieser Annahme. Vielmehr konnte beobachtet werden, daß in den Großstädten, die wegen der industriellen Abgase UV-ärmer sind, die säkulare Akzeleration viel früher einsetzte als in den UV-reicheren Landgebieten. Außerdem konnte nicht gezeigt werden, daß die körperliche Entwicklung in den UV-reichen Biotopen der Erde (Hochgebirge, Tropen) schneller verläuft als in den UV-ärmeren, etwa in Europa. Vielmehr ist das Gegenteil der Fall.

5.8.2.2. Urbanisationseffekte

Ausgehend von der Beobachtung, daß Stadtkinder im Durchschnitt körperlich entwickelter sind als gleichalte Landkinder, vermutete De Rudder (1943, 1960) die Kausalfaktoren für die säkulare Akzeleration im städtischen Milieu. Er nahm an, daß die in den Städten vorhandene Reizüberflutung über den Hypothalamus die Hypophyse zur vermehrten Bildung von Somatropin anrege. Da jedoch auch in Landgebieten Akzelerationserscheinungen beobachtet werden konnten, hat diese Hypothese keine allgemeine Aussagekraft. Sie ist auch insofern problematisch, als in den Städten ausgeprägte soziale Unterschiede in bezug auf Beginn und Intensität der körperlichen Entwicklungsbeschleunigung vorhanden waren.

5.8.2.3. Siebungshypothese

Bennholdt-Thomsen (1942) vermutete die Akzelerationsursachen in der Wirksamkeit spezifischer Siebungseffekte bei der Land-Stadt-Wanderung. Er nahm an, daß bei der von der Mitte des 19. Jahrhunderts verstärkt einsetzenden Abwanderung vom Land in besonders hohem Maße vegetativ labile Menschen vertreten waren. In der städtischen Umwelt konnten die urbanen Reizfaktoren auf diese Menschen besonders stimulierend einwirken und das Wachstum beschleunigen, sofern dieses noch nicht abgeschlossen war. Weiterhin wurde von dieser Hypothese angenommen, daß auch die Kinder dieser Abwanderer in hohem Maße vegetativ labil und daher für die wachstumsfördernden Reize der städtischen Umwelt besonders empfänglich waren. Überzeugende Beweise für die Richtigkeit dieser Hypothese konnten indes nicht erbracht werden.

5.8.2.4. Aufbrechen genetischer Isolate

Lundborg (1931) ging bei seiner Hypothese von der Tatsache aus, daß es innerhalb der europäischen Länder in den vergangenen 100 Jahren zu einer immer stärkeren Vermischung der verschiedenen Bevölkerungsteile gekommen ist. Die Ursachen hierfür sind in gesteigerten Binnenwanderungen zu sehen, die in engem Zusammenhang mit der Industrialisierung stehen. Durch diese Wanderungen und Vermischungen seien genetische Isolate aufgebrochen. Die populationsgenetische Folge war nach Lundborg (1931) u.a. eine stärkere Ausbreitung bisher regional begrenzter Verteilungen von Hochwuchsgenen. Da sich diese im Erbgang dominant verhalten, konnte ein allgemeiner Körperhöhenanstieg erfolgen. Hinweise für die Richtigkeit dieser Hypothese erbrachten nicht nur Untersuchungen in Schweden, sondern auch solche in Deutschland. So konnten SCHAEUBLE (1954) und NOLD (1963) in Baden-Württemberg feststellen, daß in Gebieten mit stärkerer Durchmischung der säkulare Körperhöhenanstieg beträchtlicher war als in denen mit geringerer. Da jedoch deutliche Akzelerationseffekte auch in relativ isoliert gebliebenen Gebieten Europas (Schweizer Alpentäler, Mittel- und Nordschweden, Sardinien) beobachtet werden konnten, reicht auch diese Hypothese nicht für eine allgemeine Erklärung der säkularen Akzeleration aus.

5.8.2.5. Ernährungshypothese

Den ersten Versuch, die Beschleunigung der körperlichen Entwicklung in einen Zusammenhang mit den Veränderungen in der Ernährung der europäischen Bevölkerungen zu bringen, unternahm LENZ (1944, 1949). Da – wie auf S. 186ff. im einzelnen ausgeführt – die Ernährung sowohl in bezug auf ihre Menge als auch ihre Zusammensetzung (Proteine, Kohlenhydrate, Vitamine, Mineralien) von außerordentlich großer Bedeutung für den Ablauf der körperlichen Entwicklung ist, erscheint diese Hypothese sinnvoll. Hingewiesen sei hier auch auf die entsprechenden Erfahrungen, die man mit gezielten Ernährungsprogrammen bei Kindern der Dritten Welt (Literatur s. S. 192) bzw. nach den beiden Weltkriegen an europäischen Kindern machen konnte (DU PAN 1959, TANNER 1962).

Wenn die Ernährungshypothese zutrifft, wonach die säkulare Beschleunigung der körperlichen Entwicklung weitgehend durch eine Veränderung in den Ernährungsverhältnissen bedingt ist, muß sie vier Anforderungen erfüllen: 1. Die quantitative wie qualitative Verbesserung der Ernährung im Zeitraum der säkularen Akzeleration muß nachweisbar sein. 2. In Zeiten ungünstiger Ernährungsverhältnisse wie z.B. in und nach den Weltkriegen muß die säkulare Akzeleration verlangsamt sein. 3. Die körperliche Entwicklungsbeschleunigung muß vor allem in den sozialen Gruppen stattgefunden haben, deren Lebensverhältnisse sich in den letzten 100 Jahren besonders stark verbessert haben. 4. Eine Beschleunigung der körperlichen Entwicklung muß auch bei solchen außereuropäischen Bevölkerungen zu beobachten sein, deren ökonomische Situation sich in den vergangenen Jahrzehnten zumindest teilweise verbessert hat.

Die erste dieser Anforderungen trifft durchaus zu, da in allen europäischen Ländern der Beschleunigung der körperlichen Entwicklung eine deutliche Verbesserung der allgemeinen Ernährungssituation parallel läuft. Das gilt nicht zuletzt für die Zunahme im Verbrauch der für das Wachstum besonders wichtigen proteinreichen Nahrungsbestandteile. So stieg z.B. der Fleischverbrauch pro Kopf und Jahr in

Deutschland		England	
1816	13,6 kg	1834	18,0 kg
1840	21,6 kg	1868	45,0 kg
1861	23,3 kg	1880	51,7 kg
1883	29,3 kg	1890	56,0 kg
1900	43,4 kg	1904	56,0 kg
1907	46,2 kg	1950	56,0 kg
1930	50,5 kg	1965	67,5 kg
1964	64,4 kg		
1970	79,9 kg		

Im gleichen Zeitraum erfolgten auch wesentliche Verbesserungen der gesundheitlichen Verhältnisse, wodurch eine Anzahl von wachstumsbeeinträchtigenden Krankheiten wie Rachitis oder Tuberkulose abnahmen. Auch die Verbesserungen der allgemeinen hygienischen und sozialen Lebensbedingungen (gesündere Wohnungen, Rückgang der Kinderarbeit) können als wichtige Mitursache der säkularen Akzeleration gesehen werden.

Die zweite Anforderung an die Richtigkeit der Ernährungshypothese trifft ebenfalls zu. In allen europäischen Ländern nahm sowohl während der Wirtschaftskrise um 1930 als auch in und nach den beiden Weltkriegen das Tempo der säkularen Akzeleration deutlich ab. Sofort nach Wiederherstellung der normalen Lebensverhältnisse stieg

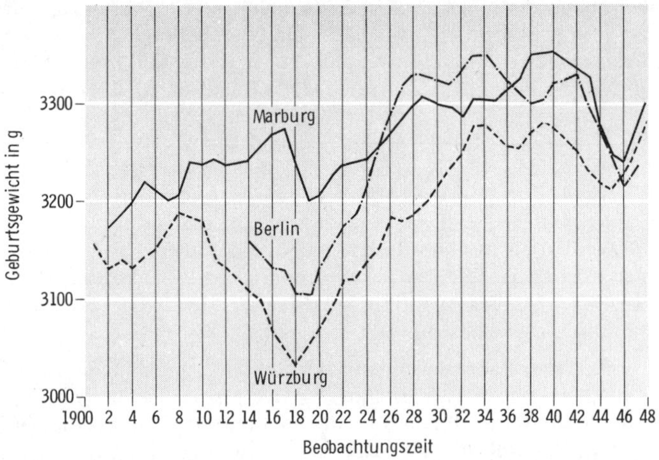

Abb. 75 Zeitliche Veränderungen des mittleren Geburtsgewichts in drei deutschen Städten (aus Solth, K.: Arch. Gynäk. 177 [1950] 678)

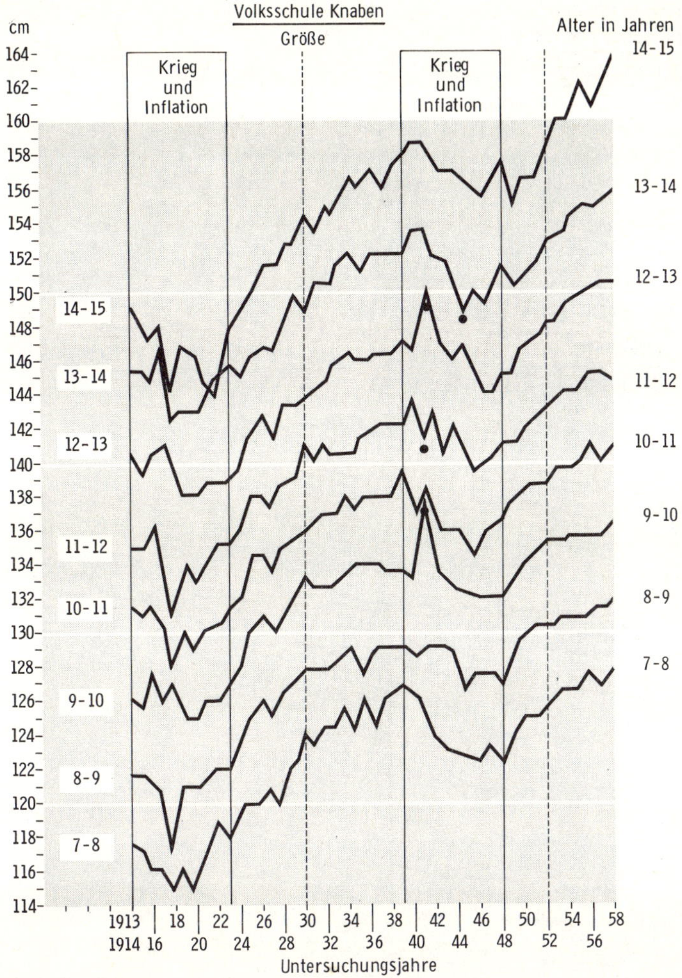

Abb. 76 Zeitliche Veränderungen der mittleren Körperhöhe bei Stuttgarter Schulkindern verschiedener Altersklassen. Die gestrichelten Linien geben das mutmaßliche Ende der auf Hungerzeiten folgenden Kompensationszunahme an (aus HAGEN, W. u. a.: Wachstum und Gestalt. Thieme, Stuttgart 1961)

Tabelle 20 Soziale Unterschiede in der Körperhöhenzunahme (in cm) bei Schweizer Rekruten (nach Lenz)

Kanton Luzern	1897–1902	1927–1932	Zunahme
Kaufleute und Studenten	166,6	171,2	+4,4
Fabrikarbeiter	161,8	167,0	+5,2
Landwirte	163,1	166,1	+3,0
Kanton Schwyz	**1887**	**1935**	**Zunahme**
Intellektuelle	167,0	170,6	+3,6
Schwerarbeiter	164,0	169,4	+5,5
Leichtarbeiter	163,2	168,0	+4,8
Landwirte	162,9	168,7	+5,8
Fabrikarbeiter	155,9	169,6	+13,7
Zürich-Stadt	**1910**	**1930**	**Zunahme**
Kaufleute und Studenten	169,6	172,7	+3,1
Fabrikarbeiter	166,4	170,5	+4,1
Landwirte	165,8	168,4	+2,6

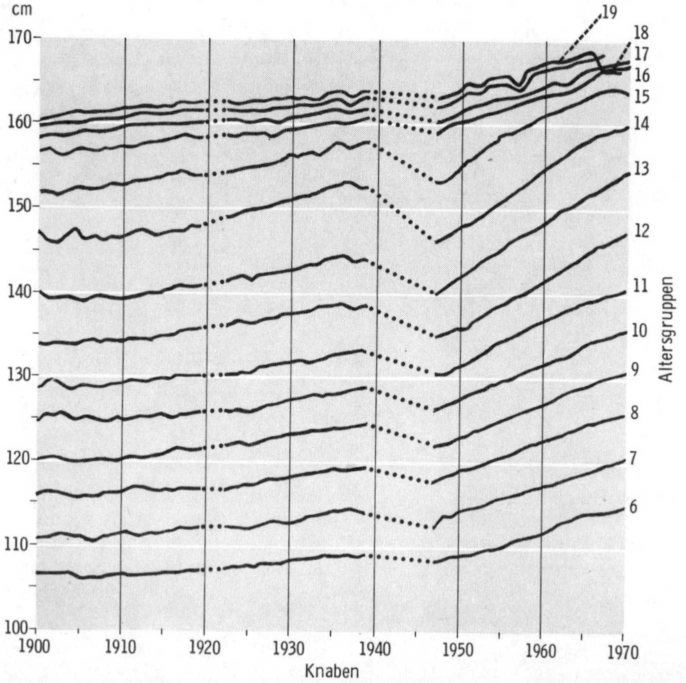

a

das Akzelerationstempo wieder an. Das ist am Beispiel der Entwicklung des Geburtsgewichts in Marburg, Berlin und Würzburg (Abb. 75) oder der Körperhöhenzunahme an verschiedenaltrigen Stuttgarter Schulkindern (Abb. 76) deutlich zu erkennen. Auch in der Vorverlegung des Menarchealters trat zu diesen Zeiten eine Verzögerung ein. Da insbesondere gegen Ende des 1. Weltkrieges sowie während und nach dem 2. Weltkrieg in vielen Teilen Europas die Versorgung großer Teile der Bevölkerung mit hochwertigen Nahrungsmitteln zeitweise völlig zusammengebrochen war, mußten sich nachhaltige Auswirkungen auf die körperliche Entwicklung der Kinder und Jugendlichen ergeben.

Auch die dritte Anforderung an die Ernährungshypothese ist aufgrund vieler sozialanthropologischer Untersuchungen erfüllt. So fand Ravn (zitiert nach Lenz 1959) 1850 in den unteren Sozialschichten Dänemarks ein um durchschnittlich 1 Jahr höheres Menarchealter als in den gehobenen. 1950 betrug diese Differenz nur noch 0,15 Jahre. In England konnte Clements (1953) beobachten, daß bei den

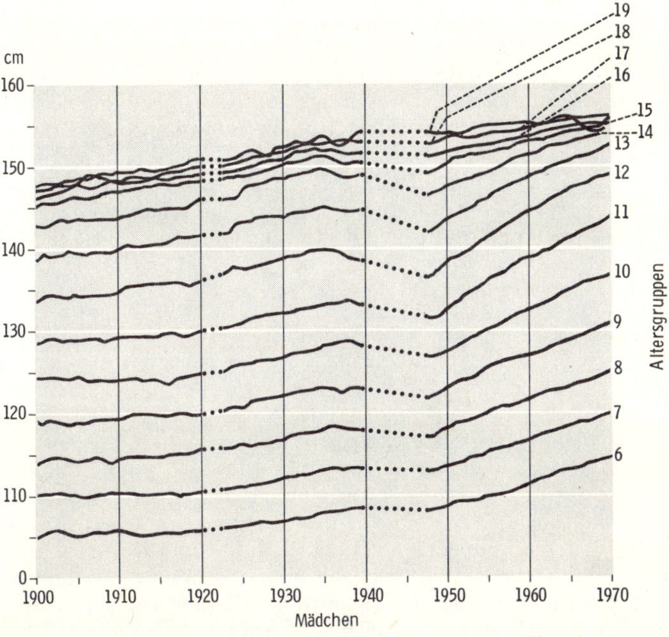

b

Abb. 77 a u. b Zeitliche Veränderungen der mittleren Körperhöhe in Japan (nach Shimazono)

8–10jährigen Kindern der oberen Einkommensschichten seit der Jahrhundertwende die Körperhöhe um 6,4 cm und das Körpergewicht um 1,6 kg zugenommen haben, in den unteren Einkommensschichten dagegen um 11,4 cm bzw. 5,9 kg. In Italien stieg die durchschnittliche Körperhöhe zwischen 1811–1815 und 1944–1946 in der sozialen Unterschicht um 9,0 cm, in der Oberschicht dagegen nur um 6,3 cm (COSTANZO 1948). Außerordentlich klar zeigen sich die sozialen Unterschiede im Ausmaß der säkularen Akzeleration auch an den Körperhöhen Schweizer Rekruten (Tab. 20). Schließlich lassen auch eigene Untersuchungen in Kiel, Mainz und Bremen erkennen, daß die säkulare Akzeleration in besonderem Maße die unteren Sozialschichten betroffen hat (WALTER u. Mitarb. 1975, WALTER 1977).

Die Gründe dafür liegen zweifellos darin, daß sich in den vergangenen 100 Jahren vor allem in den unteren Sozialschichten die Lebensbedingungen einschließlich der Ernährungsverhältnisse wesentlich verbessert haben. So betrug nach MARTIN u. SALLER (1957–1966) in England zwischen 1898–1903 der Fleischverbrauch pro Kopf und Jahr bei Landarbeitern und ungelernten Arbeitern 39,0 kg, bei gelernten Arbeitern 48,5 kg, bei mittelständischen Berufsgruppen 82,5 kg und in der sozialen Oberschicht 136,0 kg! Ähnlich lagen die entsprechenden Verhältnisse auch in den anderen europäischen Ländern. Die in den vergangenen Jahrzehnten wesentlich verbesserte Einkommenssituation in den sozialen Unterschichten hat in Verbindung mit der Reduktion der Kinderzahlen ohne Zweifel bewirkt, daß sich die quantitativen und qualitativen Ernährungsverhältnisse in diesen Schichten nachhaltig verbessern konnten. Die in den ökonomisch am weitesten entwickelten Ländern Europas heute kaum noch bzw. nicht mehr vorhandenen sozialen Unterschiede in der körperlichen Entwicklung der Kinder sprechen dafür.

Schließlich ist auch die vierte Anforderung an die Ernährungshypothese erfüllt. In verschiedenen außereuropäischen Bevölkerungen konnte ebenfalls eine Beschleunigung in der körperlichen Entwicklung beobachtet werden, sofern eine Verbesserung ihrer Lebensbedingungen und insbesondere der Ernährungssituation stattfand. Ganz klar kann das für Japan aufgezeigt werden, wo – nur durch den 2. Weltkrieg unterbrochen – von 1900 an in allen Altersklassen die durchschnittliche Körperhöhe deutlich anstieg (Abb. 77). Diese akzelerativen Veränderungen, die sich auch auf andere Körpermerkmale sowie die sexuelle Reifung beziehen, zeigen sich von 1950 an besonders deutlich. Von dieser Zeit an hat in Japan der jährliche Pro-Kopf-Verbrauch an proteinreichen Nahrungsmitteln wie Milch und Milchprodukte und Fleisch erheblich zugenommen (SHIMAZONO 1973). Ähnliche Beobachtungen liegen auch aus China, den Philippinen (Knussmann 1968b) sowie an Eskimos (Drenhaus u. Mitarb. 1974) vor. Auch bei den südafrikanischen Buschmännern konnte eine Körperhöhenakzeleration festgestellt werden (Tobias 1972). Allerdings gilt das nicht für diejenigen Buschmanngruppen, die noch heute ein Jäger- und Sammlerdasein mit unregelmäßiger und in ihrer Zusammensetzung oft unausgewogenen Ernährung führen. Vielmehr betrifft die Akzeleration nur solche Gruppen, die sich weißen Siedlungen angeschlossen haben und deren Ernährungsverhältnisse dadurch günstiger geworden sind.

Im ganzen läßt sich zusammenfassend feststellen, daß nach allen bisher vorliegenden Untersuchungen die Hauptursache für die säkulare Akzeleration in der quantitativen und qualitativen Verbesserung der Ernährungsverhältnisse zu sehen ist. Dadurch kommt es offenbar nicht nur zu einer früheren Reifung des Hypothalamus und des von diesem gesteuerten endokrinen Systems, sondern auch zu einer Steigerung der funktionellen Leistungen desselben, insbesondere des somatotropinbildenden Hypophysenvorderlappens. Das genetisch programmierte Entwicklungspotential kann unter den gegenwärtigen Lebensbedingungen somit intensiver ausgeschöpft werden als in der Vergangenheit. Da die entwicklungsrelevanten Umweltfaktoren auch heute regional und teilweise sozial variieren, ist durchaus damit zu rechnen, daß in manchen Bevölkerungen die Akzeleration bereits weitgehend zum Abschluß gekommen ist, in manchen noch anhält und in anderen noch nicht begonnen hat. Sicher ist auf jeden Fall, daß es sich bei der säkularen Akzeleration der körperlichen Wachstums- und Reifungsabläufe in allererster Linie um einen Umwelteffekt handelt, bei dem die Ernährungsverbesserung einen Hauptfaktor darstellt.

6. Anwendungsbereiche der Entwicklungsbiologie des Menschen

Die Erforschung der körperlichen Entwicklungsprozesse beim Menschen ist nicht nur von rein erkenntnistheoretischem Interesse. Sie hat darüber hinaus auch eine Reihe von Ergebnissen bieten können, die von praktischer Bedeutung sind. Einige Anwendungsbereiche entwicklungsbiologischer Erkenntnisse sollen im nachfolgenden kurz erörtert werden; eine systematische Darstellung der angewandten Entwicklungsbiologie des Menschen steht bislang leider noch aus.

6.1. Kinder- und jugendärztliche Diagnostik

Zur Erkennung von krankhaften Störungen im Verlauf der körperlichen Wachstums- und Reifungsvorgänge ist es notwendig, zuverlässige Angaben über den Entwicklungsstand in den verschiedenen Altersklassen zu haben. Derartige *altersspezifische Normwerte* werden durch umfangreiche Reihenuntersuchungen aus repräsentativen Bevölkerungsstichproben gewonnen und in Normtabellen, Normkurven oder Somatogrammen dargestellt. Sie liegen für die meisten anthropometrischen und physiologischen Merkmale vor, desgleichen für die Knochenentwicklung sowie das Auftreten der verschiedenen sexuellen Reifungsmerkmale (s. S. 174) und gestatten eine Aussage darüber, ob ein untersuchtes Kind altersgerecht entwickelt ist, in seiner Entwicklung im Vergleich zum Altersdurchschnitt voraus oder verzögert ist. Entsprechende Normtabellen finden sich in allen kinder- und jugendärztlichen Lehr- und Nachschlagewerken. Auch die wissenschaftlichen Tabellen von Documenta Geigy (1975) enthalten zahlreiche Tabellen zur Beurteilung des postnatalen Entwicklungsverlaufes.

Normtabellen für die Ausprägung von *Körperhöhe* und *Körpergewicht* in den verschiedenen Altersklassen sind in Tab. 21 und 22 wiedergegeben. Da diese Maße leicht zu gewinnen sind, werden sie in der Regel als erste Indikatoren für die Beurteilung des körperlichen Entwicklungsstandes herangezogen. Bei der Anwendung solcher Normtabellen sind jedoch drei wichtige Gesichtspunkte zu berücksichtigen: 1. die biologische Variabilität, 2. die regionale Bezogenheit von Normwerten, 3. die säkulare Akzeleration.

6.1.1. Die biologische Variabilität

Normtabellen und -kurven enthalten zunächst die jeweiligen Mittelwerte der verschiedenen Altersklassen. Da die individuellen Werte um den arithmetisch ermittelten Durchschnitt variieren, ist auch das Ausmaß dieser Variabilität zu bestimmen und angegeben, und zwar als sog. *Standardabweichung* ($\pm$ s). Die einfache Standardabweichung

Tabelle 21 Altersspezifische Mittelwerte ($\overline{X}$) und Standardabweichungen (s) für Körperhöhe und Körpergewicht bei Schweizer Kindern und Jugendlichen (männlich) (nach Kaufmann u. Mitarb.)

Altersgruppe in Jahren und Monaten	n	Körperhöhe in cm $\overline{X}$	Körperhöhe in cm s	Körpergewicht in kg $\overline{X}$	Körpergewicht in kg s
4;0– 4;5	58	105,4	4,74	17,3	2,25
4;6– 4;11	69	109,0	4,07	18,8	2,44
5;0– 5;5	88	111,8	4,40	19,6	3,15
5;6– 5;11	88	114,6	4,96	20,2	2,67
6;0– 6;5	99	118,7	5,15	22,0	2,78
6;6– 6;11	100	121,9	5,87	23,2	3,15
7;0– 7;5	100	124,6	5,20	25,0	4,02
7;6– 7;11	103	127,7	5,17	26,3	4,04
8;0– 8;5	100	129,7	4,35	26,9	3,44
8;6– 8;11	104	132,1	4,78	28,1	4,12
9;0– 9;5	97	134,9	6,75	29,4	4,51
9;6– 9;11	103	137,0	5,67	31,1	4,97
10;0–10;5	99	139,8	5,81	32,4	5,38
10;6–10;11	98	142,3	5,87	33,7	4,80
11;0–11;5	107	144,1	5,73	35,7	6,58
11;6–11;11	97	147,3	7,27	38,3	7,19
12;0–12;5	105	149,8	8,03	40,1	7,90
12;6–12;11	106	152,5	6,59	41,8	7,21
13;0–13;5	100	157,4	8,21	46,0	9,52
13;6–13;11	106	158,6	9,48	47,1	11,06
14;0–14;5	103	162,2	8,56	50,2	10,38
14;6–14;11	99	165,5	7,94	53,7	8,64
15;0–15;5	103	167,0	7,32	54,7	8,34
15;6–15;11	91	171,1	6,29	58,8	9,85
16;0–16;5	89	173,0	5,58	60,3	7,24
16;6–16;11	88	174,3	7,74	62,4	8,66
17;0–17;5	79	173,8	6,40	62,5	10,33
17;6–17;11	80	175,1	5,68	63,3	8,39
18;0–18;5	77	174,9	6,80	64,1	8,39
18;6–18;11	72	175,7	5,87	63,8	7,92
19;0–19;5	60	175,4	5,57	62,5	6,85

± 1s umfaßt dabei 68,3% der vom jeweiligen Mittelwert in positiver (34,15%) oder negativer (ebenfalls 34,15%) Richtung abweichenden Einzelwerte. Man bezeichnet dies auch als die *normale Variationsbreite.* Außerhalb dieses Bereiches liegen 31,7% der Meßwerte. Die doppelte Standardabweichung beträgt ± 2s und umfaßt 95,5% der Einzelwerte, 4,5% liegen außerhalb. Die dreifache Standardabweichung beträgt ± 3s und umschließt 99,7% aller Einzelwerte, nur 0,3% liegen außerhalb dieses Bereiches. Nimmt man z.B. aus Tab. 21 die mittlere

Tabelle 22 Altersspezifische Mittelwerte ($\bar{X}$) und Standardabweichungen (s) für Körperhöhe und Körpergewicht bei Schweizer Kindern und Jugendlichen (weiblich) (nach Kaufmann u. Mitarb.)

Altersgruppe in Jahren und Monaten	n	Körperhöhe in cm $\bar{X}$	s	Körpergewicht in kg $\bar{X}$	s
4;0– 4;5	43	104,0	3,81	17,0	2,04
4;6– 4;11	70	107,1	4,53	18,0	1,89
5;0– 5;5	83	111,2	5,20	19,4	2,47
5;6– 5;11	98	114,4	4,81	20,6	3,05
6;0– 6;5	98	117,7	4,68	21,6	2,97
6;6– 6;11	95	120,6	4,94	22,8	3,13
7;0– 7;5	101	122,6	4,27	23,3	2,99
7;6– 7;11	98	126,7	5,25	25,0	3,84
8;0– 8;5	91	129,0	4,78	26,2	3,27
8;6– 8;11	107	132,0	5,76	28,1	4,71
9;0– 9;5	107	134,9	6,41	29,8	4,24
9;6– 9;11	98	136,2	6,85	31,1	5,57
10;0–10;5	103	138,9	6,95	32,5	5,94
10;6–10;11	102	143,1	7,16	35,4	6,52
11;0–11;5	103	145,4	6,94	35,8	6,37
11;6–11;11	104	149,9	7,17	40,6	8,28
12;0–12;5	102	152,0	6,44	41,5	6,94
12;6–12;11	104	153,7	7,17	44,0	7,24
13;0–13;5	101	156,1	7,35	46,3	9,63
13;6–13;11	107	158,5	6,53	50,1	9,16
14;0–14;5	105	159,5	6,21	49,4	7,64
14;6–14;11	98	161,5	5,69	52,1	6,72
15;0–15;5	99	161,9	6,16	54,3	8,33
15;6–15;11	95	162,8	5,50	54,0	6,48
16;0–16;5	68	161,9	6,17	54,0	7,65
16;6–16;11	65	163,2	5,67	54,7	7,21
17;0–17;5	55	161,1	6,24	52,9	7,69
17;6–17;11	55	163,6	5,48	53,5	7,08
18;0–18;5	56	163,1	6,52	52,3	5,22
18;6–18;11	47	163,7	7,47	54,0	6,91
19;0–19;5	52	163,5	6,67	53,2	8,55

Körperhöhe der 4; 0- bis 4; 5jährigen Knaben, welche 105,4 cm beträgt, beträgt die einfache Standardabweichung ± 1s = 4,7 cm. Das heißt, 68,3% der Einzelwerte liegen im Variationsbereich zwischen 100,7 cm und 110,1 cm. 4,5% aller Werte liegen außerhalb des ± 2s-Bereiches, sind also größer als 114,8 cm bzw. kleiner als 96,0 cm. 0,3% aller Werte überschreiten den ± 3s-Bereich, sind also größer als 119,5 cm bzw. kleiner als 91,3 cm. Als mäßig retardiert (entwicklungsverzögert) können danach diejenigen Knaben gelten, die in diesem Alter kleiner als 100,7 cm sind, als stark retardiert diejenigen unter 96,0 cm und als sehr stark retardiert diejenigen mit einer Körperhöhe von weniger als 91,3 cm. In diesen Fällen starker negativer Abweichung vom altersspezifischen Körperhöhenmittelwert wäre nach den möglichen Ursachen zu suchen, um gegebenenfalls geeignete ärztliche Maßnahmen ergreifen zu können.

6.1.2. Regionale Bezogenheit

Normtabellen gelten streng genommen nur für die Bevölkerung, in denen sie erstellt worden sind. Zwar können z.B. in Mittel- oder Nordeuropa gewonnene Tabellen wegen der genetischen Verwandschaft sowie der ähnlichen Lebensbedingungen der hier ansässigen Bevölkerungen innerhalb dieses Raumes generell verwendet werden, jedoch wäre es nicht zulässig, sie etwa in Südeuropa oder außerhalb Europas verwenden zu wollen.

6.1.3. Säkulare Akzeleration

Grundsätzlich gelten alle Normtabellen zeitlich nur befristet, da wegen der säkularen Akzeleration (s.S. 197) eine fortschreitende Veränderung aller anthropometrischen Meßwerte stattfindet. Die Tabellen müssen daher von Zeit zu Zeit neu aufgestellt werden.

Individuelle Abweichungen von den altersgemäßen Durchschnittswerten können auch auf Störungen in der Funktionsreifung von Bewegungs- und Haltungssystem hinweisen. Frühzeitiges Erkennen von Schäden am Skelett bzw. am Muskelapparat ist daher wichtig, um körperliche Frühinvalidität zu vermeiden, welche u. U. das gesamte weitere Leben nachhaltig beeinträchtigen kann. Es ist deswegen eine wichtige Aufgabe der Kinder- und Jugendheilkunde, solche Schäden rechtzeitig festzustellen und wirkungsvolle therapeutische Maßnahmen einzuleiten. Spezielle Methoden zum Nachweis von muskulären Schäden, Entwicklungsdefekten der Wirbelsäule sowie der oberen und unteren Extremitäten finden sich bei Matthiass (1966).

6.2. Plastische Kinder- und Jugendlichenchirurgie

Operative Eingriffe bei Kindern und Jugendlichen zur Beseitigung von Unfallverletzungen, vor allem aber auch bei Korrektur von Mißbildungen im Bereich von Kopf, Gesicht oder der Extremitäten, erfordern eingehende entwicklungsbiologische Kenntnisse. Insbesondere muß die Wachstumsrhythmik der betroffenen Organe bzw. Körperteile genau bekannt sein, um postoperative Fehlentwicklungen vermeiden zu können. Diese Voraussetzungen liegen durch die umfangreichen Untersuchungen über Art und Tempo der quantitativen Veränderungen der verschiedenen Körperbereiche vor. Hajnis (1968,

1969, 1970, 1971, 1974), der sich sehr eingehend mit diesem Anwendungsbereich der Entwicklungsbiologie befaßt hat, stellt heraus, daß diese Untersuchungsergebnisse eine wichtige Entscheidungshilfe für chirurgische Korrekturen sind. Durch einen ständigen Vergleich der postoperativen Entwicklung eines korrigierten Körperteils mit den jeweiligen Altersnormen läßt sich kontrollieren, ob eine Entwicklung innerhalb des normalen Variationsbereiches verläuft oder gegebenenfalls weitere korrigierende Eingriffe erforderlich sind. Diese Kontrollen müssen bis zum Abschluß der körperlichen Wachstumsvorgänge durchgeführt werden. Aus der Kenntnis der zeitlichen Unterschiede im Wachstumstempo der einzelnen Körperteile ergibt sich überdies die Möglichkeit, den jeweils günstigsten Termin für eine operative Korrektur anzugeben, z. B. die Zeit relativ geringen Wachstums. Die sich aus der Entwicklungsbiologie ergebenden Hilfen für erfolgreiche Korrekturen von Unfallverletzungen oder Mißbildungen sind bei weitem noch nicht ausgeschöpft.

6.3. Anthropologische Vaterschaftsbegutachtung

In der anthropologischen Vaterschaftsbegutachtung stellt sich in der Regel das Problem, körperlich noch nicht fertig entwickelte Kinder mit Erwachsenen (Mutter des Kindes und der Vaterschaft bezichtigte Männer) vergleichen zu müssen. Bei Nichtbeachtung der altersbedingten Unterschiede in der Ausprägung der verschiedenen Körpermerkmale könnten schwerwiegende Fehlschlüsse gezogen werden.

Zur Abschätzung der Altersabhängigkeit bei der Ausprägung von *Maßmerkmalen,* wie z.B. der Körperhöhe, der Kopflänge und -breite oder der Gesichtshöhe und -breite sind daher spezielle Normtabellen entwickelt worden (Knussmann 1968c, Schade 1954). Diese geben für die einzelnen Altersklassen sowohl die Mittelwerte als auch die jeweiligen Standardabweichungen wieder. Beobachtet man z.B., daß die Körperhöhe einer Kindesmutter dem Mittelwert ihrer Altersklasse entspricht, Kind und mutmaßlicher Vater dagegen stark in positiver Richtung von den entsprechenden Mittelwerten abweichen, also überdurchschnittlich hochwüchsig sind, *kann* dieser Befund als *ein* Indiz für die Vaterschaft dieses Mannes gewertet werden. In gleicher Weise wird auch bei den anderen Merkmalen festgestellt, ob Ähnlichkeiten bzw. Unähnlichkeiten bezüglich der Mittelwertsabweichungen vorliegen. Allerdings ist die Beurteilung solcher Abweichungen nicht einfach, da bei allen metrischen Merkmalen deren komplizierte Erblichkeitsverhältnisse sowie auch eine gewisse Abhängigkeit von Umweltfaktoren zu berücksichtigen sind.

Altersbedingte Veränderungen sind auch bei der Beurteilung von Ähnlichkeiten oder Unähnlichkeiten in *physiognomischen Merkma-*

len zu beobachten, z. B. in der Ausprägung der Augenbrauen oder der Gesichtsumrißform (vgl. Abb. 42). Eine konkave Verlaufform des Nasenrückens bei einem vierjährigen Kind und einem erwachsenen Mann etwa kann nur bedingt als Hinweis auf dessen Vaterschaft gewertet werden, da durchaus die Möglichkeit besteht, daß sich beim Kind diese Merkmalsbildung im Verlauf seines »morphoplastischen Reifungswandels« (s. S. 134) noch verändern kann. Genaue Kenntnisse über die Altersvariabilität physiognomischer Merkmale sind für den anthropologischen Gutachter daher von außerordentlicher Wichtigkeit.

Da auch die *Haarfarbe* einem Alterswandel unterliegt, ergeben sich auch hier Beurteilungsprobleme für den Gutachter. Ist z. B. die Mutter eines Kindes dunkelhaarig, das Kind und ein mutmaßlicher Vater dagegen blond, so kann diese Merkmalsähnlichkeit nicht als überzeugender Hinweis auf die Vaterschaft dieses Mannes gewertet werden. Es ist damit zu rechnen, daß die Haarfarbe des Kindes im Verlauf seiner weiteren Entwicklung nachdunkeln wird.

6.4. Industrieanthropologie

Ein weiterer wichtiger Anwendungsbereich entwicklungsbiologischer Kenntnisse ergibt sich in der sog. Industrieanthropologie. Zu den wesentlichen Aufgaben dieses noch relativ jungen Zweiges der angewandten Anthropologie gehört die Mitwirkung an anatomisch und physiologisch sinnvoll gestalteten Arbeitsplätzen, Maschinen, Gebrauchsgegenständen, Möbeln usw. (Jürgens 1978).

In bezug auf die Schulmöbel hat Virchow schon vor hundert Jahren die Forderung erhoben, daß diese den unterschiedlichen Körperhöhen der Kinder angepaßt werden müßten. Das heißt, nicht nur in den einzelnen Schuljahrgängen muß die Größe der Tische und Stühle auf den durchschnittlichen körperlichen Entwicklungsstand der Schüler abgestellt sein, sondern es muß auch berücksichtigt werden, daß innerhalb eines Jahrganges eine beachtliche individuelle Variabilität in den relevanten Körpermaßen vorliegt. Mit Recht führt Jürgens (1967, 1972, 1973) aus, daß bei der Entstehung von körperlichen Haltungsfehlern ein falsch konstruiertes Schulgestühl eine beträchtliche Rolle spielt. Insbesondere können zu kleine Stühle die Kinder zu schlechter Körperhaltung zwingen, was langfristig zu ernsthaften Haltungsschäden führen kann. Es sind daher zahlreiche Vorschläge gemacht worden, um aufgrund der Variabilität anthropometrischer Maße wie Körperhöhe, Beinlänge oder Rumpflänge zu Normwerten für ein funktionsgerechtes Schulmobiliar zu kommen, welches dieser Variabilität Rechnung trägt. Derartige Normierungen im Interesse einer gesunden kindlichen Arbeitshaltung müssen auch beachten, daß infolge der akzelerationsbedingten Veränderungen der Körpermaße in bestimmten Zeitabständen Überprüfungen der Normmaße notwendig sind (JÜRGENS 1961).

Auch andere Möbel oder Gebrauchsgegenstände des täglichen Bedarfs sind in ihren Dimensionierungen nicht immer optimal den verschiedenen kindlichen und jugendlichen Entwicklungsstufen angepaßt. Das gilt z. B. für Kindermöbel, Turngeräte, Kleidung und Spielzeuge. Nach GRIMM (1966, 1970) wären auch für diese Gegenstände Normen zu entwickeln, welche den anatomischen und physiologischen Gegebenheiten der verschiedenen Altersklassen sowie der individuellen Variabilität Rechnung tragen.

Schließlich sind auch viele Gebrauchsgegenstände, Maschinen, Transporteinrichtungen usw., die von Erwachsenen benutzt werden, nicht anatomisch und physiologisch optimal gestaltet. Umfangreiche Untersuchungen unter Berücksichtigung der individuellen Variabilität in allen Merkmalsausprägungen sind erforderlich, um zu einer menschengerechten Gestaltung der Arbeitsplätze wie auch der gesamten Einrichtungen der täglichen Umwelt zu kommen.

7. Das Erwachsenenalter

7.1. Körperliche Veränderungen im Erwachsenenalter

Nach dem Abschluß der Wachstums- und Reifungsprozesse – im männlichen Geschlecht um das 20. Lebensjahr, im weiblichen um das 18. – beginnt die Phase des *Erwachsenen-* oder *Leistungsalters*. Der Organismus hat nun seine volle Leistungsfähigkeit erreicht und kann diese über eine Anzahl von Jahren auf einem bestimmten Niveau halten, bis sie erst langsam, dann immer schneller absinkt. Dieser Prozeß kann im Greisenalter schließlich so weit gehen, daß auch ohne das Hinzutreten ernster Erkrankungen das Leben ohne fremde Hilfe nicht mehr möglich ist. Nach einer Reihe von Untersuchungen ist bekannt, daß die körperlichen und geistigen Abbauprozesse in ihrem Tempo wie auch in ihren Ausmaßen individuell stark variieren. Dabei spielen genetische Faktoren (Knussmann 1968b, v. Verschuer 1959) eine Rolle, aber auch die Lebens- und Arbeitsbedingungen, denen ein Mensch im Erwachsenenalter unterliegt. Auf keinen Fall kann diese Zeit jedoch als eine »stationäre Lebensphase« angesehen werden, in welchem sich keine körperlichen Veränderungen vollziehen. Sie können vielmehr so ausgeprägt sein, z.B. im Körpergewicht und im Blutgefäßsystem, daß sie u.U. sogar zu einer Lebensbedrohung werden können.

7.1.1. Veränderungen der äußeren Körpermerkmale

Wiederholt konnte in Querschnittsuntersuchungen an Erwachsenen verschiedenen Alters (Wünsche 1953) und insbesondere auch in Längsschnittuntersuchungen (Büchi 1950) beobachtet werden, daß sich im Verlauf des Lebens zahlreiche anthropometrische Maße verändern. So nehmen z.B. *Körperhöhe* und *Sitzhöhe* – wenn auch nur geringfügig – bis zum 30. Lebensjahr noch zu, dann aber gegenüber den Werten des frühen Erwachsenenalters deutlich ab. Die Körperhöhenabnahme ist dabei einmal durch Veränderungen der Wirbelkörper bedingt, zum anderen aber durch die Abnahme der *Beinlänge*. Letzteres kommt durch das Einsinken des Fußgewölbes und Veränderungen des Oberschenkelhalswinkels zustande. Nach Büchi (1950) ist bei alten Männern die Körperhöhe 1–2% geringer als in ihrer frühen Erwachsenenzeit, bei Frauen beträgt diese Verminderung etwa 3%. Eine lebenswichtige Bedeutung kommt diesen Veränderungen allerdings nicht zu.

Das gilt auch für das *Nachlassen der Hautspannung* und die hiermit verbundenen Veränderungen wie Faltung und Furchung der Haut, das Absinken der Weichteile in der Augenregion, im Bereich des Mittel-

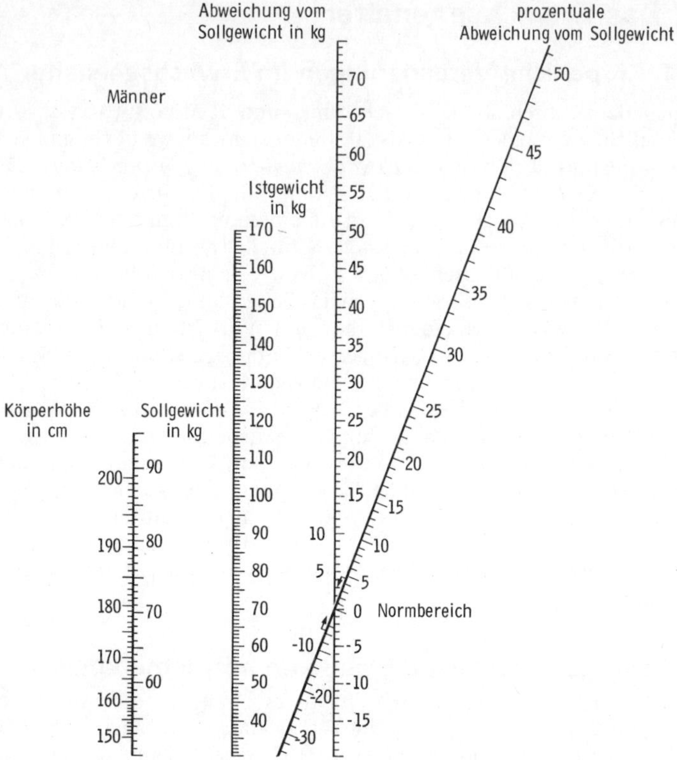

Abb. 78 Normogramm zur Ermittlung der Abweichung vom Idealgewicht (Sollgewicht) für Männer. Man sucht in den betreffenden Skalen die gemessenen Werte für Körperhöhe und -gewicht (Istgewicht in leichter Hauskleidung) auf und verbindet die beiden gefundenen Punkte mit Hilfe eines Lineals geradlinig. Die Schnittpunkte dieser Geraden mit den beiden rechten Skalen ergeben die beobachtete und auf das jeweilige Sollgewicht bezogene prozentuale Abweichung von diesem an. Ferner ist die Ablesung des körperhöhenbezogenen Sollgewichts in der rechten Skala der linken Senkrechten möglich (aus KNUSSMANN, R.: Med. Welt 23 [1972] 3)

gesichtes und des Mundes (Schmalerwerden der Lippen) sowie für das Hervortreten der Hautvenen (SCHWIDETZKY 1965). Zu erwähnen sind hier auch die im Verlauf des Erwachsenenalters einsetzenden *Haarveränderungen*. Schon relativ früh, im männlichen Geschlecht zwischen dem 40.–50. Lebensjahr, im weiblichen zwischen dem 35.–40.

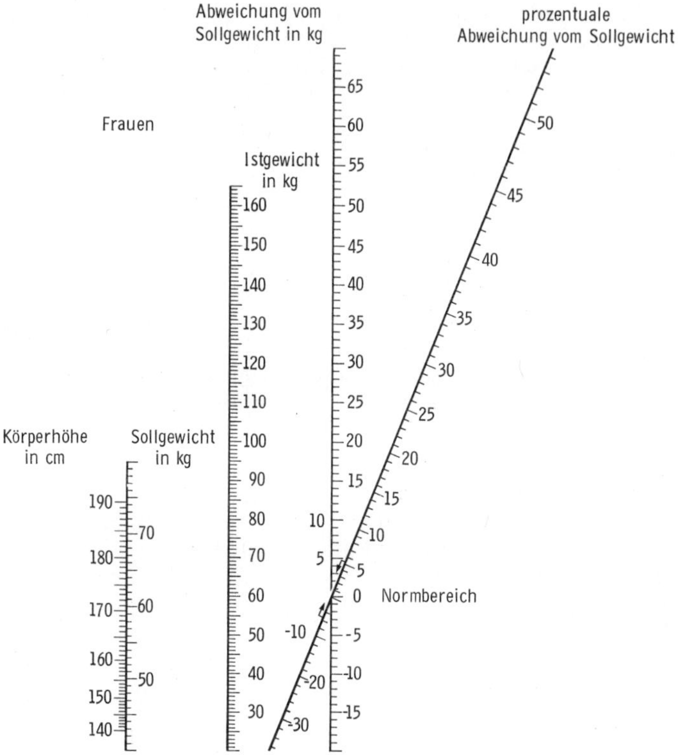

Abb. 79 Normogramm zur Ermittlung der Abweichung vom Idealgewicht (Sollgewicht) für Frauen; vgl. Legende Abb. 78 (aus KNUSSMANN, R.: Med. Welt 23 [1972] 3)

erreichen *Haardicke* und *-dichte* ihr Maximum und werden von dann ab immer mehr durch dünneres, pigmentäreres Haar ersetzt (JUNGKLAAS 1958), bezüglich des Ergrauens s. S. 154.

Von wesentlich größerer Bedeutung sind die *Gewichtsveränderungen* im Erwachsenenalter, die meistens als *Übergewicht* in Erscheinung treten. Darunter versteht man ein Körpergewicht, welches bei Männern um mehr als $4^2/_3$% und bei Frauen um mehr als $5^1/_3$% vom *Soll-* oder *Idealgewicht* abweicht (KNUSSMANN u. Mitarb. 1972). Dieses ist als das körperhöhenspezifische Gewicht definiert, das nach umfangreichen Untersuchungen der amerikanischen Metropolitan Life Insurance Company (MLIC) im statistischen Durchschnitt die größte Lebenserwartung garantiert. Abweichungen vom Sollgewicht um mehr als 10 kg erhöhen nach Untersuchungen an über 5 Millionen Individuen die Mortalität (Sterblichkeit) um 18%, ein Übergewicht von 20 kg sogar um 45% (CRADDOCK 1973, CREMER u. Mitarb. 1975). Dagegen beeinflußt ein Untergewicht von 10–20 kg die Lebenserwartung kaum. Nach OTT (1963) können die amerikanischen Sollgewichte auf mitteleuropäische Bevölkerungen übertragen werden. Abb. 78 und 79 geben die zur Berechnung der Sollgewichte erforderlichen Daten für Männer und Frauen wieder.

Die Häufigkeit verschieden starker Abweichungen von den Sollgewichten bei weißen amerikanischen und kanadischen Männern und Frauen ist in Tab. 23 dargestellt. Deutlich zeigt sich, daß in beiden Geschlechtern Übergewichtige weitaus häufiger sind als Untergewichtige. Das gilt auch für andere weiße Bevölkerungen. In der Bundesrepublik Deutschland z.B. ist jeder 3. Erwachsene (und jedes 5. Kind) übergewichtig (CREMER u. Mitarb. 1975).

Die Ursachen für die in der weißen Bevölkerung gegenwärtig weitverbreitete Übergewichtigkeit liegen nur zum kleinen Teil in ererbten oder erworbenen krankhaften Störungen des Fettstoffwechsels. Ganz überwiegend ist die Übergewichtigkeit durch *Ernährungsfehler* bedingt, indem mehr kalorien- und fettreiche Nahrung aufgenommen wird als für die Energieproduktion notwendig ist. Die überschüssigen Fett- und Kohlenhydratbestandteile der Nahrung werden daher in Körperfett umgewandelt und deponiert (s. S. 187). Ernährungsfehler sind jedoch nicht allein durch falsche Eßgewohnheiten bedingt, sondern haben oft auch psychologische Ursachen. So wird eine übermäßige Nahrungsaufnahme nicht selten bei Menschen beobachtet, die mangelnden Kontakt zur sozialen Umwelt haben oder sich in psychischen Streßsituationen befinden. So ließen amerikanische und deutsche Untersuchungen erkennen, daß alleinstehende, geschiedene oder

Tabelle 23 Prozentuale Häufigkeiten von Übergewicht und Untergewicht in den USA und Kanada (nach Craddock)

Alter in Jahren	Männer Abweichung vom Idealgewicht über 10%	10–19%	über 20%	*unter* 10%	Frauen Abweichung vom Idealgewicht über 10%	10–19%	über 20%	*unter* 10%
20–29	31	19	12	13	23	11	12	22
30–39	53	28	25	6	41	16	25	13
40–49	60	28	32	4	59	19	40	6
50–59	63	29	34	4	67	21	46	4
60–69	57	28	29	5	68	23	45	4

verwitwete Frauen häufiger Übergewicht aufweisen als gleichaltrige verheiratete. In sozialen Unterschichten findet sich – vor allem bei Frauen – Übergewicht häufiger als in Oberschichten (Blohmke 1970, Craddock 1973). In New York konnten z.B. Goldblatt u. Mitarb. (1965) bei Frauen der Oberschicht 5% Übergewichtige feststellen, dagegen 30% bei Frauen der Unterschicht. Sie erklären diesen erheblichen Unterschied damit, daß der größere soziale Streß von den Unterschichtfrauen mit einem übermäßigen Konsum an kalorienreichen Süßwaren (Ersatzbefriedigung) kompensiert wird.

Die Folgen der sich im Übergewicht zeigenden verstärkten Fettablagerung im Organismus sind vielfältig. Sie sind einmal in einem größeren Risiko für die Entwicklung eines *Diabetes mellitus* (Zuckerkrankheit, unzureichende Verwertung der mit der Nahrung zugeführten Kohlenhydrate infolge Insulinmangels) zu suchen, zum anderen in einer starken Neigung zu *erhöhtem Blutdruck* (Tab. 24 (s. auch S. 225). Dieser wiederum erhöht die Wahrscheinlichkeit für Herz- und Kreislauferkrankungen, welche oft zum vorzeitigen Tod führen. Setzt man die Sterblichkeit an diesen Krankheiten in der Durchschnittsbevölkerung gleich 100, so beträgt sie bei übergewichtigen Männern 149, bei übergewichtigen Frauen sogar 177 (Craddock 1973). Das Sterberisiko ist umso höher, je größer die Abweichung vom Sollgewicht ist.

Natürlich hat es nicht an Überlegungen gefehlt, wie man das Übergewicht und seine krankhaften Folgeerscheinungen reduzieren kann. Der wirkungsvollste Weg besteht in einer *kontrollierten Nahrungsauf-*

Tabelle 24 Körpergewicht und Blutdruck bei erwachsenen Männern (nach Heyden)

Bevölkerung	Normales Gewicht	Mäßiges Übergewicht	Erhebliches Übergewicht
USA			
Normotonie (normaler Blutdruck)	67%	53%	39%
Grenzbereich	23%	30%	33%
Hypertonie (erhöhter Blutdruck)	10%	17%	28%
	100%	100%	100%
Schweiz			
Normotonie	72%	59%	31%
Grenzbereich	19%	26%	33%
Hypertonie	8%	15%	35%
	100%	100%	100%

Tabelle 25 Energieverbrauch in verschiedenen Lebensaltern und Tätigkeitsgruppen pro Tag (nach Cremer u. Mitarb.)

Tätigkeit	Alter	Kalorien Männer	Kalorien Frauen
vorwiegend sitzend	25	2600	2200
	45	2400	2000
	65	2200	1800
körperlich, mittelschwer	25	3200	2800
	45	3000	2600
	65	2800	2400
körperlich, schwer	25	3800	3400
	45	3600	3200
	65	3400	3000

Tabelle 26 Vorschläge für die Nährstoffzufuhr bei unterschiedlichem Energiebedarf (nach Cremer u. Mitarb.)

Kalorien kcal	Protein g	Fett[1] g	Kohlenhydrate g
1800	65	65	220
2000	75	75	240
2200	80	85	260
2400	85	90	290
2600	95	95	320
2800	100	105	340
3000	110	115	365
3200	120	120	390
3400	125	130	415
3600	130	135	440
3800	140	140	460

[1] davon 7–9 g Linolsäure (mehrfach ungesättigte Fettsäuren)

nahme, welche den individuellen (Körperbau) sowie den arbeitsbedingten (z. B. Bürotätigkeit oder körperliche Schwerarbeit) physiologischen Bedürfnissen Rechnung trägt. So hat die Deutsche Gesellschaft für Ernährung den durchschnittlichen Energieverbrauch pro Tag für verschiedene Lebensalter und Berufsgruppen ermittelt (Tab. 25) und Vorschläge für eine optimale Nährstoffzufuhr gemacht (Tab. 26). Bei Einhaltung dieser Empfehlungen kann die Entwicklung eines Übergewichts weitgehend vermieden werden. Reduktionen bestehender Übergewichte sind bei der Aufstellung und strenger Beachtung entsprechender Diätpläne möglich. Ausführliche Beispiele für eine gewichtsreduzierende bzw. -erhaltende Diät finden sich bei Holtmeier (1970). Es ist zu empfehlen, Reduktionen beträchtlicher Übergewichte unter ärztlicher Kontrolle durchzuführen.

7.1.2. Physiologische Veränderungen

Mehr oder weniger ausgeprägt ist die Abnahme in der Leistungsfähigkeit der verschiedenen Organe, ohne daß dies mit erkennbaren morphologischen Veränderungen verbunden sein muß. So verliert das *Auge* schon vom 30. Lebensjahr an seine Akkomodationsfähigkeit (Anpassung des Auges an Nah- und Fernsehen). Auch die Sehschärfe, sowie die Dunkeladaptionen nehmen im Verlauf des Lebens ab. Dagegen ändert sich das Farbensehen nicht.

Die *Gehörschärfe* wird vom 35. Lebensjahr an geringer. Setzt man die Fähigkeit, die Frequenz von 12000 Hertz hören zu können, im Alter von 15 Jahren gleich 100%, so beträgt dieser Prozentsatz im Alter von 35 Jahren noch 98%, mit 40 Jahren 90%, mit 45 Jahren 80%, mit 50 Jahren 68%, mit 60 Jahren 30% und mit 65 und mehr Jahren nur noch 11% (PLESTER 1962). Neben natürlichen Altersveränderungen in der Hörfähigkeit spielen hierbei auch exogene Faktoren eine wichtige Rolle. Menschen, die chronischen Lärmeinwirkungen ausgesetzt sind, zeigen frühzeitiger Hörschäden als andere. Auch das Ausmaß der Gehörverminderung hängt von der exogenen Lärmbelastung ab.

Eine Reihe von *psychischen Fähigkeiten,* wie Gedächtnis, Merkfähigkeit oder die Lernbereitschaft gehen ebenfalls im Verlauf des Erwachsenenalters immer stärker zurück, wobei dieser Rückgang vielfach schon zwischen dem 30. und 40. Lebensjahr einsetzt.

In engem Zusammenhang mit diesen Veränderungen sind die Abbauprozesse im *Gehirn* zu sehen. Dieses nimmt nicht nur in bezug auf Volumen und Gewicht ab (Tab. 27), sondern auch in der Zahl der Ganglienzellen treten immer größere Verluste ein. Die einzelnen Hirnre-

Tabelle 27 Die Veränderung des absoluten und relativen Hirngewichtes im Verlauf des Lebens (nach Spann u. Dustmann). Das relative Hirngewicht ergibt sich aus

$$\frac{\text{Hirngewicht in g}}{\text{Körperhöhe in cm}} \times 100$$

Alter in Jahren	n	absolutes Hirngewicht in g	relatives Hirngewicht
Männer			
15–45	464	1448	8,4
45–65	438	1412	8,3
65–94	175	1358	8,0
Frauen			
15–45	271	1325	8,1
45–65	164	1277	7,9
65–87	114	1211	7,7

gionen sind von den Abbauprozessen allerdings nicht unbedingt gleichzeitig und gleichmäßig betroffen.

Muskelgewicht und *Muskelkraft* zeigen ebenfalls deutliche Veränderungen mit fortschreitendem Lebensalter (Abb. 80), wobei auch hier bereits in relativ frühem Erwachsenenalter die Alterungsprozesse einsetzen. Die Abnahme der Muskelkraft ist dabei nach HOLLMANN (1974) nicht nur durch die morphologischen Abbauvorgänge in den Muskeln bedingt, sondern auch durch Veränderungen in der Fähigkeit der Muskelzellen zur aeroben (mit Hilfe von Sauerstoff) Energiegewinnung. Darüber hinaus steht die Abnahme der Muskelkraft auch in engem Zusammenhang mit den alterungsbedingten Veränderungen in der Leistungsfähigkeit von Herz, Kreislauf und Atmung, da mit deren Funktionsminderungen die Sauerstoffaufnahmefähigkeit zurückgeht. Regelmäßige körperliche Betätigung kann den Leistungsabfall der Muskulatur verlangsamen.

Eine außerordentlich bedeutsame Altersveränderung betrifft den *Blutdruck*, welcher auch ohne krankhafte Störungen der relevanten Organe (Herz, Gefäße, Nieren) im Erwachsenenalter kontinuierlich ansteigt (Abb. 58). Dieser Anstieg hat seine Ursache darin, daß »es mit zunehmendem Alter bei fast jedem Menschen zu einer mehr oder weniger ausgeprägten Sklerotisierung der Arterien« kommt (ANSCHÜTZ u. SCHETTLER 1972), also zu – meistens – herdförmigen Verdickungen und Verkalkungen der inneren Gefäßwände. Als Faustregel gilt nach BOCK (1975), daß die obere Normgruppe des systolischen Blutdrucks bei Erwachsenen die Zahl der Lebensjahre + 100 (maxi-

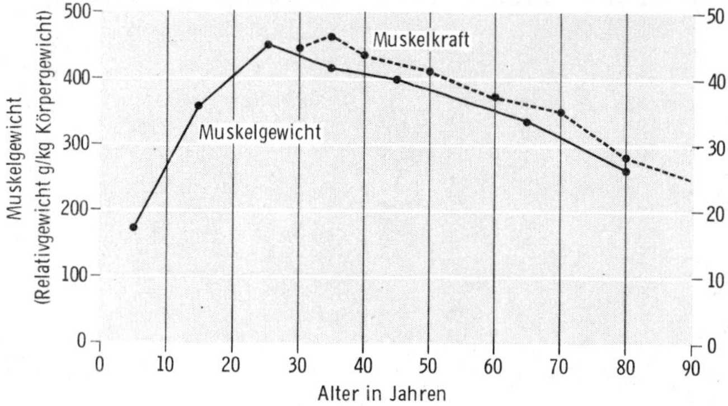

Abb. 80 Altersveränderungen von Muskelkraft und Muskelgewicht (aus BRÜCKEL, K. W.; in Grundzüge der Geriatrie, hrsg. von K. W. Brückel. Urban & Schwarzenberg, München – Berlin – Wien 1975)

mal jedoch 160) nicht überschreiten soll. Der diastolische Blutdruck hat in allen Phasen des Erwachsenenalters den Wert 90 als normale Obergrenze.

Blutdruckwerte über diesen Normen werden als *Hypertonie* (Hochdruck) bezeichnet, darunter liegende als *Hypotonie* (Unterdruck). Während die Hypotonie in der Regel nicht zu lebensbedrohenden krankhaften Erscheinungen führt, ist eine chronische Hypertonie sehr gefährlich. Diese kann zum *Herzinfarkt* (Ausfall von Teilen des Herzmuskels bei mangelnder Blutversorgung infolge Verengung der Herzkranzgefäße) führen, der nicht selten tödlich verläuft. Neben Störungen im Fettstoffwechsel, Nierenkrankheiten oder Diabetes mellitus kommen als Risikofaktoren für die Entwicklung von chronischer Hypertonie insbesondere das *Rauchen* und das *Übergewicht* in Betracht. So erlitten von Männern, die täglich mehr als 20 Zigaretten rauchten, innerhalb eines 10jährigen Beobachtungszeitraumes doppelt so viele einen Herzinfarkt wie Nichtraucher (JAHNECKE 1974). Allgemein gilt, daß das Infarktrisiko mit der Zahl von Zigaretten pro Tag steigt. Dagegen sind Männer, die Zigarren oder Pfeife rauchen, nicht wesentlich stärker infarktgefährdet als Nichtraucher. Auf das erhöhte Infarktrisiko von Übergewichtigen wurde bereits hingewiesen (s. S. 221). Liegen mehrere eine Hypertonie begünstigende Risikofaktoren vor, potenziert sich deren Wirkung im Hinblick auf die Wahrscheinlichkeit eines Herzinfarktes. So zeigte eine 10jährige Untersuchung an 30–59 Jahre alten amerikanischen Männern, daß bei gleichzeitigem Vorliegen von drei Risikofaktoren – Übergewicht, Hypertonie, starkes Zigarettenrauchen – ein Herzinfarkt zehnmal häufiger auftrat als bei Männern, die diesen Faktoren nicht ausgesetzt waren.

Die Häufigkeit von Hypertonie ist in allen weißen Bevölkerungen außerordentlich hoch. Nach JAHNECKE (1974) waren allein in der Bundesrepublik Deutschland bereits 1960 mehr als ein Viertel aller Todesfälle auf die Folgen von chronisch erhöhtem Blutdruck zurückzuführen. 40% aller Menschen unter 65 Jahren starben an der »Volksseuche Hypertonie« und etwa 40% aller Frührentenfälle sind direkt oder indirekt durch sie bedingt. Aus diesen Zahlen erhellt sich die große medizinische wie auch soziologische Bedeutung des Bluthochdruckes, der bei rechtzeitiger Erkennung und Behandlung durchaus unter Kontrolle gebracht werden kann. Bezüglich der hierfür heute vorhandenen Möglichkeiten sei auf BOCK (1975) verwiesen.

7.1.3. Endokrinologische Veränderungen

Die endokrinen Drüsen lassen mit Ausnahme der männlichen und weiblichen Keimdrüsen im Verlauf des Erwachsenenalters keine Verminderungen ihrer Funktionen erkennen. So zeigt nach NOWA-

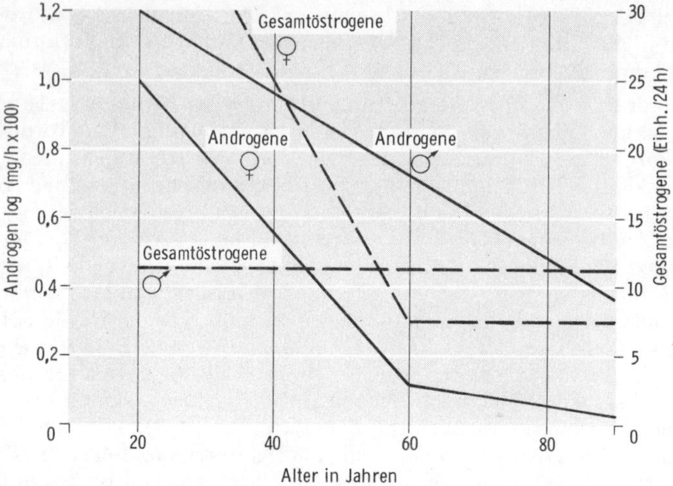

Abb. 81 Altersveränderungen in Androgen- und Östrogenausscheidung (aus BRÜCKEL, K. W., in Grundzüge der Geriatrie, hrsg. von K. W. Brückel. Urban & Schwarzenberg, München 1975)

KOWSKI (1972) weder die Produktion der Nebennierenrindenhormone Kortison und Aldosteron eine Altersabhängigkeit, noch wird die Bildung der Schilddrüsenhormone herabgesetzt, vielmehr eher erhöht.

Dagegen nimmt die Funktionstüchtigkeit sowohl der *Ovarien* als auch der *Hoden* ab, was sich in einer Verminderung ihrer Hormonproduktion äußert (Abb. 81). Diese Vorgänge laufen in den beiden Geschlechtern sehr verschiedenartig ab.

7.1.3.1. Das Klimakterium der Frau

Unter dem Klimakterium (Wechseljahre) der Frau versteht man die Zeit, in der durch den Funktionsverlust der Ovarien die Menstruation endgültig ausbleibt (Menopause). Häufig ist dies mit körperlichen und seelischen Veränderungen verbunden. Dieser Funktionsverlust setzt nicht plötzlich ein, sondern ist ein Prozeß, welcher bereits um das 30. Lebensjahr beginnt. Morphologisch ist er u.a. durch eine fortschreitende Abnahme des Ovargewichtes gekennzeichnet. Beträgt dieses um das 30. Lebensjahr ca. 12 g, so reduziert es sich bis zum 40. Lebensjahr auf etwa 9 g, bis zum 50. Lebensjahr auf ca. 5 g, in noch höherem Alter macht es nur noch ein Viertel des ursprünglichen Gewichtes aus (HAUSER 1972). Im gleichen Zeitraum verändern sich

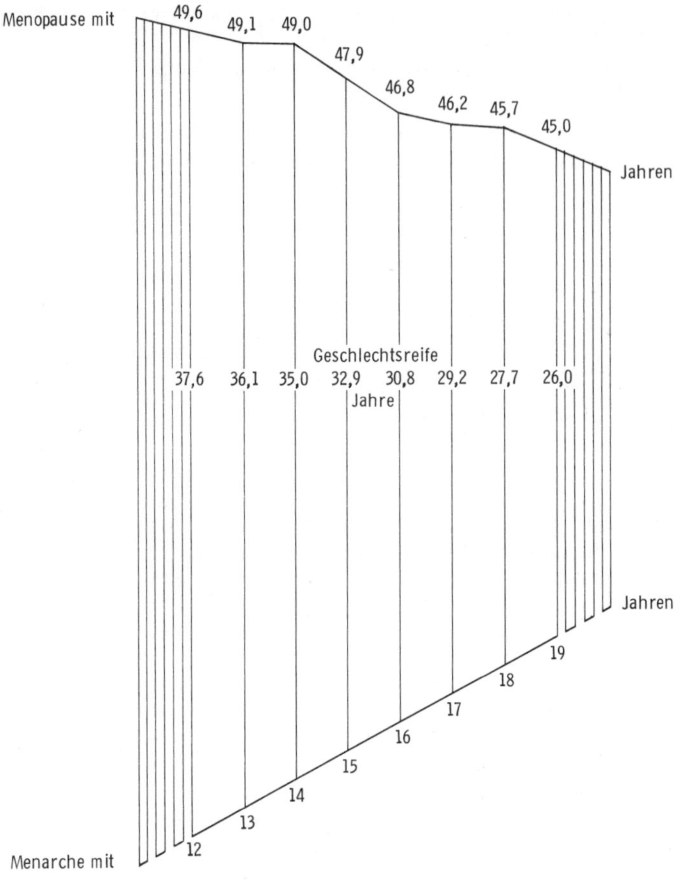

Abb. 82 Zeitliche Abhängigkeit der Menopause vom Eintritt der Menarche (aus HAUSER, G. A., in Alterskrankheiten. 2. Aufl., hrsg. von G. Schettler. Thieme, Stuttgart 1972)

auch die Ovarialgefäße, indem sie zunehmend sklerotisieren. Offenbar sind diese morphologischen Veränderungen mit der sich ständig vermindernden Östrogenbildung verbunden (Abb. 81), welche schließlich nicht mehr ausreicht, um eine Follikelreifung herbeizuführen. Die nach dem Klimakterium vorhandenen Östrogene dürften vorwiegend aus der Nebennierenrinde stammen. Obwohl auch die Androgenbildung bei Frauen mit zunehmendem Alter zurückgeht

(Abb. 81), kann es dennoch zu einer gewissen »Vermännlichung« (Bartbildung, Tieferwerden der Stimme, Zunahme der Körperbehaarung) kommen, und zwar dadurch, daß sich das Verhältnis von Östrogenspiegel zum Androgenspiegel zugunsten des letzteren verschiebt.

Als Folge der verminderten Östrogenbildung sind eine Anzahl von morphologischen Veränderungen der sekundären weiblichen Geschlechtsorgane zu beobachten, z.B. eine Rückbildung von Uterus und Brustdrüsen. Außerdem treten nicht selten auch vegetative (Hitzewallungen, Schweißausbrüche, Kopfschmerzen, Schwindelerscheinungen) und psychische Beschwerden auf, die u.U. ärztliche Behandlung erfordern. Eine ausführliche Darstellung der psychophysischen Klimakteriumsbeschwerden finden sich bei Hauser (1972) und Nowakowski (1972), die auch auf die Behandlungsmöglichkeiten (z.B. Hormontherapie) solcher Beschwerden eingehen.

Bei europäischen und weißen amerikanischen Frauen setzt die Menopause zwischen dem 45. und 54. Lebensjahr ein. Der Mittelwert beträgt gegenwärtig für Schweizerinnen 49,5 Jahre (Hauser 1972), für Schottinnen 50,1 Jahre, für Niederländerinnen 51,4 Jahre und für weiße Amerikanerinnen 49,8 Jahre (Parkes 1976). Demgegenüber lag das durchschnittliche Menopausenalter in Europa gegen Ende des 19. Jahrhunderts noch bei 45 Jahren. Die Hinausschiebung wird in Zusammenhang mit der Verbesserung der allgemeinen Lebensverhältnisse gebracht. Für diese Annahme spricht einmal, daß die Hinausschiebung des Menopausenalters in Kriegs- und Nachkriegszeiten unterbrochen wurden, und zum anderen, daß bei Frauen aus ökonomisch besser gestellten Sozialschichten die Menopause durchschnittlich später beginnt als bei solchen aus den Unterschichten (Parkes 1976). Auch verschiedene andere Faktoren beeinflussen offenbar den Beginn der Menopause. So setzt sie bei kinderlosen Frauen früher ein als bei Frauen mit einer oder mehreren Geburten, wobei als Regel gilt, daß mit steigender Geburtenzahl das Menopausenalter zunimmt. Da während der Schwangerschaft die Menstruationen fehlen, scheint es, als ob die nicht stattgefundenen Perioden am Schluß zumindest teilweise wieder angehängt würden (Hauser 1972). Hingewiesen sei hier auch noch auf die vielfach beobachteten Zusammenhänge zwischen individuellem Menarche- und Menopausenalter (Abb. 82). Je früher die Menarche eintritt, um so später liegt in der Regel der Beginn der Menopause. Da sich in Europa (und anderen Teilen der Welt) in den letzten Jahrzehnten das Menarchealter verringert hat, das Menopausealter entsprechend hinausgeschoben worden ist, ergab sich somit eine Verlängerung der weiblichen Geschlechtsreifeperiode. Das ist insofern von Bedeutung, als bei später Menopause Uterusmyome (gutartige Geschwulstbildungen der Uterusmuskulatur), aber auch Korpus- und Mammakarzinome (Krebse des Gebärmutterkörpers bzw. der Brustdrüsen) gehäuft auftreten. Frauen mit langer Geschlechtsreifeperiode bedürfen also in besonderem Maße ärztlicher Vorsorge und Beobachtung.

7.1.3.2. Das »Klimakterium« des Mannes

Im Gegensatz zu den Ovarien finden im Hoden nur geringfügige morphologische Veränderungen im Verlauf des Erwachsenenalters statt. Trotzdem nimmt die Bildung des Hodenhormons Testosteron bereits vom 28. Lebensjahr kontinuierlich ab (Abb. 63 und 81), ohne jedoch in der Regel unter solche Werte zu sinken, die eine Potenzschwäche zur Folge hätten. Dazu kommt es offenbar erst in höherem Lebensalter, wobei allerdings erhebliche individuelle Unterschiede im Einsetzen hormonal bedingter sexueller Funktionsschwächen bestehen. In Zusammenhang hiermit steht auch, daß die Ansprechbarkeit der Erfolgsorgane auf das verfügbare Testosteron erst in höherem Lebensalter abnimmt. Auch die Spermiogenese bleibt bis ins hohe Alter intakt.

Da im Gegensatz zum weiblichen im männlichen Organismus somit keine einschneidenden hormonalen Veränderungen zwischen dem 40. und 50. Lebensjahr stattfinden, fehlen auch alle physiologischen und psychischen Symptome, welche für die Wechseljahre der Frau charakteristisch sind. Insofern kann man nicht von einem männlichen Klimakterium sprechen. Die sog. kritischen Jahre im Leben eines Mannes, die »Midlife Crisis«, beruhen eher auf einem allgemeinen altersbedingten Rückgang der körperlichen und geistigen Fähigkeiten, die einem Mann in diesem Lebensabschnitt wahrscheinlich zum ersten Mal bewußt werden. Hinzu kommen bei vielen Männern zweifellos soziologische Faktoren (Berufsstreß, Erkennen, daß die gesteckten Lebensziele nicht mehr erreicht werden können, zunehmende Konkurrenz durch jüngere Männer), die eine Krisensituation mit allen ihren psychophysischen Folgen bewirken können. Die »männlichen Wechseljahre«, die zu einer veränderten Lebenseinstellung führen können, werden jedenfalls nicht durch tiefgreifende endokrinologische Umstellungen ausgelöst.

7.2. Morbidität und Mortalität im Erwachsenenalter

Die Entwicklung von Morbidität (Zahl der Erkrankungsfälle in bezug zur Zahl der Gesamtbevölkerung bzw. von Teilbevölkerungen in einem bestimmten Zeitraum) und Mortalität (entsprechende Zahlen für Todesfälle) im Erwachsenenalter kann anhand der Veröffentlichungen durch die nationalen Statistischen Zentralämter erschlossen werden. Die oft sehr detaillierten tabellarischen Darstellungen gestatten darüber hinaus auch Einblicke in die Geschlechts- und Berufsabhängigkeiten der verschiedenen Krankheiten und Todesursachen und lassen auch zeitliche Vergleiche zu. Für das Gebiet des ehemaligen Deutschen Reiches und ab 1946 für das Bundesgebiet einschließlich Berlin (West) liegen derartige Darstellungen vom Statistischen Bundesamt in Wiesbaden (1972) bzw. vom Bundesministerium für Bevölkerungsforschung (1975) vor.

Ganz allgemein kann man feststellen, daß Morbidität und Mortalität an den verschiedenen *Infektionskrankheiten* im Erwachsenenalter zunächst sehr gering ist und erst nach dem 45.–55. Lebensjahr deutlich ansteigt. Dabei liegen die Mortalitätsziffern im männlichen Geschlecht beträchtlich über dem weiblichen (Abb. 83). Im Vergleich zu früher ist in beiden Geschlechtern die Sterblichkeit an Infektionskrankheiten erheblich zurückgegangen (Abb. 84). Betrug z. B. die Sterblichkeit an *Lungentuberkulose* 1892 im Deutschen Reich noch 259,1 auf 100000 Einwohner, so ging sie 1971 (im Bundesgebiet) auf 7,2 pro 100000 Einwohner zurück. In ähnlicher Weise verringerte sich auch die Sterblichkeit an *Lungenentzündungen,* und zwar von 148,2/100000 im Jahre 1892 auf 26,1/100000 im Jahre 1971. Die *Müttersterblichkeit,* an der ebenfalls infektiöse Faktoren (Kindbettfie-

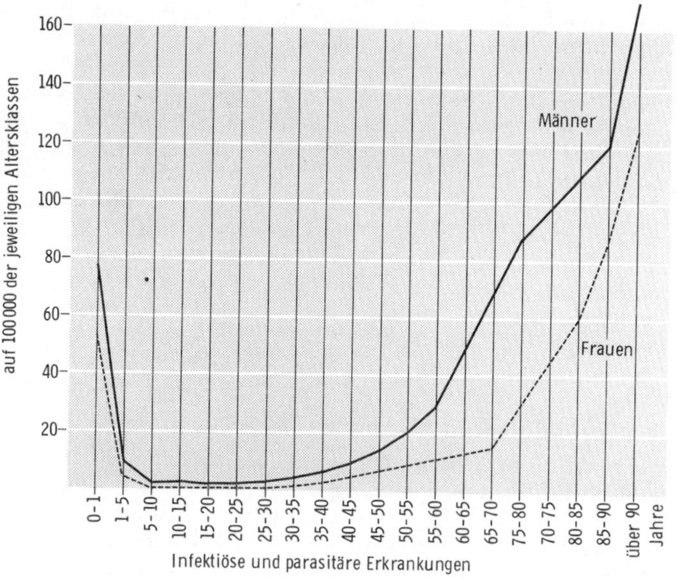

a

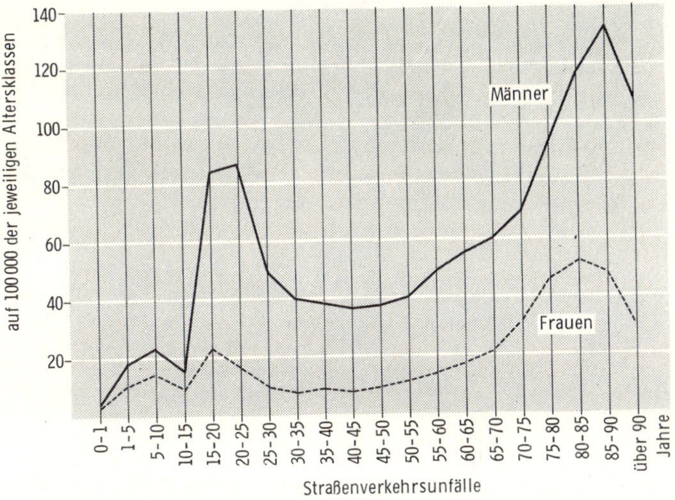
140
120
100
80
60
40
20
auf 100 000 der jeweiligen Altersklassen
Männer
Frauen
0–1
1–5
5–10
10–15
15–20
20–25
25–30
30–35
35–40
40–45
45–50
50–55
55–60
60–65
65–70
70–75
75–80
80–85
85–90
über 90
Jahre
Straßenverkehrsunfälle

b

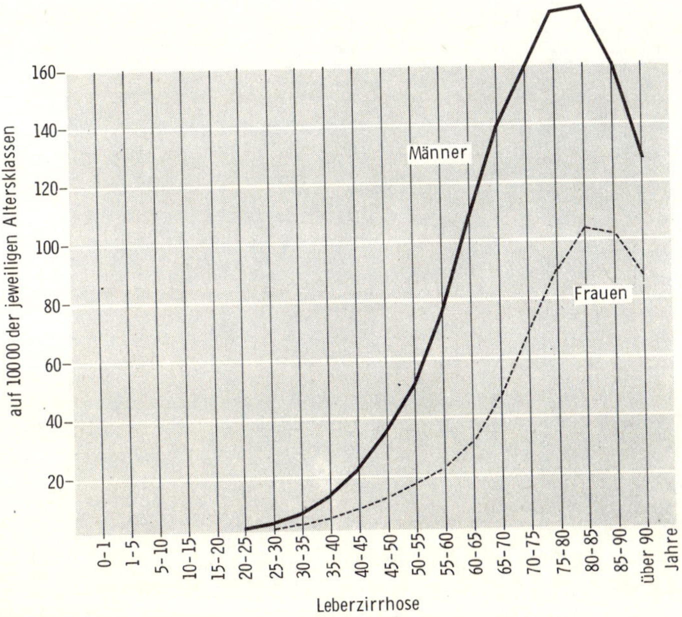
160
140
120
100
80
60
40
20
auf 100 000 der jeweiligen Altersklassen
Männer
Frauen
0–1
1–5
5–10
10–15
15–20
20–25
25–30
30–35
35–40
40–45
45–50
50–55
55–60
60–65
65–70
70–75
75–80
80–85
85–90
über 90
Jahre
Leberzirrhose

c

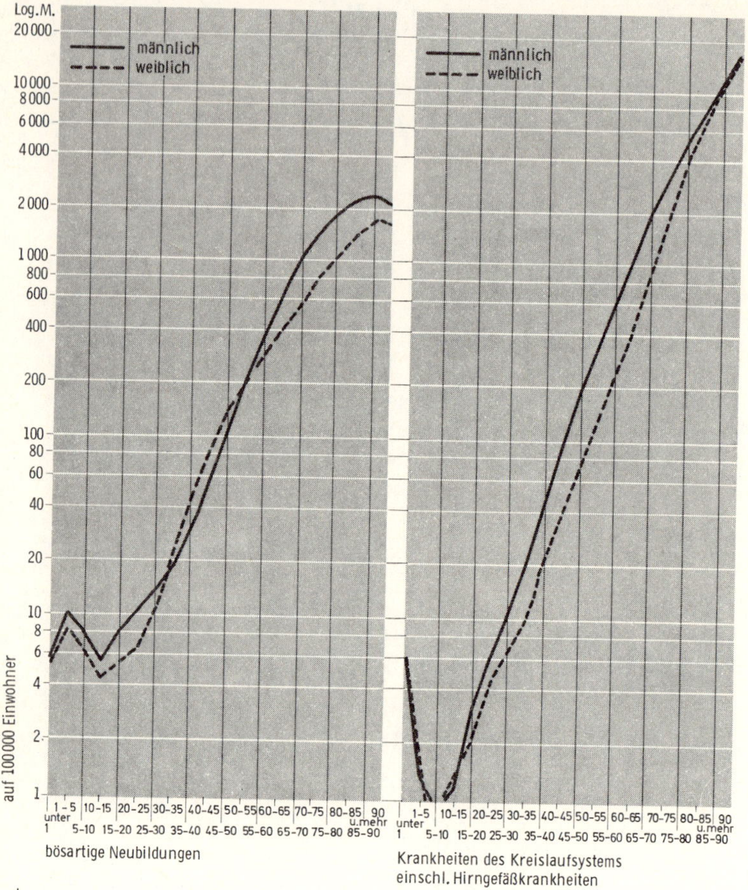

d e

Abb. 83a–e Altersspezifität einiger wichtiger Todesursachen (nach Zahlen aus: Das Gesundheitswesen der Bundsesrepublik Deutschland, Bd. 5, Ausgabe 1974. Kohlhammer, Stuttgart 1974)

ber) beteiligt sind, nahm von 409,3 gestorbenen Frauen bei 100000 Lebendgeborenen im Jahre 1892 auf 50,3 im Jahre 1971 ab. Diese drastischen Veränderungen in der Erkrankungs- und Sterbewahrscheinlichkeit an infektiösen Krankheiten sind zweifellos auf die vielfältigen Fortschritte der Medizin sowohl auf dem Gebiet der Hygiene als auch in der wirkungsvollen Behandlung dieser Krankheiten zurückzuführen.

In allen Phasen des Erwachsenenalters wird das Leben heute von solchen Krankheiten bedroht, die früher eine vergleichsweise nur untergeordnete Rolle gespielt haben. Gemeint sind hier die *Herz- und Kreislaufkrankheiten* sowie die *bösartigen Neubildungen* (Krebs). Wegen ihrer enormen Zunahme im Zusammenhang mit den veränderten Lebensbedingungen spricht man auch von *Zivilisationskrankheiten.* Zu nennen ist hier auch die zunehmende Sterblichkeit durch *Lebererkrankungen,* unter ihnen vor allem die *Leberzirrhose* (Leberverhärtung, führt zum Schwund der Leberzellen und schließlich zur völligen Funktionsuntüchtigkeit dieses wichtigen Organs). – Neben diesen Krankheiten ist auch die rapide angewachsene Zahl *tödlicher Verkehrsunfälle* in ihrer Bedeutung für die Statistik der Todesursachen nicht zu übersehen.

Abb. 83 läßt erkennen, wie im Verlauf des Erwachsenenalters die Sterblichkeit an *Herz-* und *Kreislaufkrankheiten* (einschließlich der Hirngefäßkrankheiten) ansteigt, wobei eine deutlich größere Gefährdung des männlichen Geschlechts zu beobachten ist. Diese Zahlen sprechen ebenso wie der seit 1952 festzustellende beträchtliche Häufigkeitsanstieg dieser Todesursachen für die Notwendigkeit effektiver Vorsorgeuntersuchungen. Durch diese könnten krankhafte Veränderungen von Herz und Kreislauf nicht nur rechtzeitig erkannt, sondern entsprechende ärztliche Maßnahmen zur Vermeidung von vorzeitigem Tod bzw. frühzeitiger Invalidität früh genug eingeleitet werden (Bock 1975, Klepzig 1972).

Die Ursachen für die in zahlreichen europäischen Ländern sowie in den USA zunehmende Häufigkeit an Herz- und Kreislaufkrankheiten liegen zum großen Teil in der Zunahme spezifischer Risikofaktoren, unter denen Ernährungsfehler und übermäßiger Zigarettenkonsum mit an erster Stelle stehen (s. S. 225). Nach Jahnecke (1974) wurden allein in der Bundesrepublik Deutschland im 1. Halbjahr 1971 Tabakerzeugnisse im Wert von 6,2 Milliarden DM abgesetzt, was gegenüber dem entsprechenden Zeitraum 1970 eine Steigerung von 3,8% bedeutet. Besonders stark war dabei der Zigarettenkonsum, der im genannten Zeitraum um 4,4% zugenommen hat. Allein im 1. Halbjahr 1971 wurden im Bundesgebiet 60,5 Milliarden Zigaretten geraucht. Seither haben sich diese Zahlen noch erhöht. Es ist leicht einzusehen, daß diese beträchtliche Steigerung des Risikofaktors Rauchen wesentlich zu der Erhöhung der Sterblichkeit an Herz- und Kreislauferkrankungen beigetragen hat, wie sie in Abb. 84 zum Ausdruck kommt.

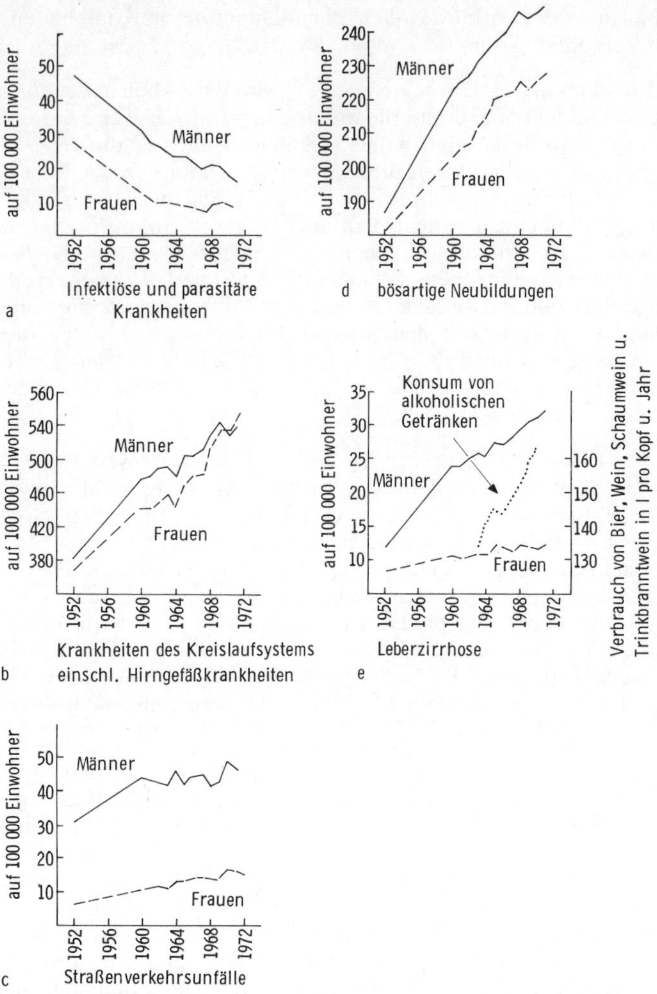

Abb. 84 a–e Veränderungen in der Häufigkeit einiger wichtiger Todesursachen zwischen 1952 und 1971 (nach Zahlen aus: Das Gesundheitswesen der Bundesrepublik Deutschland, Bd. 5, Ausgabe 1974. Kohlhammer, Stuttgart 1974)

Die Geschlechtsunterschiede in der Mortalität an diesen Krankheiten können nicht mit der Annahme genetischer Unterschiede in bezug auf die Anfälligkeit für pathologische Veränderungen von Herz und Kreislaufsystem erklärt werden. Vielmehr sind sie Ausdruck einer größeren Belastung des männlichen Geschlechts durch die relevanten Risikofaktoren, z. B. Nikotin.

Die *Krebssterblichkeit* im Erwachsenenalter geht aus Abb. 83 hervor, die zeitliche Veränderung dieser Sterbeziffern zwischen 1952 und 1971 aus Abb. 84. An beiden Geschlechtern zeigt sich, daß vom 40. Lebensjahr ab die Sterblichkeit an bösartigen Neubildungen erheblich zunimmt, wobei bis zum 50.–55. Lebensjahr die entsprechenden Werte im weiblichen Geschlecht höher sind als im männlichen. Die Beteiligung der verschiedenen Organe an der Krebssterblichkeit ist dabei sehr verschieden. Besonders stark betroffen sind in beiden Geschlechtern die Verdauungs- und Atmungsorgane. In bezug auf die letzteren ist die Krebssterblichkeit im männlichen Geschlecht höher als im weiblichen, was zweifellos mit dem größeren Zigarettenkonsum der Männer im Zusammenhang steht. So betrug z. B. 1969/71 die Sterblichkeit an bösartigen Neubildungen im Bereich der Bronchien, der Luftröhre und der Lungen bei Männern 63,9 auf 100000, bei Frauen dagegen nur 9,9 auf 100000. Als krebsauslösender Faktor kommen hier die im Zigarettentabak vorhandenen Teerstoffe in Betracht.

Altersabhängigkeit ist auch bei den geschlechtsspezifischen Krebsarten zu beobachten. Bei Frauen nimmt das Risiko für Uterus- und Mammakarzinome vom 40. Lebensjahr an zu. Eine Erhöhung der Prostatakarzinomhäufigkeit ist vom 60. Lebensjahr an zu beobachten. Ausführliche Zahlenangaben über die Krebsmortalität unter Berücksichtigung von Geschlecht und Organspezifität finden sich in der vom Statistischen Bundesamt herausgegebenen Reihe »Das Gesundheitswesen der Bundesrepublik Deutschland«, zuletzt der 1974 erschienene Band 5.

Wie die Herz- und Kreislaufkrankheiten haben auch die bösartigen Neubildungen in den vergangenen Jahrzehnten erheblich zugenommen (s. Abb. 84). Die Ursachen hierfür sind zu einem großen Teil darin zu sehen, daß die Belastung der Umwelt mit karzinogenen (krebsfördernden) Faktoren größer geworden ist. Allerdings sind diese erst teilweise so gut bekannt, daß man sie eliminieren kann, wie z. B. den Teergehalt im Tabak. Da bei Früherkennung von bösartigen Neubildungen die Chancen einer erfolgreichen Behandlung sehr groß sind (Abb. 85), sind auch hier entsprechende Vorsorgeuntersuchungen unbedingt zu empfehlen.

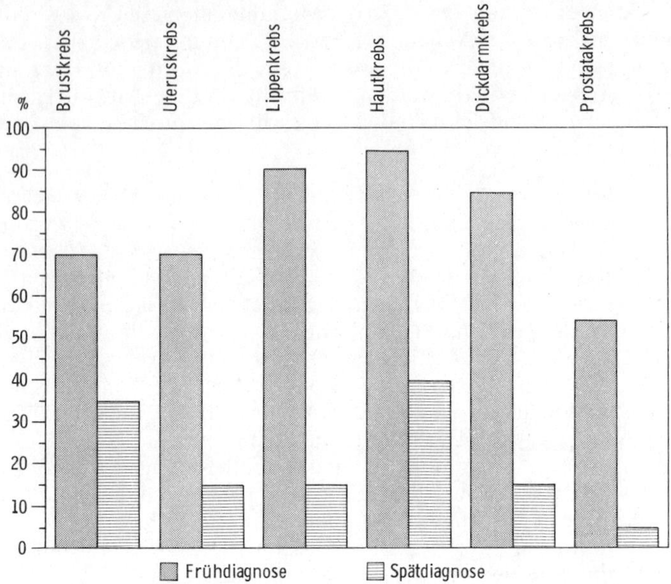

Abb.85 Heilungsziffern einiger häufiger Krebsformen bei Früh- und Spätdiagnose (aus ZOLLINGER, H. U.: Pathologische Anatomie, Bd. I: Allgemeine Pathologie. 4. Aufl., Thieme, Stuttgart 1975)

Der Anstieg der Sterblichkeit an *Leberzirrhose* mit zunehmendem Lebensalter geht aus Abb. 83 hervor. Danach nimmt bei Männern die Sterblichkeit an dieser Krankheit vom 35.–40. Lebensjahr rapide zu, bei Frauen vom 45.–50. Lebensjahr an. Nach zahlreichen Untersuchungen sind bestimmte Berufszweige, etwa des Gaststättengewerbes, in ganz besonderem Maße von dieser Lebererkrankung betroffen. Die Ursachen für die mit steigendem Alter immer stärker zunehmende Sterblichkeit an Leberzirrhose liegen vielfach in einem regelmäßigen und hohen Alkoholkonsum. Das betrifft beide Geschlechter, wenn auch in unterschiedlichem Ausmaß und sicher auch aus verschiedenen Motiven.

Wie Abb. 84 zeigt, ist von 1952 bis 1971 sowohl bei Männern als auch bei Frauen die Sterblichkeit an Leberzirrhose gestiegen, bei Männern um etwa das Dreifache. Im gleichen Zeitraum nahm auch der Pro-Kopf-Verbrauch an alkoholischen Getränken der verschiedensten Art erheblich zu. Betrug der Bierkonsum 1963/64 pro Kopf und Jahr 119,2 l, so lag er 1970/71 schon bei 142,7 l. Der Trinkweinverbrauch wuchs in der gleichen Zeit von 10,7 l pro Kopf und Jahr auf 16,3 l. Einen wesentlichen Anteil an dieser Verbrauchssteigerung und damit indirekt auch an der Zunahme der Leberzirrhose hat zweifellos die immer massivere Werbung für alkoholische Erzeugnisse.

Abschließend sei noch kurz auf die Sterblichkeit infolge von *Straßenverkehrsunfällen* eingegangen. Diese zeigt bei jungen Erwachsenen, insbesondere bei jungen Männern, ein ausgeprägtes Häufigkeitsmaximum (Abb. 83). Die Ursachen hierfür liegen ohne Zweifel zu einem großen Teil in falschem Verkehrsverhalten (aggressive Fahrweise, Unterschätzung des Alkohols für die Minderung der Fahrtüchtigkeit) dieser männlichen Jahrgänge. Die nach dem 25. Lebensjahr deutlich abnehmende Unfallsterblichkeit kann auf eine wachsende Einsicht in die Notwendigkeit disziplinierten Verhaltens im Straßenverkehr hinweisen. Die in höherem Alter erneut ansteigende Sterblichkeit durch Verkehrsunfälle dürfte im Zusammenhang mit den abnehmenden Leistungen der Sinnesorgane (Seh- und Hörfähigkeit sowie nachlassender situationsgerechter Reaktionsfähigkeit z. B. beim Überqueren von Fahrbahnen) zu sehen sein.

8. Altern und Tod

Während es relativ einfach ist, den Beginn des biologischen Erwachsenenalters (Leistungsalter) zu bestimmen (Abschluß der körperlichen Wachstumsvorgänge, Erreichen der sexuellen Reife), macht es Schwierigkeiten, genau anzugeben, wann das »Altern« eigentlich anfängt. Nach GRIMM (1966) kann man dann vom »Altern« sprechen, wenn die körperlichen Rückbildungsprozesse einen solchen Grad erreichen, daß die physische und psychische Leistungsfähigkeit deutlich vermindert ist. Das ist jedoch nicht nur individuell außerordentlich verschieden, sondern auch innerhalb eines Organismus zeigen die einzelnen Organe zeitliche Unterschiede in Tempo und Ausmaß ihrer morphologisch-funktionellen Rückbildung. Darauf ist im vorhergehenden bereits hingewiesen worden. Daher ist es nicht möglich, das biologische Erwachsenenalter scharf gegen das sog. *Rückbildungsalter* abzugrenzen und exakt anzugeben, wann das biologische Alter definitiv beginnt. GRIMM (1966) setzt die Grenzen für das Rückbildungsalter, in welchem die physische und psychische Arbeitsfähigkeit noch mehr oder minder erhalten ist, im männlichen Geschlecht zwischen 60. und 75. Lebensjahr, im weiblichen zwischen 55. und 75. Lebensjahr. Danach beginnt das *Greisenalter*, welches durch ausgeprägte körperliche und geistig-seelische Abbauprozesse und entsprechenden Rückgang der Arbeitsfähigkeit gekennzeichnet ist.

Mit Recht wurde verschiedentlich daran erinnert, daß der Begriff »Altsein« von den jeweiligen gesellschaftlichen Verhältnissen abhängt. So wurde gegen Ende des 19. Jahrhunderts der Beginn des Greisenalters für Männer zwischen dem 50. und 60. Lebensjahr angenommen, für Frauen zwischen dem 40. und 45. Jahr. Die Problematik schematischer Alterseinteilungen ersieht man auch daraus, daß in der Regel Männer mit 65, Frauen mit 60 Jahren wegen Erreichen der »Altersgrenze« aus dem Berufsleben ausscheiden müssen, selbst wenn der Wille und die körperlich-geistigen Voraussetzungen für eine weitere berufliche Tätigkeit gegeben sind. Andererseits muß vielfach aber auch für Erlangung der Höchstpension oder -rente dieses Datum eingehalten werden, selbst wenn infolge starker körperlich-geistiger Abbauvorgänge und damit verbundener Erkrankungen eine ausreichende Arbeitsfähigkeit nicht mehr vorhanden ist (THOMAE u. LEHR 1972).

Die systematische Erforschung der physischen und psychischen Alterungsvorgänge beim Menschen hat erst verhältnismäßig spät eingesetzt. Man bezeichnet die sich aus einer Reihe von medizinischen, biologischen, psychologischen und soziologischen Disziplinen zusammensetzende Altersforschung als *Gerontologie*. Unter *Geriatrie* versteht man den Bereich der Medizin, der sich mit den altersspezifischen Krankheiten, ihrer Therapie und ihrer Verhütung beschäftigt. Ausführliche Darstellungen der Ergebnisse und Probleme dieser Fachrichtungen finden sich bei Brückel (1975), Holtmeier (1970), Platt (1976), Ries (1969), Schettler (1972), Theimer (1973), Thomae u. Lehr (1972).

8.1. Körperliche Veränderungen im Alter

Die bereits im Erwachsenenalter beginnenden morphologischen und funktionellen Veränderungen sowohl der äußeren Körpermerkmale als auch der inneren Organsysteme setzen sich mit zunehmendem Alter verstärkt fort. Dadurch kann es zu fortschreitenden Störungen in den verschiedenen Organfunktionen mit sich daraus ergebenden Verminderungen der körperlichen und geistigen Leistungsfähigkeit kommen.

8.1.1. Stütz- und Bewegungsapparat

Von erheblichem Ausmaß sind in beiden Geschlechtern die Veränderungen am Stütz- und Bewegungsapparat. Mit steigendem Alter verlieren *Sehnen* und *Knorpel* ihre Elastizität, was die körperliche Bewegungsfähigkeit erschwert. Das wird auch durch die fortschreitende Versteifung der großen und kleinen Gelenke von Armen und Beinen mitverursacht (Altersarthrose). Von deutlichen Veränderungen ist auch die *Wirbelsäule* betroffen, welche durch Elastizitätsverlust und Schwund der Zwischenwirbelscheiben mehr oder weniger stark versteift. In den *Knochen* ist eine Verarmung an Kalk sowie eine Abnahme der Spongiosa (schwammiges Gewebe im Knocheninnern) bei gleichzeitiger Vergrößerung der hohlen Markräume zu beobachten (Osteoporose). Das führt zu einer immer geringeren Belastbarkeit der Knochen. Die Knochenbrüchigkeit bei alten Menschen ist wegen dieser Veränderungen wesentlich größer als bei jüngeren. Schon einfache Stürze können zu Knochenfrakturen führen. So ist z. B. die Gefahr von Brüchen des Oberschenkelhalses bei alten Menschen besonders groß. Durch gezielte ärztliche Maßnahmen, unter denen Behandlungen mit Hormonen der Nebennierenrinde wegen ihrer Bedeutung für den Mineralstoffwechsel eine Rolle spielen, ist es möglich, diese degenerativen Abbauprozesse in den Knochen unter Kontrolle zu bringen und sie zumindest zu verlangsamen (Krauss 1975, Nowakowski 1972).

8.1.2. Gehirn

Neuere Untersuchungen über die Alterungsvorgänge am Gehirn (Glees u. Hasan 1974) haben erkennen lassen, daß neben der Abnahme von Hirnvolumen und Hirngewicht (s. S. 223) vor allem auch eine Veränderung der zellulären *Mitochondrien* (für den Zellstoffwechsel wichtige Partikel) stattfindet, indem diese vermehrt zu *Lipofuszin* umgewandelt werden. Hierunter versteht man ein braunes Pigment, welches bei allen Abbauprozessen in den Zellen verstärkt auftritt. In dieser degenerativen Zellveränderung scheint ein wichtiger Faktor für das Hirnaltern zu liegen. Dieses drückt sich einmal in einem immer stärkerem Versagen bei der Informationsaufnahme über die Sinnesorgane (z. B. Augen oder Ohren) aus, zum anderen auch in der zunehmenden Unfähigkeit, Informationen aus der Umwelt bzw. im Gedächtnis gespeichertes Wissen in sinnvoller Verknüpfung zu verarbeiten. Diese Funktionsminderungen des Gehirns setzen bei erheblicher individueller Variabilität bereits schon nach dem 30. Lebensjahr ein, erreichen jedoch erst mit zunehmendem Alter kritische Ausmaße. Geschlechtsunterschiede liegen dabei nicht vor. Auch über eine *Intelligenzminderung* mit zunehmendem Alter ist mehrfach berichtet worden (RIEGEL 1972). Es scheint, als ob der Gipfel der intellektuellen Leistungsfähigkeit zwischen dem 25. und 30. Lebensjahr liegt, und diese dann zunächst langsam, mit fortschreitendem Alter jedoch immer schneller zurückgeht. Tempo und Ausmaß dieses Prozesses sind individuell verschieden und darüber hinaus von den sozialen Umweltverhältnissen abhängig, unter denen der Mensch lebt.

8.1.3. Herz und Gefäße

Von erheblicher Bedeutung für die körperliche Leistungsfähigkeit und Belastbarkeit mit zunehmendem Alter ist der Zustand von Herz und Gefäßen. Diese unterliegen wie alle Organe alterungsbedingten morphologischen und funktionellen Veränderungen. Das Herzgewicht nimmt allerdings kaum ab, vielmehr ist nicht selten bis über das 60. Lebensjahr hinaus sogar eine Zunahme zu beobachten. Dagegen vermehrt sich in den Herzmuskelzellen das Lipofuszin. Die Zahl der *Muskelfasern* sowie der *Kapillaren* nimmt ab. Entscheidend für die zunehmende Funktionstüchtigkeit des Herzmuskels ist nicht zuletzt die fortschreitende Verkalkung der Herzkranzgefäße (*Koronarsklerose*), was eine schlechte Ernährung und Sauerstoffversorgung des Herzens zur Folge hat. Auch dieser Prozeß beginnt schon relativ früh, erreicht jedoch erst mit steigendem Alter immer größere Ausmaße (Abb. 86).

Altersbedingte Veränderungen zeigen auch die anderen Blutgefäße des Organismus, vor allem die *Arterien*. Ihre Gefäßwände verdicken sich und verlieren zunehmend an Elastizität, wobei sich das *Gefäßlumen* (Durchmesser) vergrößert. Bei Frauen verlaufen diese Vorgänge in der Regel langsamer als bei Männern. Diese Gefäßerweiterungen haben eine Verminderung der *Strömungsgeschwindigkeit* des Blutes zur Folge. Beträgt die Kreislaufzeit für die Strecke von einem be-

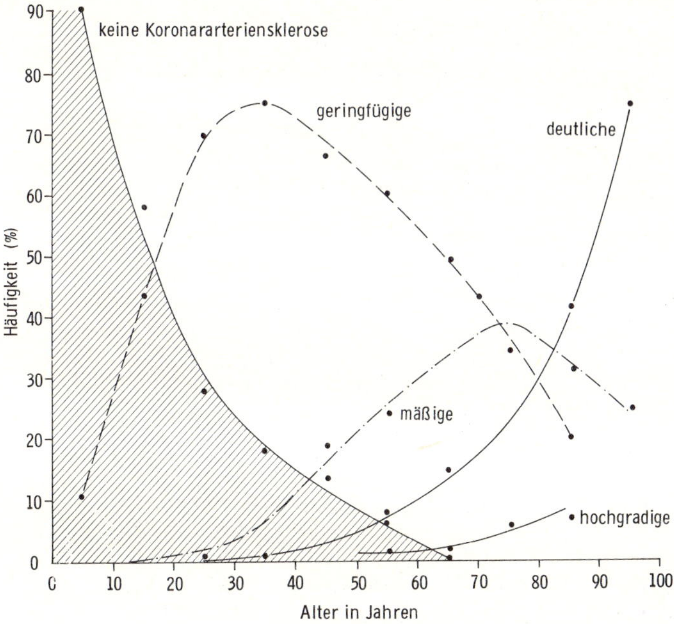

Abb. 86 Häufigkeit und Ausprägung der Koronararteriensklerose in Abhängigkeit vom Lebensalter (aus Brückel, K. W., in Grundzüge der Geriatrie, hrsg. von K. W. Brückel. Urban & Schwarzenberg, München 1975)

stimmten Venenpunkt des einen Armes zu dem entsprechenden des anderen im 3. Lebensjahrzehnt durchschnittlich 16,9 Sekunden, steigt sie im 7. Lebensjahrzehnt auf etwa 25 Sekunden an (Theimer 1973). Im höheren Alter nimmt die Kreislaufzeit noch weiter zu. Folgen dieser anatomischen und physiologischen Gefäßveränderungen sind in einer Erhöhung des Risikos für *Thrombosen* (Blutgerinnsel) sowie *Embolien* (Verschleppung von Blutgerinnseln) zu sehen, welche nicht selten zum Tode führen.

Die Funktionsfähigkeit der Blutgefäße kann auch durch die Einlagerung von Fetten und Kalzium in die Gefäßwände beeinträchtigt werden, was zu fortschreitender *Arteriosklerose* (Arterienverkalkung) führt. Dadurch wird eine Verengung bzw. völlige Verschließung der Gefäße bewirkt. Die sich hieraus für den alternden Organismus ergebenden Gefahren (Verödungen ganzer Organe oder von Organteilen infolge mangelhafter Sauerstoffversorgung, Festsetzung eines Thrombus) liegen auf der Hand. Es ist erwiesen, daß diese »natürlichen« Alterungsvorgänge des Gefäßsystems durch exogene Faktoren verstärkt und beschleunigt werden können, z. B. durch Nikotinabusus, Bewegungsarmut, Übergewicht und erhöhte Blutfettwerte als Folge von Über- bzw. Fehlernährung.

8.1.4. Innere Organe

Die *endokrinen Drüsen* zeigen – mit Ausnahme der männlichen und weiblichen Keimdrüsen – keine ausgeprägten morphologischen und funktionellen Altersveränderungen und bleiben normalerweise bis ins hohe Alter funktionstüchtig. Das gilt auch für die Leber.

Dagegen können am *Verdauungstrakt* insofern größere Veränderungen beobachtet werden, als mit zunehmendem Alter vielfach eine Erschlaffung der glatten Muskulatur von Magen und Darm sowie eine Rückbildung der Darmschleimhaut erfolgt. Auch die Bildung von Magensaft und Salzsäure geht zurück. Wesentliche Störungen der Fett- und Eiweißverdauung ergeben sich daraus normalerweise jedoch nicht.

In den *Nieren* finden etwa vom 60. Lebensjahr an größere Veränderungen statt, die zu Funktionsbeeinträchtigungen führen können. Das ist insofern von Bedeutung, als bei massiven Ausscheidungsstörungen unerwünschte Nebenwirkungen von Arzneimitteln möglich sind.

Schließlich sind auch altersbedingte Veränderungen der *ableitenden Harnwege* bekannt, welche den Harnabfluß behindern und damit Infektionen der Harnorgane ermöglichen.

Im männlichen Geschlecht beginnt zwischen dem 50. und 60. Lebensjahr oft eine Hypertrophie (Vergrößerung) der Prostata (s. S. 12), was zu Harnstauungen in der Blase führen kann.

8.1.5. Immunsystem

Von entscheidender Bedeutung für die Vitalität des alternden Menschen ist nicht zuletzt auch der Zustand seines Immunsystems (Brückel 1975, Platt 1976, Rapp 1972). Störungen in dessen Funktionsfähigkeit setzen die Infektionsabwehrbereitschaft herab, begünstigen das Wachstum maligner (bösartiger) Zellen und ermöglichen auch die Zunahme von Autoimmunerkrankungen. Bei letzteren werden die körpereigenen Proteine (Eiweiße) nicht mehr als solche erkannt, sondern für Fremdproteine gehalten, so daß »irrtümlicherweise« zerstörerische Aggressionen gegen die eigenen Proteine ausgelöst wurden. Die Ursachen dieser Immundefekte können einmal in krankheits- oder auch altersbedingten Veränderungen der körpereigenen Proteine selbst liegen, zum anderen darin, daß sich die immunkompetenten Zellen (z.B. die Lymphozyten) ändern und dadurch die Unterscheidungsfähigkeit zwischen »körpereigen« und »körperfremd« verlieren. Sicher ist, daß mit steigendem Alter die Häufigkeit der im Blut zirkulierenden Autoantikörper zunimmt (Abb. 87), was als Reaktion auf Veränderungen der körpereigenen Proteine verstanden wird. Inwieweit die erstmals von COURT BROWN (1967) beobachteten, altersabhängigen Zunahmen in der Häufigkeit numerischer und struktureller Chromosomenaberrationen hiermit in ursächlichem Zusammenhang stehen, ist noch nicht geklärt.

Das mit steigendem Alter generell abnehmende Immunpotential (Abb. 88) ist nach BRÜCKEL (1975) eine wesentliche Ursache für die bei alten Menschen verzögert verlaufenden bzw. chronischen Infektionskrankheiten der verschiedensten Art.

Insgesamt kann festgestellt werden, daß die vielfältigen morphologischen und funktionellen Organveränderungen mit steigendem Alter

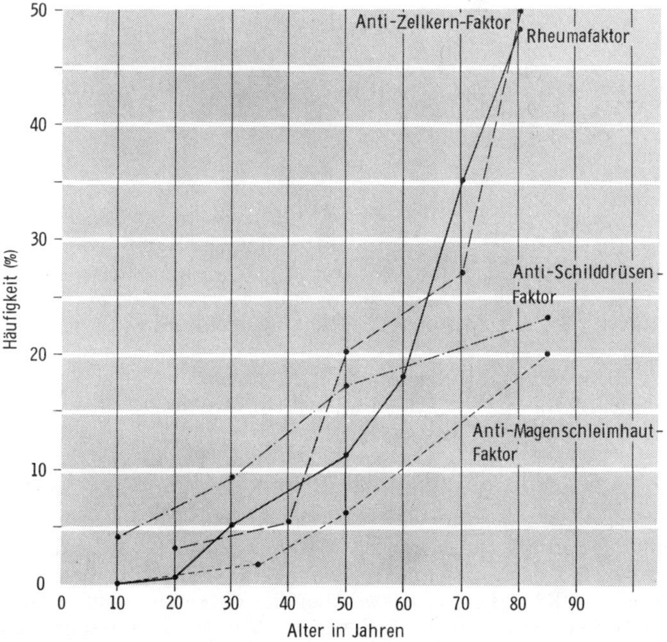

Abb. 87 Altersabhängigkeit in der Häufigkeit verschiedener Autoantikörper im Serum von Menschen mit der Blutgruppe 0 (aus BRÜCKEL, K. W., in Grundzüge der Geriatrie, hrsg. von K. W. Brückel. Urban & Schwarzenberg, München 1975)

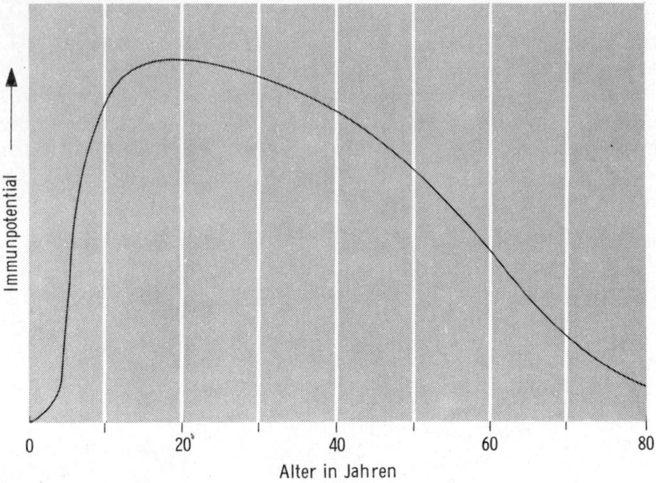

Abb. 88 Altersveränderungen des Immunpotentials (aus BRÜCKEL, K. W., in Grundzüge der Geriatrie, hrsg. von K. W. Brückel. Urban & Schwarzenberg, München 1975)

das Leben zwar nicht direkt gefährden, aber doch in immer stärkerem Maße dazu führen, daß krankhafte Entgleisungen der Organfunktionen nicht mehr selbst reguliert werden können. Dazu gehört auch die ständig abnehmende Fähigkeit, Infektionen wirksam zu bekämpfen. Das alles erhöht die mit zunehmendem Alter steigende Wahrscheinlichkeit eines völligen, zum Tode führenden Zusammenbruches aller körperlichen Funktionen. BRÜCKEL (1975) stellt heraus, daß der Mensch eigentlich nicht an seinem Alter stirbt, sondern an Krankheiten, die allerdings schleichend unter dem Bild von »Altersmasken« verlaufen können.

8.2. Morbidität und Mortalität im Alter

Bedingt durch die mit fortschreitendem Alter zahlreichen degenerativen Organveränderungen ist zu erwarten, daß Morbidität und Mortalität bei alten Menschen andere Häufigkeiten als bei jüngeren erkennen lassen. Krankheiten, die *nur* bei alten Menschen auftreten und zum Tode führen können, gibt es nicht. Von einer altersspezifischen Morbidität und Mortalität kann daher nur insofern gesprochen werden, als bestimmte Krankheiten mit zunehmendem Alter häufiger werden. Dazu gehören nach BRÜCKEL (1975), HOLTMEIER (1970) und SCHETTLER (1972) die verschiedenen Krebsformen (bei Männern vor allem Magen-, Lungen-, Prostata- und Dickdarmkrebse, bei Frauen Brust-, Darm- und Uteruskrebse), Regulations- und Stoffwechselkrankheiten, unter ihnen vor allem chronischer Bluthochdruck sowie der Altersdiabetes und die Arteriosklerose der Herzkranz- und Hirngefäße. Zu nennen sind hier auch vermehrt auftretende infektionsbedingte Erkrankungen z. B. der Atmungsorgane und der Harnwege sowie die größere Unfallhäufigkeit. Abb. 83 läßt die mit dem Alter zunehmende Bedeutung dieser Krankheiten als Todesursache erkennen. Betont sei auch, daß nicht selten verschiedene krankhafte Störungen gleichzeitig im alternden Organismus vorhanden sind, was die weitere Lebensfähigkeit natürlich in besonders starkem Maße beeinträchtigt.

Die mit steigendem Alter wachsende Krebsgefährdung – sie ist im 6. Lebensjahrzehnt am größten – wird damit erklärt, daß spontane Entgleisungen der Zellteilungsraten häufiger werden. Zwar kommen solche Entgleisungen auch in jüngeren Jahren vor, werden in der Regel aber vom Organismus erkannt und durch spezifische Immunreaktionen beseitigt. Mit zunehmendem Alter nimmt jedoch nicht nur die Wahrscheinlichkeit für bösartige Entartungen der Zellteilung zu, auch das immunologische Erkennungs- und Abwehrsystem läßt in seiner Wirksamkeit nach oder entartet selbst.

Der Altersdiabetes, welcher im männlichen Geschlecht etwa zweimal so häufig ist wie im weiblichen, und in beiden Geschlechtern in enger Beziehung zum Übergewicht steht, beruht auf einer alternsbedingten Funktionsschwäche der Langerhansschen Inseln im Pankreas (Bauchspeicheldrüse). Dadurch kommt es zu Verminderungen in der Insulinbildung und -ausschüttung.

Es ist das Ziel der Geriatrie, dem alternden Menschen so lange wie möglich körperliches, geistiges und soziales Wohlbefinden zu erhalten und ein optimales physisch-psychisches Leistungsvermögen bis ins hohe Lebensalter zu sichern (Ries 1969). Um dieses Ziel zu erreichen, genügen jedoch nicht nur medizinisch-biologische Maßnahmen zur rechtzeitigen Erkennung und entsprechenden Behandlung von altersassoziierten Krankheiten. Vielmehr bedarf es auch eingehender psychologischer Betreuung und gesellschaftlicher Hilfen, damit Altwerden nicht zu einem dahindämmernden Warten auf den Tod wird. Eine ausführliche Darstellung dieser Thematik findet sich bei Brückel (1975), Holtmeier (1970), Schettler (1972) sowie Thomae u. Lehr (1972). Hier werden auch Wege aufgezeigt, wie durch das Zusammenwirken von Medizin, Psychologie und Soziologie das Alter zu einer sinnerfüllten Lebensphase gestaltet werden kann.

8.3. Die Lebensdauer in Vergangenheit und Gegenwart

Nach den Ermittlungen des Statistischen Bundesamtes beträgt in der Bundesrepublik Deutschland die *mittlere Lebenserwartung* für (1970) männliche Neugeborene 67,3 Jahre, für weibliche 73,6 Jahre. Gegenüber 1950 bedeutet das eine Zunahme von etwa 5 Jahren im weiblichen und knapp 3 Jahre im männlichen Geschlecht. Noch beachtlicher wird der Anstieg der mittleren Lebenserwartung, wenn man die entsprechenden Angaben der ersten amtlichen Statistik in Deutschland 1871/1880 berücksichtigt: 35,6 Jahre für neugeborene Knaben, 38,5 Jahre für neugeborene Mädchen. In ähnlicher Weise hat die mittlere Lebenserwartung auch in den übrigen europäischen Ländern sowie in der weißen Bevölkerung der USA, Kanadas, Australiens und Südafrikas zugenommen.

Für weiter zurückliegende Zeiträume liegen zwar keine vergleichbaren bevölkerungsstatistischen Daten vor, jedoch kann man die durchschnittliche Lebensdauer aufgrund von Kirchenbuchauswertungen bzw. anhand der Altersbestimmungen an prä- und frühhistorischem Knochenmaterial schätzen. Danach betrug die durchschnittliche Lebensdauer in der Altsteinzeit (Neandertaler) ca. 29 Jahre, in der mittleren Steinzeit ca. 31 Jahre, in der Jungsteinzeit ca. 35 Jahre, im klassischen Rom ca. 32 Jahre und im mittelalterlichen England ca. 38 Jahre (KURTH 1974). Bis ins 19. Jahrhundert hat sich dieser Wert, der in dieser Größenordnung für alle europäischen Bevölkerungen zutrifft, nicht wesentlich verändert. Erst von der zweiten Hälfte des letzten Jahrhunderts an begann der eingangs beschriebene enorme Anstieg der Lebenserwartung.

Ermöglicht wurde das ohne Zweifel vor allem durch die einsetzende experimentelle Medizin (BERTOLINI 1969), wodurch eine immer erfolgreichere Bekämpfung der Infektionskrankheiten möglich wurde. Diese waren die Hauptursache für die hohe Säuglings- und Kindersterblichkeit früherer Jahrhunderte. Aber auch der Fortschritt in der Hygiene sowie erhebliche Verbesserungen der allgemeinen Lebensverhältnisse einschließlich der Ernährung trugen dazu bei, daß sich in den letzten 100 Jahren die Lebenserwartung in Europa praktisch verdoppeln konnte. Welche Bedeutung diesen Faktoren zukommt, zeigen Vergleiche mit Ländern, deren medizinische Versorgung und ökonomische Entwicklung noch stark rückständig sind. So betrug die mittlere Lebenserwartung 1957/58 in Indien 45,2 Jahre bei Männern, 46,3 Jahre bei Frauen (zur gleichen Zeit im Bundesgebiet ca. 65 bzw. ca. 70 Jahre). In Burma lag sie 1954 im männlichen Geschlecht bei 40,8 Jahren, im weiblichen bei 43,8 Jahren (64,6 bzw. 68,5 Jahre in der Bundesrepublik Deutschland). Für Chile ergab sich 1952 eine durchschnittliche Lebenserwartung von 49,8 Jahren für Männer und von 53,9 Jahren für Frauen (64,6 bzw. 68,5 Jahre im Bundesgebiet).

Es ist einleuchtend, daß die Zunahme der mittleren Lebenserwartung ein wichtiger Faktor für den Bevölkerungsanstieg ist. Auf die sich hieraus ergebenden Konsequenzen und Probleme wurde bereits hingewiesen (s. S. 69).

Für viele Bevölkerungen der Gegenwart und jüngeren Vergangenheit gilt, daß die Lebenserwartung im weiblichen Geschlecht deutlich höher liegt als im männlichen. Offen ist bisher, ob dieser Unterschied biologische oder soziologische Ursachen hat. Daß die menschliche Lebensdauer auch von genetischen Faktoren beeinflußt wird, zeigen

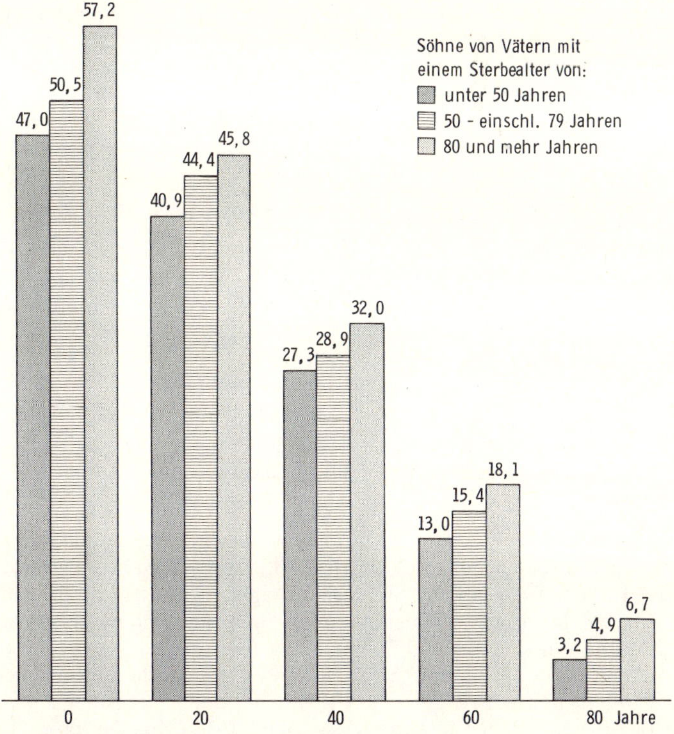

Abb. 89 Mittlere Lebenserwartung für die Altersstufen 0 (Geburt), 20, 40, 60 und 80 Jahre von Söhnen, deren Väter ein Sterbealter von weniger als 50 Jahre, 50–79 Jahre und über 80 Jahre hatten (aus v. VERSCHUER, O.: Genetik des Menschen. Urban & Schwarzenberg, München 1959)

Untersuchungen an Zwillingen und Familien mit langer Lebensdauer (KNUSSMANN 1968b). So betrug bei 180 gleichgeschlechtlichen Zwillingen, von denen beide Paarlinge nach dem 60. Lebensjahr verstarben, die mittlere Überlebensdauerdifferenz bei EZ 36,0 Monate, bei ZZ dagegen 74,6 Monate, war also mehr als doppelt so hoch (KALLMANN u. Mitarb. 1956). Nach v. VERSCHUER (1959) spricht das für die Bedeutung erblicher Faktoren hinsichtlich der Lebensdauer. Unterstützt wird diese Annahme durch die Beobachtungen von PEARL u. PEARL (1934) bezüglich der Lebensdauer von Vätern und Söhnen (Abb. 89). Allerdings können alle diese Befunde nicht in dem Sinn verstanden werden, daß die Lebensdauer genetisch streng determiniert sei. Vielmehr ist die vermutete erbliche Veranlagung nur *einer* der vielen Faktoren, welche die Lebensdauer bestimmen. Man kann sich jedoch vorstellen, daß die physiologisch *mögliche* Lebensdauer in Abhängigkeit von genetischen Faktoren individuell verschieden ist. Die Realisierung der denkbaren genetischen Dispositionen dürfte allerdings in hohem Maße von den Lebensbedingungen abhängen, denen ein Mensch von Geburt an ausgesetzt ist.

8.4. Theorien des biologischen Alterungsprozesses

Altern bedeutet nach BÜRGER, einem der maßgeblichen Begründer der Gerontologie, jede irreversible (unumkehrbare) Veränderung der lebenden Substanz als Funktion der Zeit. Unter diesem Aspekt hat BRÜCKEL (1975) eine Anzahl von Kriterien aufgestellt, die das Wesen des Alterungsprozesses beschreiben, ohne diesen damit erklären zu wollen. Diese »biologischen Alterungskriterien« sind (leicht modifiziert):

1. *Systemimmanenz:* Altern ist ein systemimmanenter Prozeß, d.h. ein für jedes lebende System typischer, gewissermaßen programmierter Vorgang.

2. *Allgemeingültigkeit:* Der Alterungsprozeß verschont kein höher organisiertes pflanzliches oder tierisches Lebewesen, somit auch nicht den Menschen. Dieser Prozeß verläuft eigengesetzlich und ist unabhängig von krankhaften Zuständen bei allen Individuen einer Art zu beobachten. In Tempo und Dauer des Alterungsprozesses liegen dabei zwischen den biologischen Arten außerordentliche Unterschiede vor, indem dieser Prozeß von 3 Tagen bei der Eintagsfliege bis zu 150–200 Jahren bei Elefanten (BERTOLINI 1969) reichen kann.

3. *Irreversibilität:* Der biologische Alterungsprozeß ist *nicht* rückgängig zu machen. Eine echte Verjüngung ist daher unmöglich. Das bedeutet jedoch nicht, daß manche altersbedingten körperlichen Verän-

derungen und Funktionseinbußen innerhalb gewisser Grenzen verlangsamt bzw. ausgeglichen werden können.

4. *Progressivität:* Der biologische Alterungsprozeß hat fortschreitenden Charakter, womit seine Verlaufsrichtung eindeutig fixiert ist. Dabei können zwischen chronologischem (kalendarischem) und biologischem Alter Diskrepanzen auftreten, etwa in dem Sinn, daß das biologische Alter dem chronologischen gänzlich oder nur bezüglich einiger Organe und ihrer Funktionen vorauseilt bzw. nachhinkt (Akzeleration – Retardation).

5. *Lebensgefährlichkeit:* Der biologische Alterungsprozeß ist mit einer gleichbleibenden Erhaltung des individuellen Lebens über längere Zeiträume grundsätzlich nicht zu vereinbaren. Altern ist demnach ein lebensbegrenzender Prozeß, wobei die physiologisch mögliche Dauer des menschlichen Lebens noch umstritten ist.

Es hat von der Antike an nicht an Versuchen gefehlt, den biologischen Alterungsprozeß kausal zu erklären. So wurde eine Erschöpfung der Lebensenergie vermutet, wobei argumentiert wurde: Das Wachstum ist eine Folge gesteigerter Stoffwechseltätigkeit, die sich nach Wachstumsabschluß auf das Ausmaß einspielt, das der Organismus für seine Erhaltung benötigt. Ein Nachlassen der Stoffwechselaktivität führt zur Abnahme der Lebensenergie und bedeutet Altern. Andere Hypothesen erklären das Altern mit einer zunehmenden Selbstvergiftung des Organismus durch den Anstieg nicht abbaubarer Stoffwechselprodukte. Auch irreversible Abnutzungs- und Erschöpfungszustände der Organe wurden als Ursache für das Altern des Organismus angesehen. Ausführliche Zusammenstellungen der verschiedenen Hypothesen zur Erklärung der Alterungsvorgänge beim Menschen finden sich bei Bertolini (1969) und Platt (1976).

Neuerdings werden vor allem *Veränderungen in den genetischen Informationen* als entscheidende Faktoren für den natürlichen Alterungsprozeß und damit auch für die physiologisch mögliche Lebensdauer angenommen. Dabei scheinen Begrenzungen in der Teilungsfähigkeit der Körperzellen, somatische Mutationen (Veränderungen der genetischen Informationen in den Körperzellen) und Störungen im zellulären Repair-Mechanismus (Fähigkeit, aufgetretene Fehler der die genetische Information tragende DNA = Desoxyribonukleinsäure zu korrigieren; A = engl. acid) eine besondere Rolle zu spielen.

Für die Annahme einer nur *begrenzten Teilungsfähigkeit* der Körperzellen sprechen Beobachtungen an menschlichen Zellkulturen. Diese ließen erkennen, daß chromosomal intakte Fibroblasten (Vorstufen der Bindegewebezellen) nach ca. 53 Teilungszyklen ihre weiteren Teilungen einstellen und abstarben (Brückel 1975). Das weist darauf hin, daß es offenbar eine genetisch festgelegte Zahl von Teilungsmöglichkeiten gibt. Auf den Organismus bezogen besagt das, daß in allen Geweben nur eine limitierte Zahl von Zellteilungen möglich ist und nach Erschöpfen dieses Potentials keine neuen Zellen mehr gebildet werden können. Da hierbei individuelle Unterschiede vorliegen können, wäre es denkbar, daß die vermutete genetische Mitbedingtheit der menschlichen Lebensdauer (s. S. 248) auch in derartigen Unterschieden zu suchen ist.

Während der Zellteilungen im Verlauf des Lebens entstehen wahrscheinlich eine Reihe von fehlerhaften Zellen als Folge von *somatischen Mutationen* der DNA. Diese Fehlerrate scheint mit zunehmendem Alter anzusteigen. Durch diese Mutationen können in vermehrtem Maße Zellen entstehen, die entweder funktionelle Defekte aufweisen, z. B. in der Enzymbildung, oder die in ihrer Proteinzusammensetzung so verändert sind, daß sie für den Organismus »körperfremd« wirken. Ein großer Teil dieser mutativen DNA-Veränderungen in den Körperzellen scheint durch einen zellulären *Repair-Mechanismus* korrigiert werden zu können. Da dieser empfindliche Mechanismus durch die Einwirkung exogener Faktoren im Verlauf des individuellen Lebens immer stärker an Wirksamkeit verliert, ist zu erwarten, daß die Zahl von Zellen mit fehlerhaften genetischen Informationen entsprechend anwächst.

Nach dem gegenwärtigen Diskussionsstand kann man folgendes feststellen: Das biologische Altern wird überwiegend durch die Zunahme von Schäden in der DNA bewirkt, welche nicht oder doch nur unzureichend von der Zelle selbst repariert werden können. Dadurch kommt es zu einem altersabhängigen Ansteigen in der Zahl genetisch falsch programmierter Zellen, welche funktionell beeinträchtigt sind bzw. vom Organismus als fremd angesehen werden. Da auch die immunologischen Abwehrmechanismen mit steigendem Alter ihre Wirksamkeit einbüßen (s. S. 242), können derartige Zellen immer weniger erkannt und rechtzeitig vernichtet werden. Altern ist letztlich also ein fortschreitender Abbau der biologischen Regulationssysteme auf zellulärer Ebene, deren völliger Zusammenbruch schließlich zum individuellen Tod führt.

Angesichts der vielen Berichte von Menschen, die angeblich ein Alter von weit mehr als 100 Jahre erreicht haben, stellt sich die Frage nach der physiologisch möglichen Lebensdauer beim Menschen. Nach Comfort (1971) kann man annehmen, daß mit fortschreitenden Erkenntnissen der Gerontologie und deren strikten Anwendung die Lebenszeit im Durchschnitt um 10–20% verlängert werden kann. Das würde bedeuten, daß z. B. in der Bundesrepublik Deutschland die mittlere Lebenserwartung auf 80–85 Jahre gesteigert werden könnte. Individuell sind natürlich noch größere Lebensspannen möglich. Geht man davon aus, daß *nachgewiesenermaßen* bisher kein Mensch älter als 111 Jahre geworden ist (THEIMER 1973), kann man vermuten, daß die maximale menschliche Lebensdauer in dieser Größenordnung liegt. Entscheidend ist nach Ansicht der meisten Gerontologen aber nicht die Heraufsetzung der Lebensdauer um jeden Preis, sondern die Schaffung der medizinischen, psychologischen und gesellschaftlichen Voraussetzungen dafür, daß Altwerden weder für die Betroffenen noch für ihre Umwelt zur Last wird.

8.5. Der Alterstod

Der Tod wird als das irreversible Ende aller Lebenserscheinungen definiert. Dabei wird dem endgültigen Aussetzen der Gehirnfunktionen (Hirntod) eine erhebliche Bedeutung beigemessen. Dieser kann gegebenenfalls durch ein Elektroenzephalogramm (EEG) festgestellt werden, wobei das völlige Fehlen jeglicher Hirnstromaktivität das eingetretene Lebensende schlüssig beweist. Für das Problem der Organentnahme zwecks Übertragung auf Patienten spielt die exakte Bestimmung des Todes eine wichtige Rolle.

Es ist vielfach behauptet worden, daß der Tod ohne eine vorangegangene Erkrankung möglich sei. Diese Annahme stützt sich auf Beobachtungen an Menschen im fortgeschrittenen Alter, die ohne irgendwelche Krankheitszeichen plötzlich eines »natürlichen« Todes starben. Sektionen, also Leichenöffnungen, haben nach RIES (1969) jedoch in praktisch allen Fällen das Vorhandensein von krankhaften Organveränderungen ergeben. Diese waren nicht selten allerdings zu gering, um bei dem Betroffenen zu erkennbaren und wahrgenommenen gesundheitlichen Störungen zu führen. Aber auch die Unmöglichkeit, bei einer Sektion eine eindeutige Todesursache finden zu können, bedeutet nicht zwangsläufig das Fehlen einer solchen, da dieses durch methodische Unzulänglichkeiten bedingt sein kann. Insofern ist die Annahme eines ohne biologische Ursache erfolgenden, physiologischen Alterstodes im Sinne eines »einfachen Aufhören zu leben« sehr problematisch. Man muß vielmehr vermuten, daß in jedem Fall der Tod durch eine krankhafte Organveränderung bedingt wird, auch wenn eine solche nicht deutlich nachzuweisen ist. RIES (1969) stellt dazu fest: »Die meisten Menschen sterben nicht an physiologischen Erscheinungen, etwa im Sinne von Altersschwäche, sondern an Krankheiten, allenfalls an Krankheiten bei Altersschwäche. Dabei handelt es sich meist um irgendwelche zu einer greisenhaften Schwächung hinzutretenden Krankheitserscheinungen, die im jungen Lebensalter noch erfolgreich zu behandeln sind, im Alter dagegen zum Tod führen.«

Unter Berücksichtigung der modernen genetischen Alterungshypothesen kann man feststellen, daß der Alterstod die Folge eines völligen Zusammenbruchs der biologischen Regulationssysteme im Organismus ist. Das kann offenbar ohne auffällige Krankheitserscheinungen geschehen. In der Regel steht dieser Prozeß am Ende eines schleichenden Abbauprozesses der regulativen Fähigkeiten, wobei genetisch bedingte individuelle Unterschiede in bezug auf dessen Tempo und Ausmaß vorzuliegen scheinen. Die mit dem Alter zunehmenden und immer weniger korrigierbaren Funktions- und Strukturveränderungen der Körperzellen schaffen die Voraussetzungen für mehr oder weniger ausgeprägte krankhafte Gewebe- und Organentartungen, welche schließlich zum individuellen Tod führen.

Literatur

Acsádi, G., J. Nemeskéri: History of Human Life Span and Mortality. Akadémiai Kiadó, Budapest 1970

Anschütz, F., G. Schettler: Gefäße und Herz. In: Alterskrankheiten, 2. Aufl., hrsg. von G. Schettler. Thieme, Stuttgart 1972 (S. 95)

Antonov, A. N.: Children born during the siege of Leningrad in 1942. J. Pediat. 30 (1947) 250

Bach, F.: Leitfaden zu anthropometrischen Sporttypenuntersuchungen und deren statistischer Auswertung. Lehmann, München 1930

Bailer, P.: Ovulationshemmer trotz Nebenwirkungen? Sexualmedizin 11 (1973) 486

Bakwin, H., S. M. McLaughlin: Secular increase in height. Is the end in sight? Lancet 1964/II, 1195

Bankl, H., K. Jellinger: Zentralnervöse Schäden nach fetaler Kohlenoxydvergiftung. Beitr. path. Anat. 135 (1967) 350

Barthelmeß, A.: Erbgefahren im Zivilisationsmilieu. Goldmann, München 1973

Becker, P. E.: Humangenetik. Ein kurzes Handbuch in fünf Bänden. Thieme, Stuttgart 1964–1976

Begemann, H., H.-G. Harwerth: Praktische Hämatologie, 6. Aufl. Thieme, Stuttgart 1974

Beitzke, G., H. Hosemann, P. Dahr, H. Schade: Vaterschaftsgutachten für die gerichtliche Praxis, 2. Aufl. Schwartz, Göttingen 1965

Benirschke, K., C. K. Kim: Multiple pregnancy. New Engl. J. Med. 288 (1973) 1276 u. 1329

Bennholdt-Thomsen, C.: Die somatische Wandlung des Großstadtkindes. Z. Rassenk. 12 (1941) 248

Bennholdt-Thomsen, C.: Die Entwicklungsbeschleunigung der Jugend. Ergebn. inn. Med. Kinderheilk. 62 (1942) 1153

Berg, D.: Schwangerschaftsberatung und Perinatologie, 2. Aufl. Thieme, Stuttgart 1976

Bernis, C.: Some aspects of growth in Spanish children. In: Growth and Development; Physique, ed. by O. G. Eiben. Akadémiai Kiadó, Budapest 1977 (p. 279)

Bertolini, R.: Wachstum und Altern der Organismen. In: Entwicklung, Wachstum, Mißbildungen und Altern bei Mensch und Tier, hrsg. von K. A. Rosenbauer. Wissenschaftliche Verlagsgesellschaft, Stuttgart 1969 (S. 229)

Bickel, H., S. Kaiser-Grubel: Über die Phenylketonurie. Psychometrische Erfolgsbeurteilung der phenylalaninarmen Diät bei phenylketonurischen Kindern. Dtsch. med. Wschr. 96 (1971) 1415

Blanton, S.: Mental and nervous changes in the children of the Volksschulen of Trier, caused by malnutrition. Ment. Hyg. (N. Y.) 3 (1919) 343

Blohmke, M.: Übergewichtigkeit bei Frauen, abhängig vom Ausbildungsniveau. Umschau 70 (1970) 348

Bock, K. D.: Hochdruck, 2. Aufl. Thieme, Stuttgart 1975

Bonte, M., J. van Balen: Prolonged lactation and family spacing in Rwanda. J. biosoc. Sci. 1 (1969) 97

Böshaar, E.: Altersveränderungen der Augenfarbe. Homo 5 (1954) 164

v. Bracken, H.: Humangenetische Psychologie. In: Humangenetik. Ein kurzes Handbuch in fünf Bänden, Bd. I/2, hrsg. von P. E. Becker. Thieme, Stuttgart 1969 (S. 409)

Brandt, I.: Dynamics of head circumference growth before and after term. In: The Biology of Human Fetal Growth, ed. by D. F. Roberts, A. M. Thomson. Taylor & Francis, London 1976 (p. 109)

Braverman, L. E., N. A. Dawber, S. H. Ingber: Observations concerning the binding of thyreoid hormones in sera of normal subjects of varying ages. J. clin. Invest. 45 (1966) 1273

Brehm, G.: Haut- und Geschlechtskrankheiten, 2. Aufl. Thieme, Stuttgart 1976

Breul, D.: Methoden der Geschlechts-, Körperlängen- und Lebensaltersbestimmung von Skelettfunden. Skelettfunden. Schmidt-Römhild, Lübeck 1974

Brothwell, D. R.: Digging up bones. The excavation, treatment and study of human skeletal remains. British Museum, London 1963

Brückel, K. W.: Grundzüge der Geriatrie. Urban & Schwarzenberg, München 1975

Brückel, K. W., K. Zischler: Medizinische und pflegerische Betreuung. In: Grundzüge der Geriatrie, hrsg. von K. W. Brückel. Urban & Schwarzenberg, München 1975 (S. 198)

Büchi, E. C.: Änderungen der Körperform beim erwachsenen Menschen. Anthrop. Forsch. 1. Berger, Horn/Wien 1950

Bundesinstitut für Bevölkerungsforschung: Die Bevölkerung der Bundesrepublik Deutschland. Wiesbaden 1972

Bürger, M., R. Katzschmann: Biomorphose. Methoden, Ergebnisse, Probleme. In: Altern. Probleme und Tatsachen, hrsg. von H. Thomae, U. Lehr. Akademische Verlagsgesellschaft, Frankfurt/M. 1972 (S. 109)

Cabak, V., R. Najdanvic: Effect of undernutrition in early life on physical and mental development. Arch. Dis. Childh. 40 (1965) 532

Campbell, B. G.: Entwicklung zum Menschen. Fischer, Stuttgart 1972

Canosa, C. A.: Nutrition, Growth and Development. Karger, Basel 1975

Cavalli-Sforza, L. L., W. F. Bodmer: The Genetics of Human Populations. Freeman, San Franzisko 1971

Clements, E. M. B.: Changes in the mean stature and weight of British children over the past seventy years. Brit. med. J. 1953/II, 897

Cleve, H., W. Lehmann: Primäre Immundefekte. In: Humangenetik. Ein kurzes Handbuch in fünf Bänden, Bd. III/3, hrsg. von P. E. Becker. Thieme, Stuttgart 1976 (S. 419)

Cocchi, U.: Krankheiten des Skelettsystems. In: Humangenetik. Ein kurzes Handbuch in fünf Bänden, Bd. II, hrsg. von P. E. Becker. Thieme, Stuttgart 1964 (S. 113)

Coerper, C., W. Hagen, H. Thomae: Deutsche Nachkriegskinder. Thieme, Stuttgart 1954

Collis, W. R. R., M. Janes: Multifactorial causation of malnutrition and retarded growth and development. In: Malnutrition, Learning, and Behavior, ed. by N. S. Scrimshaw, J. E. Gordon. Massachusetts Institute of Technology Press, Cambridge/Mass. 1968 (p. 55)

Comfort, A.: Verlängerung des aktiven Lebens. In: Die biologische Zukunft des Menschen. Umschau, Frankfurt/M. 1971 (S. 65)

Conrad, K.: Zu den Ursachen des Ansteigens der Knabengeburten in Kriegs- und Krisenzeiten. Arzt u. Patient 36 (1950) 325

Conrad, K.: Der Konstitutionstypus, 2. Aufl. Springer, Berlin 1963

Cossack, G.: Dystrophie bei Rachitis und mütterlicher Mangelernährung. Heilkunst 65 (1952) 7

Costanzo, A.: La statura degli Italiani ventenni nati del 1854 al 1920. Ann. Statist. (Roma) 8 (1948) 2

Court Brown, W. M.: Human Population Cytogenetics. North-Holland Publishing Co., Amsterdam 1967

Craddock, D.: Obesity and its Management, 2nd Ed. Churchill, Livingstone, Edinburgh and London 1973

Cremer, H.-D., K. Huth, W. Aign: Übergewicht. Verbraucherdienst 20 (1975) 217

Curley, A., R. Kimbrough: Chlorinated hydrocarbon insecticides in plasma and milk of pregnant and lactating women. In: Readings in Man, the Environment, and Human Ecology, ed. by A. S. Boughey. Macmillan, New York 1973 (p. 447)

Deck, K. A.: Endokrinologie. Thieme, Stuttgart 1976

Degenhardt, K.-H.: Mißbildungen des Kopfes und der Wirbelsäule. In: Humangenetik. Ein kurzes Handbuch in fünf Bänden, Bd. II, hrsg. von P. E. Becker. Thieme, Stuttgart 1964 (S. 489)

Degenhardt, K.-H.: Humangenetik. Deutscher Ärzte-Verlag, Lövenich/Köln 1973

Dobbing, J.: Vulnerable periods in brain growth and somatic growth. In: The Biology of Fetal Growth, ed. by D. F. Roberts, A. M. Thomson. Taylor & Francis, London 1976 (p. 137)

Documenta Geigy: Wissenschaftliche Tabellen, 7. Ausg. Thieme, Stuttgart 1975

Dokládal, M.: Growth of the main head dimensions from birth up to twenty years of age in Czechs. Hum. Biol. 31 (1959) 90

Döring, G. K.: Über die Zuverlässigkeit der Temperatur-Methode zur Empfängnisverhütung. Dtsch. med. Wschr. 92 (1967) 1055

Döring, G. K.: Empfängnisverhütung, 5. Aufl. Thieme, Stuttgart 1971; 6. Aufl. 1975

Drenhaus, U., J. Skrobak-Kaczynski, J. B. Jörgensen: Über den säkularen Trend der Akzeleration bei grönländischen Eskimos aus dem nördlichen Bezirk von Upernavik (West-Grönland). Z. Morph. Anthrop. 65 (1974) 293

Edozien, J. C.: Malnutrition in Africa. Need and basis for action. In: Malnutrition is a Problem of Ecology, ed. by P. György, O. L. Kline. Karger, Basel 1970 (p. 64)

Ehrlich, P. R., A. H. Ehrlich: Population, Resources, Environment, 2nd Ed. Freeman, San Franzisko 1972a

Ehrlich, P. R., A. H. Ehrlich: Bevölkerungswachstum und Umweltkrise. Fischer, Frankfurt/M. 1972b

Ehrlich, P. R., A. H. Ehrlich, J. P. Holdren: Humanökologie. Springer, Berlin 1975

Eiben, O. G.: The Physique of Women Athletes. Hungarian Scientific Council for Physical Education, Budapest 1972

Eichenwald, H. F.: Einfluß der Ernährung auf das Zentralnervensystem. Umschau 70 (1970) 151

v. Eickstedt, E.: Die Forschung am Menschen, Bd. I: Geschichte und Methoden der Anthropologie. Enke, Stuttgart 1940

v. Eickstedt, E.: Die Forschung am Menschen, Bd. II: Physiologische und morphologische Anthropologie. Enke, Stuttgart 1944

Ericsson, R. J., C. N. Langevin, M. Nishino: Isolation of fractions rich in human Y sperm. Nature (Lond.) 246 (1973) 421

Faller, A.: Der Körper des Menschen, 7. Aufl. Thieme, Stuttgart 1976

Freye, H.-A.: Humangenetik. VEB Verlag Volk und Gesundheit, Berlin 1975

Friedberg, V., H.-D. Hiersche: Geburtshilfe. Thieme, Stuttgart 1975

Fuchs-Mecke, S., E. Passarge: Kinder von Müttern mit Down-Syndrom (Mongolismus). Dtsch. med. Wschr. 97 (1972) 338

Fuhrmann, W.: Taschenbuch der Allgemeinen und Klinischen Humangenetik. Wissenschaftliche Verlagsgesellschaft, Stuttgart 1965

Fuhrmann, W., F. Vogel: Genetische Familienberatung, 2. Aufl. Springer, Berlin 1975

Gardiner, P. A.: The relation of myopia to growth. Lancet 1954/I, 476

Gavan, J. A.: Growth and development of the chimpanzee; a longitudinal and comparative study. Hum. Biol. 25 (1953) 93

Gedda, L.: Studio dei gemelli. Edizioni Orrizonte Medica, Rom 1951
Gerhardt, K.: Vom Reifungswandel der menschlichen Physiognomie. Morphoplastische Wachstumsvollzüge von der Kindheit bis zur frühen Reife. Abh. Akad. Wiss. Lit. Mainz math.-naturwiss. Klasse 1954, 4. Steiner, Wiesbaden 1954
Geyer, E.: Ein Zwillingspärchen mit zwei Vätern. Arch. Rassenbiol. 34 (1940) 226
Glees, P., M. Hasan: Alterserscheinungen am Gehirn. Umschau 74 (1974) 216
Goerttler, K.: Kyematopathien. In: Humangenetik. Ein kurzes Handbuch in fünf Bänden, Bd. II, hrsg. von P. E. Becker. Thieme, Stuttgart 1964 (S. 1)
Goldblatt, Ph. B.: Social factors in obesity. J. Amer. med. Ass. 192 (1965) 1039
Goldstein, H., C. Peckham: Birthweight, gestation, neonatal mortality and child development. In: The Biology of Human Fetal Growth, ed. by D. F. Roberts, A. M. Thomson. Taylor & Francis, London 1976 (p. 81)
Gordon, J. E., J. B. Wyon, W. Ascoli: The second year death rate in less developed countries. Amer. J. med. Sci. 244 (1967) 357
Grebe, H.: Mißbildungen der Gliedmaßen. In: Humangenetik. Ein kurzes Handbuch in fünf Bänden, Bd. II, hrsg. von P. E. Becker. Thieme, Stuttgart 1964 (S. 179)
Greulich, W. W., S. I. Pyle: Radiographic atlas of skeletal development of the hand and wrist, 2nd Ed. Stanford and Oxford University Press, Stanford 1959
Grimm, H.: Grundriß der Konstitutionsbiologie und Anthropometrie, 2. Aufl. VEB Verlag Volk und Gesundheit, Berlin 1966
Grimm, H.: Wo findet man Hinweise für die Dimensionierung von Umweltstrukturen und Gebrauchsgegenständen in Anpassung an den kindlichen oder jugendlichen Körper? Ärztl. Jugenk. 61 (1970) 466
Grosser, O., R. Ortmann: Grundriß der Entwicklungsgeschichte des Menschen, 6. Aufl. Springer, Berlin 1966.
György, P., O. L. Kline: Malnutrition is a Problem of Ecology. Karger, Basel 1970
Hajnis, K.: Growth of the fingers and periods suited for operation of their congenital defects. Act. chir. plast. 10 (1968) 267
Hajnis, K.: Growth dynamics of the fingers and the timing of their congenital defects. Anthropologie (Prag) 7 (1969) 41
Hajnis, K.: The growth of certain external dimensions of the hand and the operation period of its congenital defects. Anthropologie (Prag) 8 (1970) 49
Hajnis, K.: Growth of neurocranium from 4 to 6 years of age (Use in postoperative control of craniostenosis). Anthropologie 9 (1971) 151
Hajnis, K.: Kopf-, Ohrmuschel- und Handwachstum. Verwendung bei den Operationen der angeborenen Mißbildungen und Unfallfolgen. Acta Univ. Carol. Biol. Praha 77 (1974) 77
Hakosalo, J., L. Saxén: Influenca epidemic and congenital defects. Lancet 1971/II, 1346
Harbeck, R.: Die Körpergrößen 20jähriger Männer. Wehrdienst u. Gesundheit 1 (1960) 308
Harrison, G. A.: Human genetics. In: Human Biology. An Introduction to Human Evolution, Variation, Growth, and Ecology, 2nd Ed., ed. by G. A. Harrison, J. S. Weiner, J. M. Tanner, N. A. Barnicot. Oxford University Press, Oxford 1977
Hassenstein, B.: Verhaltensbiologie des Kindes. Piper, München 1973
Hauser, G. A.: Alterungsvorgänge bei der Frau. In: Alterskrankheiten, 2. Aufl., hrsg. von G. Schettler. Thieme, Stuttgart 1972 (S. 372)
Hauspie, R., C. Susanne: Height, weight and skeletal maturity in asthmatic children. Bull. Soc. roy. belge Anthrop. Préh. 86 (1975) 33
Hauspie, R., C. Susanne, F. Alexander: A mixed longitudinal study of the growth in height and weight in asthmatic children. Hum. Biol. 48 (1976) 271
Heberer, G., I. Schwidetzky, H. Walter: Anthropologie. Fischer-Lexikon, Bd. XV, 2. Aufl. Fischer, Frankfurt/M. 1970
Hellbrügge, Th., J. Rutenfranz, O. Graf: Gesundheit und Leistungsfähigkeit im Kindes- und Jugendalter. Thieme, Stuttgart 1960
Heyden, S.: Risikofaktor Hypertonie. Beiträge zur Epidemiologie und Therapie der Hypertonie. Boehringer, Mannheim 1975
Hitzig, W. H.: Die Plasmaproteine in der klinischen Medizin. Springer, Berlin 1963
Hollmann, W.: Sportliches Training steigert die Leistungsfähigkeit. Umschau 74 (1974) 571
Holtmeier, H.-J.: Ernährung des alternden Menschen, 2. Aufl. Thieme, Stuttgart 1970
Hosemann, H.: Tragezeitgutachten. In: Vaterschaftsgutachten für die gerichtliche Praxis, 2. Aufl., hrsg. von G. Beitzke, H. Hosemann, P. Dahr, H. Schade. Schwartz, Göttingen 1965
Howe, G.: Man, environment and disease in Britain. A medical geography of Britain through the ages. Barnes & Noble, New York 1972
Hnerkovaky, O., E. Petrikow, M. Cerny: Prenatal sex ratio in man. Acta Univ. Carol. Med. (Praha) 18 (1964) 109
Huch, R., A. Huch, H. Schachinger: Babys im Brutschrank. Moderne medizinische Versorgung von Frühgeborenen. Umschau 76 (1976) 637
Hunter, W. M., F. C. Greenwood: A radio-immunoelectrophoretic assay for human growth hormone. Biochem. J. 91 (1964) 43
Ismail, A. A. A., R. A. Harkness: A method for the estimation of urinary testosterone. Biochem. J. 99 (1966) 717

Jahnecke, J.: Risikofaktor Hypertonie. Boehringer, Mannheim 1974
Jelliffe, D. B.: The assessment of the nutritional status of the community (with special reference to field surveys in developing regions of the world). WHO, Genf 1966
Jones, A. L.: Development of immune competence in the fetus. In: The Biology of Human Fetal Growth, ed. by D. F. Roberts, A. M. Thomson. Taylor & Francis, London 1976 (p. 217)
Jost, A.: Eingriffe in den Fortpflanzungsprozeß. In: Die biologische Zukunft des Menschen. Umschau, Frankfurt/M. 1971 (S. 21)
Jungklaaß, F.-K.: Mikroskopische Untersuchungen zur Variabilität und Vererbung des Haupthaares. Homo 9 (1958) 75
Jürgens, H. W.: Welchen Einfluß haben akzelerationsbedingte Formveränderungen des menschlichen Körpers auf die angewandte Anthropologie? Zbl. Arb.-Wiss. 15 (1961) 149
Jürgens, H. W.: Untersuchungen über Normmaße für Schulgestühl. Öff. Gesundh.-Wes. 29 (1967) 444
Jürgens, H. W.: Haut und Anhangsgebilde. In: Humangenetik. Ein kurzes Handbuch in fünf Bänden, Bd. I/1, hrsg. von P. E. Becker. Thieme, Stuttgart 1968 (S. 480)
Jürgens, H. W.: Probleme des verstellbaren Schulgestühls. Schulmanagement 3 (1972) 58
Jürgens, H. W.: Körpermaße und Bewegungsraum. Arbeitswissenschaftlich gesicherte Erkenntnisse über menschengerechte Gestaltung der Arbeit. Mitt. Inst. angew. Arb.-Wiss. 35 (1973) 18
Jürgens, H. W.: Aufgaben und Methoden der Industrieanthropologie. Eine Übersicht. Anthrop. Anz. 36 (1978) 169
Kallmann, F. J., B. M. Aschner, A. Falek: Comparative data on longevity, adjustement to aging, and causes of death in a senescent twin population. In: Novant' Anni delle Leggi Mendeliane, hrsg. von L. Gedda. Istituto Gregorio Mendel, Rom 1956 (S. 330)
Kaufmann, H., R. Lang, A. Rieben: Croissance de la taille et du poids de 4 à 19½ ans. Garcons et filles suisses domiciliês dans le canton de Genève en 1972. Editions Médecine et Hygiene, Genf 1976
Keppel, F.: Food for thought. In: Malnutrition, Learning, and Behavior, ed. by N. S. Scrimshaw, J. B. Gordon. Massachusetts Institute of Technology Press, Cambridge/Mass. 1968 (p. 4)
Kern, G.: Gynäkologie, 2. Aufl. Thieme, Stuttgart 1973
Kirchhoff, H.: Risiken des legalen Schwangerschaftsabbruches. Umschau 75 (1975) 609
Kirchhoff, H., J. Haller: Klinische Erfahrungen mit einer ovulationsunterdrückenden Östrogen-Gestagen-Kombination (Anovlar). Med. Klin. 59 (1964) 681
Klepzig, H.: Herz- und Gefäßkrankheiten, 3. Aufl. Thieme, Stuttgart 1972
Knaus, H.: Die fruchtbaren und unfruchtbaren Tage der Frau und deren sichere Berechnung. Maudrich, Wien 1950
Kleppinger, R. K.: A vaginal contraceptive foam. Penn. med. J. 68 (1965) 31
Knussmann, R.: Makrosomie-Mikrosomie als körperbautypologische Variationsreihe II. Ordnung. Homo 12 (1961) 1
Knussmann, R.: Größen- und Formmerkmale des Körpers. In: Humangenetik. Ein kurzes Handbuch in fünf Bänden, Bd. I/1, hrsg. von P. E. Bekker. Thieme, Stuttgart 1968 a (S. 197)
Knussmann, R.: Entwicklung, Konstitution und Geschlecht. In: Humangenetik. Ein kurzes Handbuch in fünf Bänden, Bd. I/1, hrsg. von P. E. Bekker. Thieme, Stuttgart 1968 b (S. 280)
Knussmann, R.: Neue Normtabellen anthropometrischer Merkmale für die erbbiologische Gutachterpraxis. Anthrop. Anz. 30 (1968 c) 272
Knussmann, R., M. Toeller, H. D. Holler: Zur Beurteilung des Körpergewichts. Med. Welt 23 (N. F.) (1972) 3
Koch, E. W.: Über die Veränderung menschlichen Wachstums im ersten Drittel des 20. Jahrhunderts. Barth, Leipzig 1935
Koch, G.: Vaterschaft. Palm u. Enke, Erlangen 1976
Krauss, W.: Innere Krankheiten. In: Grundzüge der Geriatrie, hrsg. von K. W. Brückel. Urban & Schwarzenberg, München 1975 (S. 98)
Kretschmer, E.: Körperbau und Charakter. 23.–24. Aufl. Springer, Berlin 1961
v. Kries, L., E. H. Gallasch: Ein Fall von Bipaternität bei Zwillingen. Anthrop. Anz. 30

Krogman, W. M.: Child Growth. University of Michigan Press, Ann Arbor 1972
Kurth, G.: Bevölkerungs- und stammesgeschichtliche Aspekte bevölkerungsbiologisch-demographischer Kriterien. In: Bevölkerungsbiologie. Beiträge zur Struktur und Dynamik menschlicher Populationen in anthropologischer Sicht, hrsg. von W. Bernhard, A. Kandler. Fischer, Stuttgart 1974 (S. 344)
Kurth, G., E. May: Unsere jungen Menschen wachsen schneller. Umschau 77 (1977) 55
Langman, J.: Medizinische Embryologie, 4. Aufl. Thieme, Stuttgart 1976
Lehmann, W.: Krankheiten der Drüsen mit innerer Sekretion. In: Humangenetik. Ein kurzes Handbuch in fünf Bänden, Bd. III/1, hrsg. von P. E. Becker. Thieme, Stuttgart 1964 (S. 151)
Lenz, W.: Über die Wandlungen des menschlichen Wachstums in der Gegenwart. Z. menschl. Vererb.- u. Konstit.-Lehre 27 (1944) 543
Lenz, W.: Ernährung und Konstitution. Urban & Schwarzenberg, München 1949

Lenz, W.: Wachstum; Körpergewicht und Körperlänge. Proportionen. Habitus. In: Biologische Daten für den Kinderarzt, Bd. I, hrsg. von J. Brock. Springer, Berlin 1954 (S. 1)

Lenz, W.: Ursache des gesteigerten Wachstums der heutigen Jugend. In: Akzeleration und Ernährung. Fettlösliche Wirkstoffe, hrsg. von K. Lang. Steinkopff, Darmstadt 1959 (S. 1)

Lenz, W.: Krankheiten des Urogenitalsystems. In: Humangenetik. Ein kurzes Handbuch in fünf Bänden, Bd. III/1, hrsg. von P. E. Becker. Thieme, Stuttgart 1964 a (S. 253)

Lenz, W.: Anomalien des Wachstums und der Körperform. In: Humangenetik. Ein kurzes Handbuch in fünf Bänden, Bd. II, hrsg. von P. E. Becker. Thieme, Stuttgart 1964 b (S. 63)

Lenz, W.: Medizinische Genetik, 3. Aufl. Thieme, Stuttgart 1976

Lindegaard, B., G. E. Nyman: Interrelations Between Psychology, Somatology and Endocrine Dimensions. Lunds Universitets Arsskrift. N.F. Avd 2, Bd. II, Nr. 10. Lund 1956

Linneweh, F.: Erbliche Stoffwechselkrankheiten. Urban & Schwarzenberg, München 1962

Lotze, R.: Zwillinge. Einführung in die Zwillingsforschung. Rau, Oehringen 1937

Ludvik, W.: Andrologie. Thieme, Stuttgart 1976

Ludwig, W., Ch. Boost: Über Certation und Spermiendimorphismus bei Tier und Mensch. Z. Naturforsch. 2 (1947) 222

Lundborg, H.: Die Rassenmischung beim Menschen. Bibl. Genetica 8. Nijhoff, Den Haag 1931

Lyon, M. F.: Sex chromatin and gene action in the mammalian X-chromosome. Amer. J. hum. Genet. 14 (1962) 135

McClung, J.: Effects of High Altitude on Human Birth. Observations on Mothers, Placentas, and the Newborn in two Peruvian Populations. Harvard University Press, Cambridge/Mass. 1969

Macht, S. H., P. S. Lawrence: National survey of congenital malformations resulting from exposure to roentgen radiation. J. Roentg. 73 (1955) 442

Madsen, V., K. Mauritzen, J. B. Termansen: Om kemiske anticonceptionelle midler. Ugeskr. Laeg. 114 (1952) 767

Maier, U. E. K.: Prä- und postnataler Protein-Kalorien-Mangel und Gehirnentwicklung. Fortschr. Med. 93 (1975) 771 u. 821

Malhotra, M. S.: People of India including primitive tribes. A survey on physiological adaptation, physical fitness, and nutrition. In: The Biology of Human Adaptability, ed. by P. T. Baker, J. S. Weiner. Oxford University Press, Oxford 1966 (p. 329)

Margolis, A. J., A. T. Cavanough, M. Ems: Contraception with gel alone. Fertil. and Steril. 13 (1962) 265

Marti, H. R.: Normale und anomale menschliche Hämoglobine. Springer, Berlin 1963

Martin, R., K. Saller: Lehrbuch der Anthropologie in systematischer Darstellung, 4 Bde. Fischer, Stuttgart 1957–1966

Matthiass, H.-H.: Reifung, Wachstum und Wachstumsstörungen des Haltungs- und Bewegungsapparates im Jugendalter. Karger, Basel 1966

Meadows, D., D. Meadows, E. Zahn, P. Milling: Die Grenzen des Wachstums. Bericht des Club of Rome zur Lage der Menschheit. Deutsche Verlagsanstalt, Stuttgart 1972

Mears, E.: Chemical contraceptiva trial. J. Reprod. Fertil. 4 (1962) 337

Milbradt, R.: Männliche Fertilitäts-Störungen. Umschau 73 (1973) 335

Miller, J. R., M. Yasuda: Environmental factors in the aetiology of congenital malformations in man. In: Modern Trends in Human Genetics. Vol. II, ed. by A. E. H. Emery. Butterworths, London 1975 (p. 308)

Mönckeberg, F.: Effect of early marasmic malnutrition on subsequent physical and psychological development. In: Malnutrition, Learning, and Behavior, ed. by N. S. Scrimshaw, J. E. Gordon. Massachusetts Institute of Technology Press, Cambridge/Mass. 1968 (p. 269)

Mönckeberg, F.: Factors conditioning malnutrition in Latin America, with special reference to Chile. Advices for a volunteers action. In: Malnutrition is a Problem of Ecology, ed. by P. György, O. L. Kline. Karger, Basel 1970 (p. 23)

Money, J., A. A. Ehrhardt: Man and woman, boy and girl. The differentiation and dimorphism of gender identity from conception to maturity. John Hopkins University Press, Baltimore 1972

Monge, C. M.: Acclimatization in the Andes: Historical Conformation of "Climatic Aggression" in the Development of Andean Man. John Hopkins University Press, Baltimore 1948

Murakami, U.: The effect of organic mercury on intrauterine life. In: Drugs and Fetal Development, ed. by M. A. Klingberg, A. Abramovici, J. Chemké. Plenum Press, London 1972 (p. 301)

Murdoch, J. L., B. Walker, A. McKusick: Parental age effect on the occurence of new mutations for the Marfan syndrome. Ann. hum. Genet. 35 (1972) 331

Murken, J.-D.: The XYY-syndrome and Klinefelter's syndrome. Investigations into epidemiology, clinical picture, psychology, behavior and genetics. In: Topics in Human Genetics, Vol. II, hrsg. von P. E. Becker, W. Lenz, F. Vogel, G. G. Wendt. Thieme, Stuttgart 1973

Murken, J.-D., H. Cleve: Humangenetik. Arbeitstext mit 90 Prüfungsfragen nach dem multiple-choice-Prinzip. Enke, Stuttgart 1975

Newman, M. T.: Nutritional adaptation in man. In: Physiological Anthropology, ed. by A. Damon. Oxford University Press, New York 1975 (p. 210)

Noel, B., J. P. Duport, D. Revil, I. Dussuyer, B. Quack: The XYY-syndrome: reality or myth? Clin. Genet. 5 (1974) 387

Nold, F.: Körpergröße und Akzeleration. Die Körpergrößenzunahme im Raume Freiburg (Breisgau) als Folge der genetischen Vermischung der Bevölkerung. Wehrd. u. Ges. 8 (1963) 70

Nowakowski, H.: Endokrinologie. In: Alterskrankheiten, hrsg. von G. Schettler, 2. Aufl. Thieme, Stuttgart 1972 (S. 283)

Oepen, H.: Iris. In: Humangenetik. Ein kurzes Handbuch in fünf Bänden, Bd. I/2, hrsg. von P. E. Becker. Thieme, Stuttgart 1969 (S. 11)

Ogino, K.: Über den Konzeptionstermin des Weibes und seine Anwendung in der Praxis. Zbl. Gynäk. 56 (1932) 72

Ott, H.: Normalgewicht und Optimalgewicht. Ernährungs-Umschau 10 (1963) 49

Overzier, C.: Die Intersexualität. Thieme, Stuttgart 1961

du Pan, R. M.: Die Ursachen des gesteigerten Wachstums. In: Akzeleration und Ernährung. Fettlösliche Wirkstoffe, hrsg. von K. Lang. Steinkopff, Darmstadt 1959 (S. 34)

Parkes, A. S.: Patterns of Sexuality and Reproduction. Oxford University Press, London 1976

Paschlau, R., G. Paschlau: Beitrag zur Frage des Verhältnisses der körperlichen Entwicklungsbeschleunigung unserer Jugend zu ihrer Leistungsfähigkeit in der Schule. Öff. Gesundh.-Dienst 25 (1963) 63

Pearl, R., R. de Witt Pearl: Studies on human longevity. IV: The distribution of nonagerians and centenarians in relation to the inheritance factor in duration of life. Hum. Biol. 6 (1934) 98

Pedersen, P. O.: Ernährung und Zahnkaries primitiver und urbanisierter Grönländer. Dtsch. Zahn-, Mund- u. Kieferheilk. 4 (1939) 728

Pelz, L., W. Mieler: Klinische Zytogenetik. Fischer, Stuttgart 1972

Petersen, D.: Die Mißbildungen der Arme bei der epidemischen Dysmelie (Thalidomidembryopathie). In: Fortschritte der allgemeinen und klinischen Humangenetik, Bd. II, hrsg. von P. E. Bekker, W. Lenz, F. Vogel, G. G. Wendt. Thieme, Stuttgart 1970.

v. Pfaundler, M.: Biologische Allgemeinprobleme der Medizin (Konstitution, Diathese, Disposition). Springer, Berlin 1947

Platt, D.: Biologie des Alterns. Quelle & Meyer, Heidelberg 1976

Plester, D.: Audiometrische Untersuchungen bei einem Naturvolk. Arch. Ohr.-, Nas.- u. Kehlk.-Heilk. 180 (1962) 765

Plummer, G.: Anomalies occuring in children exposed in utero to atomic bomb in Hiroshima. Pediatrics 10 (1952) 68

Porter, R., R. Knight: High Altitude Physiology. Churchill Livingstone, Edinburgh 1971

Rakow, L.: Die Anzahl der Fettzellen bleibt konstant. Umschau 74 (1974) 418

Rapp, W.: Immunologie und Altern. In: Alterskrankheiten, hrsg. von G. Schettler, 2. Aufl. Thieme, Stuttgart 1972 (S. 292)

Reinboth, R.: Intersexuality in the Animal Kingdom. Springer, Berlin 1975

Richardson, D. W.: Artificial insemination in the human. In: Modern Trends in Human Genetics. Vol. II, ed. by A. E. H. Emery. Butterworths, London 1975 (p. 404)

Riegel, K. F.: Ergebnisse und Probleme der psychologischen Alternsforschung. In: Altern. Probleme und Tatsachen, hrsg. von H. Thomae, U. Lehr. Akademische Verlagsgesellschaft, Frankfurt/M. 1972 (S. 142)

Ries, W.: Der physiologische Tod. In: Entwicklung, Wachstum, Mißbildungen und Altern bei Mensch und Tier, hrsg. von K. A. Rosenbauer. Wissenschaftliche Verlagsgesellschaft, Stuttgart 1969 (S. 285)

Rimoin, D. L., Th. J. Marime, D. Rabinowitz, L. L. Cavalli-Sforza, V. A. McKusick: Peripheral subresponsiveness to human growth hormone in the African pygmies. New Engl. J. Med. 218 (1969) 1383

Ritter, H.: Weichteile der äußeren Augenregion. In: Humangenetik. Ein kurzes Handbuch in fünf Bänden, Bd. I/2, hrsg. von P. E. Becker. Thieme, Stuttgart 1969 (S. 1)

Roberts, D. F.: Environment and the fetus. In: The Biology of Human Fetal Growth, ed. by D. F. Roberts, A. M. Thomson. Taylor & Francis, London 1976 (p. 267)

Roche, A. F., H. Wainer, D. Thissen: Predicting adult stature for individuals. Monographs in Paediatrics, Vol. III. Karger, Basel 1975

Rötzer, J.: Erweiterte Basaltemperaturmessung und Empfängnisregelung. Arch. Gynäk. 206 (1968) 195

Rose, G., G. Schaad: Zeugung mit Hilfe von Samenspendern. Fortschr. Fertil.-Forsch. 3 (1974) 181

Rosenbauer, K. A.: Entwicklung, Wachstum, Mißbildungen und Altern bei Mensch und Tier. Wissenschaftliche Verlagsgesellschaft, Stuttgart 1969

de Rudder, B.: Jahreszeit und vegetatives Nervensystem. Arch. Kinderheilk. 128 (1943) 97

de Rudder, B.: Zur theoretischen Biologie des Menschen. Dtsch. med. Wschr. 79 (1954) 45

de Rudder, B.: Zur Frage nach der Akzelerationsursache. Dtsch. med. Wschr. 86 (1960) 1193

Saller, K.: Leitfaden der Anthropologie, 2. Aufl. Fischer, Stuttgart 1964

Sauerwein, E.: Kariologie. Thieme, Stuttgart 1974

Schade, H.: Vaterschaftsbegutachtung. Schweizerbartsche Verlagsbuchhandlung, Stuttgart 1954

Schade, H.: Erbliche (endogene) Mißbildungen. In: Entwicklung, Wachstum, Mißbildungen und Altern bei Mensch und Tier, hrsg. von K. A. Rosenbauer. Wissenschaftliche Verlagsgesellschaft, Stuttgart 1969 (S. 142)

Schaeuble, J.: Zur geographischen und sozialen Verteilung einiger anthropologischer Körpermerkmale in Freiburg (Breisgau) und Umkreis. Z. Morph. Anthrop. 46 (1954) 57

Schaeuble, J.: Hand und Fuß. In: Humangenetik. Ein kurzes Handbuch in fünf Bänden, Bd. I/2, hrsg. von P. E. Becker. Thieme, Stuttgart 1969 (S. 177)

Scheinfeld, A.: Your Heredity and Environment. Chatto & Windus, London 1966

Schick, C.: Zur Faktorenanalyse der Konstitutionstypen. Z. menschl. Vererb.- u. Konstit.-Lehre 32 (1953) 1

Schott, L.: Zur Problematik der Deutung des natalen Geschlechtsverhältnisses in Kriegs- und Nachkriegsjahren, dargestellt am Beispiel südniedersächsicher Gemeinden. Anthropologie (Prag) 4 (1966) 61

Schreier, K.: Die angeborenen Stoffwechselanomalien. Grundlagen, Klinik, Therapie. Thieme, Stuttgart 1963

Schultz, A. H.: Fetal growth of man and other primates. Quart. Rev. Biol. 1 (1926) 465

Schultze, H. E., J. F. Heremans: Molecular Biology of Human Proteins, Vol. I. Elsevier, Amsterdam 1966

Schulze, Ch.: Anomalien, Mißbildungen und Krankheiten der Zähne, des Mundes und der Kiefer. In: Humangenetik. Ein kurzes Handbuch in fünf Bänden, Bd. II, hrsg. von P. E. Becker. Thieme, Stuttgart 1964 (S. 344)

Schumacher, G. H., J. Fanghänel: Normo- und Teratogenese unter Schalleinwirkung. In: Mensch und Umwelt aus der Sicht der Anthropologie, hrsg. von H. Bach. Wissenschaftliche Beiträge der Friedrich-Schiller-Universität Jena, Jena 1973 (S. 192)

Schwarzfischer, F.: Ohrmuschel. In: Humangenetik. Ein kurzes Handbuch in fünf Bänden, Bd. I/2, hrsg. von P. E. Becker. Thieme, Stuttgart 1969 (S. 164)

Schwidetzky, I.: Eine Typenformel für die Reifungsstufen, Z. menschl. Vererb.- u. Konstit.-Lehre 30 (1950) 86

Schwidetzky, I.: Variations- und Typenkunde des Menschen. In: Handbuch der Biologie, Bd. IX, hrsg. von L. v. Bertalanffy, F. Gessner. Akademische Verlagsgesellschaft Athenaion, Konstanz 1965 (S. 329)

Schwidetzky, I.: Demographie. In: Anthropologie. Fischer-Lexikon Bd. XV, 2. Aufl., hrsg. von G. Heberer, I. Schwidetzky, H. Walter. Fischer, Frankfurt/M. 1970 (S. 43)

Schwidetzky, I.: Hauptprobleme der Anthropologie. Bevölkerungsbiologie und Evolution des Menschen. Rombach, Freiburg 1971

Schwörer, I.: Röntgentafel: Die Skelettentwicklung des Menschen. Thieme, Stuttgart 1975

Scrimshaw, N. S., J. E. Gordon: Malnutrition, Learning, and Behavior. Massachusetts Institute of Technology Press, Cambridge/Mass. 1968

Scrimshaw, N. S., C. E. Taylor, J. E. Gordon: Interactions of Nutrition and Infection. Genf 1968

Sheldon, W. H.: The Varieties of Human Physique. Harper, New York 1940

Sheldon, W. H.: The Varieties of Temperament. A Psychology of Constitutional Differences. Harper, New York 1942

Shimazono, N.: Evaluation of school feeding programmes in Japan. In: Nutrition and Technology of Foods for Growing Humans, ed. by J. C. Somogyi. Karger, Basel 1973 (p. 267)

Siegel, M.: Congenital malformations following chickenpox, measles, mumps, and hepatitis. Results of a cohort study. J. Amer. med. Ass. 226 (1973) 1521

Slataper, F. J.: Age norms of refraction and vision. Arch. Ophthal. 43 (1950) 466

Slome, J.: Artificial insemination by donor. Brit. med. J. 1973/II, 365

Smith, C. A.: Effects of maternal undernutrition upon the newborn infant in Holland (1944–1945). J. Pediat. 30 (1947) 229

Somogyi, J. C.: Biological Interrelations and Nutrition. Karger, Basel 1970

Somogyi, J. C.: Nutrition and Technology of Foods for Growing Humans. Karger, Basel 1973

Somogyi, J. C., F. Fidanza: Nutrition and Nervous System. Karger, Basel 1972

Somogyi, J. C., E. Kodicek: Nutritional aspects of the development of bone and connective tissue. Karger, Basel 1969

Spann, W., H. O. Dustmann: Das menschliche Hirngewicht und seine Abhängigkeit von Lebensalter, Körperlänge, Todesursache und Beruf. Dtsch. Z. ges. gerichtl. Med. 56 (1965) 299

Spielmann, W.: Transfusionskunde, 2. Aufl. Thieme, Stuttgart 1972

Staib, W. H.: Das Wachstumshormon. In: Entwicklung, Wachstum, Mißbildungen und Altern bei Mensch und Tier, hrsg. von K. A. Rosenbauer. Wissenschaftliche Verlagsgesellschaft, Stuttgart 1969 (S. 207)

Statistisches Bundesamt: Bevölkerung und Wirtschaft 1892–1972. Kohlhammer, Stuttgart 1972

Statistisches Bundesamt: Das Gesundheitswesen der Bundesrepublik Deutschland, Bd. V, Ausg. 1974. Kohlhammer, Stuttgart 1974

Stein, Z., M. Susser, G. Saenger, F. Marolla: Famine and human development. The Dutch hunger winter of 1944–1945. Oxford University Press, New York–London–Toronto 1975

Sternglass, E. J.: Has nuclear testing caused infant deaths? In: Readings in Man, the Environment, and Human Ecology, ed. by A. S. Boughey. Macmillan, New York 1973 (p. 353)
Stewart, A.: The pitfalls of extrapolation. In: Readings in Man, the Environment, and Human Ecology, ed. by A. S. Boughey. Macmillan, New York 1973 (p. 359)
Stix, R. K.: Birth control in a midwestern city. Milbank Mem. Found. Quart. 17 (1939) 152
Stoch, M. B., P. M. Smythe: Does undernutrition during infancy inhibit brain growth and subsequent intellectual development? Arch. Dis. Childh. 38 (1963) 546
Straaß, G.: Sozialanthropologie. Prämissen-Fakten-Probleme. VEB Fischer, Jena 1976
Stratz, C. H.: Der Körper des Kindes und seine Pflege, 7.–8. Aufl. Enke, Stuttgart 1922
Tanner, J. M.: Wachstum und Reifung des Menschen. Thieme, Stuttgart 1962
Tanner, J. M.: Human growth and constitution. In: Human Biology. An Introduction to Human Evolution, Variation, Growth, and Ecology, 2nd Ed., ed. by G. A. Harrison, J. S. Weiner, J. M. Tanner, N. A. Barnicot. Oxford University Press, Oxford 1977 (p. 301)
Theimer, W.: Altern und Alter. Stand der experimentellen Gerontologie. Thieme, Stuttgart 1973
Thomae, H., U. Lehr: Altern. Probleme und Tatsachen. Akademische Verlagsgesellschaft, Frankfurt/M. 1972
Thomson, A. M.: The development of young children in a West African village. A study in human ecology. In: Human Ecology in the Tropis, ed. by J. P. Garlick, R. W. J. Keay. Taylor & Francis, London 1977 (p. 113)
Tietze, C., S. Lewitt: Clinical experience with intra-uterine devices: pregnancies, expulsions and removal. J. Reproduct. Fertil. 17 (1968) 443
Tietze, C., H. Lehfeldt, H. G. Liebmann: The effectiveness of the cervical cap as a contraceptive method. Amer. J. Obstet. Gynec. 66 (1953) 904
Tietze, C., S. R. Poliakoff, J. Rock: The clinical effectiveness of the rythm of contraception. Fertil. and Steril. 2 (1951) 444
Tietze, C., D. N. Pai, C. E. Taylor, C. J. Gamble: A family planning service in rural Puerto Rico. Amer. J. Obstet. Gynec. 81 (1961) 174
Tillner, I., E. Böshaar: Ein Beitrag zum Problem der Haarfarbenveränderung. Anthrop. Anz. 24 (1960) 203
Tobias, P. V.: Growth and stature in Southern African populations. In: Human Biology of Environmental Change, ed. by D. J. M. Vorster. Intern. Biol. Programme, London 1972 (p. 96)
Undeutsch, U.: Das Verhältnis von körperlicher und seelischer Entwicklung. In: Handbuch der Psychologie, Bd. III, hrsg. von H. Thomae. Hogrefe, Göttingen 1959 (S. 329)
v. Ungern-Sternberg, R.: Warum steigt die Sexualrelation in Kriegs- und Nachkriegsjahren? Akt. 18. intern. Kongr. Soziol. Nürnberg, Bd. IV, hrsg. von H. Freyer u. a., Hain, Meisenheim 1963 (S. 111)
Unterberger, F.: Geschlechtsbestimmung und Wasserstoffionenkonzentration. Dtsch. med. Wschr. 58 (1932) 729
v. Verschuer, O.: Wirksame Faktoren im Leben des Menschen. Beobachtungen an ein- und zweieiigen Zwillingen durch 25 Jahre. Steiner, Wiesbaden 1954
v. Verschuer, O.: Genetik des Menschen. Urban & Schwarzenberg, München 1959
Vogel, F.: Lehrbuch der allgemeinen Humangenetik. Springer, Berlin 1961
Vogel, F., W. Helmbold: Blutgruppen. Populationsgenetik und Statistik. In: Humangenetik. Ein kurzes Handbuch in fünf Bänden, Bd. I/4, hrsg. von P. E. Becker. Thieme, Stuttgart 1972 (S. 129)
Vogt, D.: Akzelerationsprobleme aus pädiatrischer Sicht. Medizin u. Ernährung 7 (1966) 225
Walter, H.: Über die Entwicklungskonstanz überdurchschnittlicher und unterdurchschnittlicher Körperhöhe. Homo 10 (1959) 98
Walter, H.: Bevölkerungsgeschichte der Stadt Einbeck. Lax, Hildesheim 1960
Walter, H.: Maß- und Formmerkmale von Kopf und Gesicht. In: Humangenetik. Ein kurzes Handbuch in fünf Bänden, Bd. I/1, hrsg. von P. E. Becker. Thieme, Stuttgart 1968 (S. 438)
Walter, H.: Umweltadaptation beim Menschen. In: Bevölkerungsbiologie. Beiträge zur Struktur und Dynamik menschlicher Populationen in anthropologischer Sicht, hrsg. von W. Bernhard, A. Kandler. Fischer, Stuttgart 1974 (S. 60)
Walter, H.: Körperbauform und Klima. Kritische Überlegungen zur Übertragbarkeit der Bergmannschen Regel auf den Menschen. Z. Morph. Anthrop. 67 (1976) 241
Walter, H.: Socioeconomic factors and human growth. Observations on adolescents from Bremen. In: Growth and Development; Physique, ed. by O. G. Eiben. Akádemiai Kiadó, Budapest 1977 (S. 49)
Walter, H., M. Fritz, A. Welker: Untersuchungen zur sozialen Verteilung von Körperhöhe und Körpergewicht. Z. Morph. Anthrop. 67 (1975) 6
Westoff, C. F., L. F. Herrera, P. K. Whelpton: Social and psychological factors affecting fertility. Milbank Mem. Found. Quart. 31 (1953) 291
Weber, E.: Grundriß der biologischen Statistik, 7. Aufl. Fischer, Stuttgart 1972
Wendt, G. G., U. Theile: Humangenetik und genetische Beratung. Einführung für das klinische Studium. Klinik der Gegenwart, Bd. IX. Urban & Schwarzenberg, München 1974 (S. 283)
Wendt, G. G., U. Theile: Genetische Beratung für die Praxis. Fischer, Stuttgart 1975

Westoff, Ch. F., R. R. Rindfuß: Sex preselection in the United States; some implications. Science 184 (1974) 633

Wewer, H.: Geburtenkontrolle genügt nicht. Umschau 74 (1974) 514

Wilmer, H. A.: Changes in structural components of the human body from maturity. Proc. Soc. exp. Biol. (N. Y.) 43 (1940) 545

Winick, M.: Relation of nutrition to physical and mental development. In: Nutrition and Technology of Foods for Growing Humans, ed. by J. C. Somogyi. Karger, Basel 1973 (p. 114)

Winick, M.: Malnutrition and brain development. Oxford University Press, New York–London–Toronto 1976

Winick, M., P. Rosso, J. A. Brasel: Malnutrition and cellular growth in the brain: In: Nutrition and Nervous System, ed. by J. C. Somogyi, F. Fidanza. Karger, Basel 1972 (p. 60)

Witkowski, R., O. Prokop: Genetik erblicher Syndrome und Mißbildungen. Wörterbuch für die Familienberatung. Akademie-Verlag, Berlin 1974

Wunderlich, Ch.: Das mongoloide Kind. Möglichkeiten der Erkennung und Betreuung, 2. Aufl. Enke, Stuttgart 1976

Wünsche, H.-W.: Altersveränderungen metrischer Merkmale in der Kindheit und beim Erwachsenen, sowie ihre Beziehung zum sozialen Milieu und zum Habitus. Z. Morph. Anthrop. 45 (1953) 368

Yamasaki, J. N., S. W. Wright, P. M. Wright: Outcome of pregnancies in women exposed to atomic bomb in Nagasaki. J. Dis. Child. 87 (1954) 448

Zankl, H.: Waren die Frauen zuerst da? Die genetische Steuerung der Geschlechtsentwicklung. Umschau 77 (1977) 79

Zeller, W.: Entwicklung und Körperform der Knaben und Mädchen von 14 Jahren. Veröff. Volksgesundheitsd. 52 (1939) 665

Zeller, W.: Konstitution und Entwicklung, 2. Aufl., hrsg. von K. Thomas. Hogrefe, Göttingen 1964

v. Zerssen, D.: Dimensionen der morphologischen Habitusvariationen und ihre biometrische Erfassung. Z. menschl. Vererb.- u. Konstit.-Lehre 37 (1964) 611

Ziegelmayer, G.: Über die Konstitution der Rothaarigen. Acta anthrop. H. 2. Heilkunst-Verlag, München 1958

Ziegelmayer, G.: Äußere Nase. Mund-Kinn-Region. In: Humangenetik. Ein kurzes Handbuch in fünf Bänden, Bd. I/2, hrsg. von P. E. Becker. Thieme, Stuttgart 1969 (S. 56)

Zollinger, H. U.: Pathologische Anatomie, 2 Bde., 4. Aufl. Thieme, Stuttgart 1975/76

Sachverzeichnis